Люсинда Райли

Люсинда Райли

Танец судьбы

АСТ
Москва

УДК 821.111
ББК 84 (4Вел)
Р12

Lucinda Riley

THE GIRL ON THE CLIFF

First published in Great Britain in the English language
by Penguin Books Ltd.

Перевод с английского О.Л. Ляшенко

Оформление дизайн-студии «Три кота»

Печатается с разрешения издательства Penguin Books Ltd.
и литературного агентства Andrew Nurnberg.

Подписано в печать 01.03.2013. Формат 84 ×108 ¹/₃₂. Бумага офсетная.
Печать офсетная. Усл. печ. л. 25,2. Тираж 3000 экз. Заказ 1173.

Райли, Люсинда

Р12   Танец судьбы : [роман] / Люсинда Райли; пер. с англ. О.Л. Ляшенко. — Москва: АСТ, 2013. — 478, [2] с.

ISBN 978-5-17-078398-4

Книга об утраченных иллюзиях — и вновь обретенных надеждах.
Книга о жестокой вражде — и настоящей дружбе.
Но прежде всего — книга о любви и вдохновении!
...Танцует над обрывом девочка, пережившая трагедию и еще не знающая, радость или печаль ждут ее в будущем, — и восхищенно зарисовывает каждое ее движение молодая художница, даже не подозревающая, что жизнь, которую она считает разбитой, только начинается.
Никогда не поздно начать сначала.
Понять. Простить. Почувствовать вновь.

УДК 821.111
ББК 84 (4Вел)

ISBN 978-985-18-2066-1
(ООО «Харвест»)

Посвящается Стивену

Так мы и пытаемся плыть вперед, борясь с течением, а оно все сносит и сносит наши суденышки обратно в прошлое.

Фрэнсис Скотт Фицджеральд.
Великий Гэтсби

Аврора

Я — это я.

И я расскажу вам одну историю.

Говорят, любому писателю труднее всего дается начало. Я имею в виду первые слова.

Заглавную фразу я подсмотрела в дебютном рассказе младшего брата. И ее простота всегда поражала меня.

Итак, я сделала это.

Должна предупредить, что я не профессиональный рассказчик. Честно говоря, даже не помню, когда в последний раз записывала свои мысли. Понимаете, я всегда выражала их языком тела. Но я больше не могу этого делать и потому решила немного поработать головой.

Я пишу все это, не намереваясь опубликовать. Моя цель гораздо более эгоистичная. Я нахожусь сейчас на том этапе жизни, которого все боятся, — наполняю дни прошлым, потому что у меня почти не осталось будущего.

И мне нужно чем-то заняться.

А еще я считаю, что эта история обо мне и моей семье, начавшаяся почти за сто лет до моего рождения, достойна того, чтобы ее рассказать.

Я знаю, что любой может сказать примерно то же самое о своей жизни. Так и есть: жизнь каждого из нас — словно захватывающий роман с большим количеством добрых и злых персонажей. И почти всегда в нем есть место волшебству.

Меня назвали именем принцессы одной известной сказки. Может быть, именно поэтому я всегда верила в чудеса. Повзрослев, я осознала, что сказка — это аллегория всей жизни, того танца, в который мы пускаемся в момент рождения.

И мы не можем остановиться, пока не умрем.

Итак, дорогой читатель — я могу обращаться к тебе так, поскольку ты держишь в руках мою книгу, а это значит, что она все-таки нашла аудиторию, — позволь, я расскажу тебе одну историю.

Многие мои герои умерли задолго до того, как я родилась, и я буду очень стараться возродить их к жизни с помощью воображения.

Размышляя над событиями, о которых собираюсь тебе рассказать, — а они дошли до меня через два поколения, — я поняла, что их объединяет одна главная тема. Это, конечно же, любовь и выбор, который мы делаем ради нее.

Многие тут же решат, что я имею в виду любовь между мужчиной и женщиной, — и в принципе будут правы. Но есть и другие формы этого драгоценного чувства. Например, любовь родителя к ребенку. А есть еще одержимость — чувство, которое разрушает и сеет хаос.

Еще одна тема моего повествования — это чай, который мои герои пьют в больших количествах... Но я ухожу от главной темы. Прошу прощения, это свойственно людям, ощущающим тяжесть прожитых лет. Итак, буду двигаться дальше.

Я расскажу эту историю, прерываясь время от времени, когда почувствую необходимость объяснить вам некоторые детали более подробно. Все же это очень запутанный рассказ.

Думаю, я начну ближе к концу, чтобы все еще больше усложнить. Итак, тогда мне было восемь лет и я росла без матери... В доме на вершине скалы с видом на залив Дануорли, который я люблю больше всего на свете.

Однажды, давным-давно...

1

У самого края отвесной скалы застыла маленькая фигур-ка. Сильный ветер с моря развевал длинные, потрясающей красоты, рыжие волосы. Из-под тонкого белого одеяния из хлопка видны только лодыжки и маленькие босые ступни. Напряженные руки раскинуты в стороны, ладони обращены к бушующему серому морю, бледное лицо поднято к небу — она словно предлагала себя в жертву силам природы.

Грания Райан, завороженная этим видением, так похожим на призрак, не могла отвести взгляд. Она была совершенно сбита с толку и никак не могла понять: там, на скалах, живой человек или это лишь игра воображения? На долю секунды девушка зажмурилась и открыла глаза, но фигурка осталась на месте. Грания сделала несколько осторожных шагов вперед.

Приблизившись к загадочному существу, она поняла, что это всего лишь маленькая девочка, а ее белое одеяние — обычная ночная рубашка. Над морем нависли тяжелые грозовые тучи, ливень был неизбежен. Грания почувствовала на щеках удары первых соленых капель. Малышка была беспомощна перед разыгравшейся стихией, и это заставило Гра-нию идти быстрее.

Ветер все яростнее бил в лицо. Грания остановилась в десяти ярдах от девочки, которая по-прежнему не двигалась. Уже хорошо видны были ее посиневшие крошечные ножки, крепко стоявшие на краю обрыва, в то время как тело, подобно молодой иве, раскачивалось и сгибалось под порывами усиливающегося ветра. Грания подошла еще ближе и в смятении остановилась позади ребенка. Можно было броситься к девочке и схватить ее, но что, если та испугается и обернется? Тогда один неверный шаг — и ужасной трагедии не избежать: малышка сорвется со скалы и разобьется о камни, скрытые под морской пеной в сотне футов внизу.

Грания замерла, отчаянно перебирая варианты спасения ребенка, и почувствовала, что начинает паниковать. Она так и не успела ничего придумать, когда девочка внезапно повернулась и уставилась на нее невидящим взглядом.

Грания инстинктивно протянула к ней руки:

— Я не причиню тебе зла, обещаю. Иди сюда, здесь ты будешь в безопасности.

Но девочка продолжала смотреть на нее, ни на шаг не отступив от обрыва.

— Я отвезу тебя домой. Скажи только куда. Ты ведь можешь разбиться! Пожалуйста, давай я помогу, — умоляла ее Грания.

Она сделала еще один шаг в сторону девочки, и в этот миг малышка словно очнулась ото сна. Ее лицо исказил страх, и, резко повернувшись направо, она побежала по краю скалы и постепенно скрылась из виду.

— А я уже собралась высылать за тобой поисковую экспедицию! Шторм-то разыгрался нешуточный, как я погляжу.

— Мам, мне уже тридцать один. И последние десять лет я провела на Манхэттене, — сухо ответила Грания, входя в кухню и вешая мокрый пиджак на плиту «Рэйберн». — Не нужно волноваться из-за меня! Не забывай, что я уже большая девочка.

Улыбнувшись, она подошла к матери, которая накрывала стол к ужину, и поцеловала ее в щеку.

— Может, и большая, но я знаю людей посильнее, чем ты, и не все они смогли устоять на скалах в такой ветер! — Кэтлин Райан махнула рукой в сторону окна, за которым продолжала бушевать стихия. Раскидистые ветви глицинии — коричневые, без цветков, и оттого казавшиеся безжизненными — монотонно стучали в оконную раму. — Я только что заварила чай. — Кэтлин вытерла руки о передник и направилась к плите. — Выпьешь немного?

— С большим удовольствием. Ты только присядь, пожалуйста, дай отдых ногам. А я все сделаю. — Грания подвела мать к кухонному столу и, выдвинув стул, нежно усадила ее.

— Но только пять минут! Не забывай, в шесть вернутся мальчики и потребуют чай!

Грания, разливавшая крепкий чай по двум чашкам, молча приподняла бровь — ох уж эта мамино самопожертвование по отношению к мужу и сыну! Похоже, за прошедшие десять лет ничего не изменилось. Кэтлин всегда потворствовала своим мужчинам — их потребности и желания были на первом месте. Грания вдруг осознала, насколько сильно жизнь матери отличается от ее собственной, в которой эмансипация и равенство полов давно стали нормой, и ей стало не по себе.

И все же... Мужской деспотизм, как называют подобные отношения современные женщины, давно ушел в прошлое, и в ее жизни ему нет места. Но кто из них — она или Кэтлин — сейчас более доволен своей участью? Грания грустно вздохнула и добавила молока в чашку матери. Она знала ответ на этот вопрос.

— Мам, опять ты за свое! Хочешь печенья? — Грания поставила жестяную коробку на стол напротив Кэтлин и открыла ее. Как обычно, тут было самое разное печенье: с ванильным кремом, бурбоны и круглое из песочного теста. Еще один атрибут ее детства, который привел бы в такой же ужас озабоченных своими формами современных жительниц Нью-Йорка, как маленькая атомная бомба.

Кэтлин взяла два печенья и сказала дочери:

— Давай и ты со мной за компанию. Честно говоря, ты ешь меньше чем мышь.

Грания послушно откусила кусочек и подумала о том, что вернулась домой всего десять дней назад, но вот-вот лопнет от изобилия приготовленных мамой блюд. Хотя, спору нет, среди всех ее знакомых из Нью-Йорка у нее был самый лучший аппетит. И духовку она использовала по назначению, а не как место для хранения тарелок.

— Немного проветрила голову на прогулке? — Кэтлин доедала уже третье печенье. — Когда мне нужно решить какую-то проблему, я отправляюсь на скалы и возвращаюсь с готовым ответом.

— Знаешь... — Грания сделала глоток чаю. — Я видела кое-что странное: маленькую девочку лет восьми или девяти в ночной рубашке. Она стояла прямо на краю обрыва. Рыжая, с очень красивыми длинными волосами. Мне показалось, она пришла туда во сне. Когда я приблизилась к ней, она обернулась, и ее глаза были... — она замолчала, подыскивая нужное слово, — абсолютно пустые. Девочка словно не видела меня. А потом она как будто проснулась и умчалась прочь, подобно кролику, которого спугнули на горной тропинке. Ты, случайно, не знаешь, кто это мог быть? — Грания увидела, как ее мать побледнела. — Мам, ты в порядке?

Кэтлин внимательно посмотрела на дочь:

— Ты говоришь, что видела ее всего несколько минут назад во время прогулки?

— Да.

— Ох, Пресвятая Богородица! — Кэтлин перекрестилась. — Они вернулись.

— Мам, кто вернулся? — Новость так сильно потрясла ее мать, что Грания сама разволновалась.

— Почему они вернулись? — Кэтлин смотрела сквозь окно в темноту. — Зачем им это нужно? Я думала... Мне казалось, наконец-то все закончилось и они покинули нас навсегда. — Она схватила дочь за руку. — Ты уверена, что видела маленькую девочку, а не женщину?

— Абсолютно. Я же сказала, что ей лет восемь или девять. Я очень переживала. Она была босиком и, как мне показалось, очень замерзла. Честно говоря, я даже подумала, не привидение ли это.

— Вот уж повезло, так повезло, — пробормотала Кэтлин. — Они приехали совсем недавно. Я ведь проходила мимо того дома в прошлую пятницу, спускаясь со скалы. Окна не горели, хотя было уже больше десяти вечера. Дом был пуст.

— Какой дом ты имеешь в виду?

— Дануорли-Хаус.

— Этот огромный пустой особняк прямо на скале за нами? Но в нем ведь уже очень давно никто не живет.

— Да, когда ты была маленькая, дом пустовал, но... — Кэтлин вздохнула. — Они вернулись, когда ты уехала в Нью-Йорк. А потом, когда... это случилось, снова покинули наши места. Никто и подумать не мог, что мы снова их здесь увидим. И это нас радовало, — подчеркнула она. — В наших с ними отношениях все не так просто, эта история уходит в далекое прошлое. Что ж... — Кэтлин стукнула рукой по столу и решительно встала. — Что прошло, то прошло. И я бы советовала тебе держаться от них подальше. Нашей семье они приносят только горе, больше ничего.

Грания наблюдала за матерью, которая с застывшим лицом подошла к плите и достала из духовки тяжелую металлическую кастрюлю с ужином.

— Но ведь если у девочки, которую я видела, есть мать, она наверняка хотела бы знать о том, что ее дочь сегодня чуть не погибла? — осторожно спросила она.

— У нее нет матери. — Кэтлин методично перемешивала еду деревянной ложкой.

— Она умерла?

— Да.

— Понятно... И кто же присматривает за бедной девочкой?

— Не спрашивай меня о том, как у них все заведено. — Кэтлин пожала плечами. — Меня это совершенно не волнует, и я не хочу ничего знать.

Грания нахмурилась. Обычно в подобной ситуации ее мать отреагировала бы совершенно иначе. Большое материнское сердце Кэтлин сочувствовало беде любого несчастного и откликалось на нее. Если в жизни членов семьи или у друзей что-то случалось и требовалась помощь или поддержка, она отзывалась первой. Особенно если дело касалось детей.

— Как умерла ее мать?

Деревянная ложка повисла в воздухе, и воцарилось молчание. Потом Кэтлин тяжело вздохнула и повернулась к дочери:

— Что ж, если я не расскажу тебе, ты все равно скоро услышишь это от кого-нибудь другого. Она добровольно рассталась с жизнью, вот так.

— Ты имеешь в виду самоубийство?

— Это одно и то же, Грания.

— Это произошло давно?

— Она бросилась со скалы четыре года назад. Тело нашли два дня спустя на пляже Инчидони.

Помолчав, Грания поинтересовалась:

— И откуда же она прыгнула?

— Судя по всему, именно с той скалы, где ты видела сегодня ее дочь. Думаю, Аврора искала мамочку.

— Ты знаешь, как ее зовут?

— Конечно, это же не секрет. Семья Лайл раньше владела всем в Дануорли, даже нашим домом. Когда-то давно они были хозяевами этих мест. Но в шестидесятые годы распродали земли и оставили себе лишь дом на скале.

— Семья Лайл? Я где-то видела эту фамилию.

— Во дворе местной церкви много могил Лайлов. Она тоже там похоронена.

— А ты уже видела эту малышку, Аврору, на скалах?

— Именно поэтому отец увез ее отсюда. После смерти матери девочка постоянно бродила над обрывом и звала ее. Я бы сказала, она почти обезумела от горя.

Грания заметила, что лицо Кэтлин немного смягчилось.

— Бедняжка, — вздохнула она.

— Да, ужасное зрелище. Бедная девочка не заслужила такой участи, но от этой семьи исходит ощущение беды. Грания, пожалуйста, послушай меня — не связывайся с ними.

— Интересно, почему они вернулись? — пробормотала Грания почти неслышно.

— Лайлы живут по своим законам. Я не знаю почему, и меня это не волнует. А теперь ты не сделаешь ли хоть что-нибудь полезное и не поможешь ли мне накрыть на стол к чаю?

Грания поднялась в спальню сразу после десяти вечера, как делала каждый вечер после возвращения домой. Мать осталась внизу убирать со стола, отец дремал в кресле у телевизора, а Шейн, ее младший брат, коротал вечер в деревенском пабе. Отец и сын работали на ферме площадью в пятьсот акров. Почти вся земля была отдана под выпас молочного скота и овец. В двадцать девять лет «мальчик», как до сих пор ласково называли дома Шейна, все еще не думал обзаводиться собственной семьей. Женщины в его жизни появлялись и исчезали, и он почти никогда не приводил их на ферму, в родительский дом. Кэтлин огорчалась от того, что Шейн до сих пор не женат, но Грания знала: как только сын уйдет из дома, в жизни ее матери возникнет пустота.

Прислушиваясь к шуму дождя за окном, она забралась под одеяло и вспомнила о маленькой Авроре — хорошо, если она у себя дома, в тепле и безопасности. Полистав книгу, Грания начала зевать и поняла, что не может сконцентрироваться. Судя по всему, свежий воздух этих мест навевал на нее сон, ведь в Нью-Йорке она редко ложилась до полуночи.

Кэтлин, когда Грания была маленькой, практически каждый вечер проводила дома. Иногда она из сострадания ухаживала за заболевшим родственником, и в таких случаях ей приходилось ночевать в другом месте. В те дни мама старалась изо всех сил, чтобы оставить домашним достаточно еды и чистой одежды. Ее приготовления напоминали настоящую войсковую операцию. А вот отец за прошедшие тридцать четыре года семейной жизни ни разу не спал в чужой постели — Грания в этом почти не сомневалась. Вставая ежедневно в пять тридцать утра, он отправлялся на ферму доить скот и возвращался только после заката. Ее родители всегда знали друг о друге все. Их жизни слились в одну, крепкую и неделимую.

А клеем, который скрепил их отношения, стали дети.

Когда восемь лет назад Грания с Мэттом стали жить вместе, они воспринимали как нечто само собой разумеющееся то, что у них когда-нибудь будут дети. Как все пары в современном мире, они ждали подходящего момента и, пока была возможность, торопились все успеть в жизни и усердно трудились, желая построить карьеру.

А потом случилось вот что... Однажды утром Грания проснулась и, облачившись, как обычно, в спортивные брюки и куртку с капюшоном, отправилась на пробежку по набережной Гудзона в сторону Бэттери-парка. Остановившись около «Уинтер-гарденс», она заказала себе латте и бейгеле. Именно там это и произошло: отхлебнув кофе, она перевела взгляд на коляску у соседнего столика и увидела крошечного новорожденного малыша, который крепко спал. Внезапно у нее возникло непреодолимое желание выхватить ребенка из коляски и крепко прижать к груди его мягкую пушистую головку. Это чувство потрясло Гранию, и, когда мать малыша, нервно улыбнувшись, встала и укатила коляску подальше от непрошеного внимания, она побежала домой, чувствуя, что не может дышать от переполнявших ее эмоций.

Она надеялась, что переживания улягутся, и весь день работала в студии, пытаясь придать нужную форму мягкой коричневой глине, но душевное равновесие к ней так и не вернулось.

В шесть часов вечера Грания вернулась домой, приняла душ и переоделась, собираясь отправиться на открытие художественной галереи, куда была приглашена в тот вечер. Налив себе бокал вина, она подошла к окну, из которого открывался вид на мерцающие огни Нью-Джерси и противоположный берег Гудзона.

— Я хочу ребенка.

Она сделала большой глоток и засмеялась — такими абсурдными показались ей эти слова. А потом снова произнесла их, просто чтобы проверить себя.

И они прозвучали вполне разумно. Более того — еще и абсолютно естественно, словно она всю жизнь хотела стать матерью и думала об этом, а всевозможные причины «почему нет» вдруг оказались нелепыми или просто исчезли.

Грания сходила на открытие галереи и поболтала о том о сем с художниками, коллекционерами и особыми гостями, которые в основном и посещают такие мероприятия. Но все это время она продолжала осмысливать практические вопросы, которые породило ее судьбоносное решение. Придется ли им с Мэттом переехать? Нет, наверное, в ближайшее время не потребуется — их лофт в районе Трайбека был достаточно просторным, а кабинет Мэтта без проблем можно переоборудовать в детскую. Он редко работал там, предпочитая располагаться с ноутбуком в гостиной. Они жили на четвертом этаже, но коляска наверняка могла поместиться в грузовой лифт. К тому же поблизости имелся Бэттери-парк, где можно было подышать свежим речным воздухом и поиграть на детской площадке, где масса всяческих сооружений. Грания работала в домашней студии, поэтому даже если препоручить ребенка няне, она всегда может в считанные мгновения оказаться дома.

Позже, лежа одна на широкой кровати, она вздыхала, переживая, что ей пока не с кем поделиться своими идеями и ощущениями. Всю предыдущую неделю Мэтт был в отъезде и собирался вернуться только через несколько дней. А объявлять о таком решении по телефону было бы неправильно. Грания заснула только под утро, представляя себе гордый взгляд Мэтта, когда она протянет ему новорожденного.

Вернувшийся домой Мэтт был воодушевлен желанием Грании не меньше, чем она сама. И они тут же принялись с удовольствием воплощать план в жизнь. Им обоим очень нравилось, что у них появился тайный совместный проект, призванный окончательно скрепить их отношения, как это произошло у ее родителей. Их планы касались недостающего звена, которое объединило бы их навсегда, сделав единым целым — в сущности, просто настоящей семьей.

И сейчас, лежа на детской кровати, где спала в детстве, Грания прислушивалась к яростным завываниям ветра за крепкими каменными стенами дома. Все эти прекрасные планы она строила год назад. Самое ужасное, что «совместный проект» не объединил их с Мэттом, а, наоборот, разрушил отношения...

2

Проснувшись следующим утром, Грания обнаружила, что ночной шторм улегся, оставшись лишь воспоминанием, а вместе с ним пропали и серые облака. Солнце, редкий гость в этих местах зимой, освещало скалистый пейзаж за окном, подчеркивая зелень бесконечных полей, окружавших ферму, с вкраплениями белых точек — пасущихся пушистых овец.

По опыту Грания знала, что такая погода вряд ли простоит долго. Солнце в Западном Корке вело себя подобно капризной примадонне, чье кратковременное появление украшает эпизод — она купается в лучах славы, а потом исчезает так же внезапно, как появилась.

В последние десять дней из-за непрекращающегося дождя Грания не могла следовать обычному утреннему ритуалу, но сегодня она выскочила из кровати и принялась перебирать вещи в чемодане в поисках леггинсов, кофты с капюшоном и кроссовок.

— Ну вот, сегодня ты встала рано и выглядишь свежее, — прокомментировала мать ее появление в кухне. — Будешь овсянку?

— Немного, когда вернусь. Я на пробежку.

— Только не изматывай себя сильно. Ты такая бледная, никакого румянца.

— Именно румянца я и пытаюсь добиться, мама! — Грания сдержала улыбку. — Увидимся позже.

— Постарайся не простудиться! — крикнула Кэтлин дочери.

Через кухонное окно она наблюдала, как Грания бежит вниз по узкой тропинке, которая когда-то служила основанием древней каменной стены, высившейся в полях. Тропинка вела к дороге и далее к другой тропке, уходившей вверх, в скалы.

Когда Грания приехала домой, ее вид шокировал мать. Кэтлин не видела ее всего три года, и за это время ее цветущая красавица дочь — кровь с молоком, блондинка с волнистыми локонами и веселыми бирюзовыми глазами, которая всегда притягивала к себе внимание окружающих, как будто растеряла часть жизненных сил. Кэтлин даже сказала мужу, что их дочь теперь похожа на яркую розовую блузку, по ошибке попавшую в стирку вместе с темным бельем и превратившуюся в скучное сероватое подобие самой себя.

Кэтлин знала, в чем причина этого превращения. Грания сказала ей, когда звонила из Нью-Йорка и спрашивала, можно ли приехать домой на некоторое время. Конечно, Кэтлин не возражала — перспектива провести время с дочерью радовала ее. И все же она не могла полностью понять причины ее побега. С точки зрения Кэтлин, именно в такой момент Грания должна была остаться рядом со своим мужчиной, чтобы они могли поддержать друг друга в тяжелой ситуации.

Мэтт, этот чудесный молодой человек, теперь звонит каждый вечер, чтобы поговорить с ней, но Грания упрямо отказывается подходить к телефону. Кэтлин всегда испытывала симпатию к Мэтту. Привлекательная внешность, мягкий акцент уроженца Коннектикута и безупречные манеры — он напоминал Кэтлин кинозвезд, которыми она восхищалась в юности. Роберт Редфорд в молодости — вот как она воспринимала Мэтта. И никак не могла понять, почему дочь так и не вышла за него замуж. Грания очень упряма, если ей что-то взбредет на ум, и теперь она рискует окончательно потерять Мэтта.

Кэтлин не особенно хорошо разбиралась в устройстве современного мира, но понимала мужчин и их суть. Они не похожи на женщин и не любят, когда их подолгу отвергают. Кэтлин была абсолютно уверена: очень скоро Мэтт отступится и вечерние телефонные звонки прекратятся.

Хотя, возможно, ей известно не все...

Вздыхая, она убрала со стола в раковину оставшиеся после завтрака тарелки. Грания была ее любимой дочкой. Она единственная из клана Райанов покинула семейный дом и сделала все возможное, чтобы семья, и особенно мать, гордилась ею. Родственники постоянно интересовались, как дела у Грании, и рассматривали вырезки из газет, присланные ею, с репортажами о ее последних выставках в Нью-Йорке. Всех завораживали упоминания о состоятельных клиентах, для которых она отливала в бронзе бюсты их детей или домашних любимцев...

Добиться успеха в Америке по-прежнему было пределом мечтаний любого ирландца.

Кэтлин насухо вытерла тарелки и столовые приборы и убрала их в деревянный шкаф. Конечно, она прекрасно понимала: никто не может похвастаться тем, что у него все идеально. Она всегда считала — Грания не из тех женщин, кто мечтает поскорее услышать в доме топот детских ножек, и смирилась с этим. В конце концов, у Кэтлин есть замечательный здоровый сын, который обязательно когда-нибудь подарит ей внуков. Но как выяснилось, Кэтлин ошиблась: несмотря на успехи Грании в Нью-Йорке, который для Кэтлин всегда был центром вселенной, ее дочери недоставало детей. И пока они не появятся, Грания не будет счастлива.

Теперь Кэтлин постоянно думала о том, что ее дочь во всем винит себя. Несмотря на новомодные лекарства, призванные помочь и ускорить то, что является загадкой природы, молодость нельзя было заменить ничем. Сама она родила Гранию в девятнадцать. И у нее оставалось достаточно энергии, чтобы через два года завести второго ребенка. А Грании уже тридцать один. И что бы ни говорили современные карьеристки, невозможно иметь в жизни все.

Кэтлин очень сочувствовала потере Грании, но все же предпочитала принять все как есть и не тосковать по несбывшемуся. С этой мыслью она отправилась наверх застилать постели.

Грания опустилась на влажный, покрытый мхом камень, чтобы перевести дыхание. Она дышала часто и тяжело, словно дряхлая старуха, — очевидно, что потеря ребенка и отсутствие в последнее время тренировок не могли не повлиять на ее форму. Стараясь отдышаться, она опустила голову между коленями и смяла ногой сухой куст полевой травы. Но трава на удивление крепко вросла корнями в землю, и вырвать ее было невозможно. Если бы только малыш, зародившийся тогда внутри ее, оказался таким же крепким...

Четыре месяца... Именно в тот момент, когда они с Мэттом решили, что опасность миновала. Всем известно, что к этому сроку все тревоги обычно остаются позади. И Грания, прежде испытывавшая крайнюю тревогу, наконец начала расслабляться и даже предалась мечтам о том, как она станет матерью.

Они поделились новостью с будущими бабушкой и дедушкой с обеих сторон. Элейн и Боб, родители Мэтта, пригласили их в отель «Эскаль» неподалеку от своего особняка в закрытом поселке Бель-Хейвен в Гринвиче. Боб прямо спросил, когда же, учитывая положение Грании, они объявят о долгожданном бракосочетании. В конце концов, и Боб явно дал это понять, на свет появится их первый внук, и он должен носить фамилию отца. Грания держалась стойко — она всегда выпускала коготки, если ее загоняли в угол, особенно при разговорах с Бобом — и ответила, что они с Мэттом еще не обсуждали этот вопрос.

Через неделю к подъезду их дома в районе Трайбека подъехал грузовик с логотипом универмага «Блумингсдейл», и водитель сообщил в интерком о доставке полной обстановки для детской. Будучи суеверной, Грания не разрешила поднимать вещи в лофт, и их отнесли в подвал, где им предстояло ожидать своего часа. Наблюдая за тем, как многочисленные коробки складывают в угол, Грания поняла, что Элейн предусмотрела все.

— Наш поход в «Блумингсдейл» придется отменить. А ведь мы планировали сами выбрать кроватку, и я хотела разобраться в марках подгузников, — недовольно пожаловалась Грания Мэтту тем вечером.

— Мама хочет помочь нам, — сказал Мэтт, пытаясь защитить Элейн. — Она знает, что я зарабатываю не так уж много, а твои гонорары хоть и высокие, но нерегулярные. Может, мне все-таки стоит подумать о переходе в компанию к отцу, ведь у нас скоро появится малыш? — Он показал рукой на маленький, но уже заметно округлившийся живот Грании.

— Не вздумай, Мэтт, — возмутилась она. — Мы договаривались, что ты никогда не сделаешь этого. Если будешь работать с отцом, то потеряешь всякую свободу! Ты прекрасно знаешь, как он всех контролирует!

***

Грания перестала мять ногой траву и посмотрела в сторону моря. Подумав, что в том разговоре с Мэттом слишком мягко отозвалась о его отце, она мрачно улыбнулась. Боб был настоящим диктатором по отношению к сыну. И хотя Грания понимала, что он глубоко разочарован нежеланием Мэтта наследовать его инвестиционный бизнес, отсутствие интереса к карьере сына и гордости за него она понять не могла. Дела Мэтта шли в гору, и он уже считался признанным авторитетом в вопросах детской психологии. Он был штатным преподавателем в Колумбийском университете, и его постоянно приглашали выступить с лекциями в университетах разных уголков страны. Кроме того, Боб постоянно донимал Гранию, отпуская лаконичные, но очень колкие реплики относительно ее воспитания или уровня образования.

Оглядываясь назад, Грания испытывала облегчение от того, что они всегда отказывались брать деньги у родителей Мэтта. Она оставалась непреклонной в этом вопросе даже в самом начале отношений, когда еще не была известна как скульптор, Мэтт получал первую ученую степень и они с трудом оплачивали аренду крошечной квартирки с одной спальней. «И правильно делала», — подумала она. Шикарные, безупречно одетые красотки из Коннектикута так же, как и его семья, составляли разительный контраст с простодушной девушкой из ирландского захолустья, получившей образование в школе при монастыре. Может, крах их отношений был предопределен...

— Привет!

Грания вздрогнула от испуга. Она оглянулась, но никого не увидела.

— Я сказала «привет»!

Голос звучал у нее за спиной. Грания повернулась на сто восемьдесят градусов. Позади нее стояла Аврора. К счастью, сегодня девочка была одета в джинсы и теплую куртку с капюшоном, которая висела на ней как на вешалке. Из-под шерстяной шапки выбивались лишь завитки ее роскошных рыжих волос. У нее было личико в форме сердца, огромные глаза и полные розовые губы, казавшиеся слишком большими для столь миниатюрного лица.

— Привет, Аврора.

В глазах девочки промелькнуло удивление.

— Откуда ты знаешь мое имя?

— Я видела тебя вчера.

— В самом деле? Где?

— Здесь, на скалах.

— Правда? — Аврора нахмурилась. — Не помню, чтобы я вчера сюда приходила. И уж точно не разговаривала с тобой.

— Ты не разговаривала со мной. Я видела тебя, только и всего, — объяснила Грания.

— Тогда как ты узнала мое имя? — Аврора говорила, как англичанка из высшего общества, немного укорачивая слоги.

— Я поинтересовалась у своей матери, что это за малышка с красивыми рыжими волосами. И она сказала мне.

— А она-то откуда меня знает? — не унималась девочка.

— Она прожила в этой деревне всю жизнь. Вы же уехали отсюда несколько лет назад.

— Да, но теперь мы вернулись! — Аврора обернулась, чтобы посмотреть на море, и раскинула руки, как будто хотела обхватить все побережье. — И мне здесь нравится, а тебе?

Грания почувствовала, что вопрос Авроры скорее утверждение, а не вопрос и лучше с ней не спорить.

— Конечно, мне нравится. Я здесь родилась и выросла.

— Ну... — Аврора осторожно опустилась на траву рядом с Гранией, внимательно глядя на нее голубыми глазами. — Как тебя зовут?

— Грания. Грания Райан.

— Мне кажется, я никогда не слышала о тебе.

Грания чуть не рассмеялась — настолько по-взрослому девочка выражала свои мысли.

— Думаю, ты и не должна была. Не было причины. Я уехала отсюда почти десять лет назад.

Лицо Авроры просветлело от удовольствия, и она захлопала в ладоши:

— Тогда получается, что мы обе одновременно вернулись в места, которые нам дороги.

— Думаю, так и есть.

— И значит, мы можем составить друг другу компанию. Ты будешь моей новой подругой?

— Очень милое предложение, Аврора.

— Ну, тебе ведь, должно быть, одиноко.

— Возможно, ты и права, — улыбнулась Грания. — А ты сама? Тоже чувствуешь себя здесь одинокой?

— Да, иногда бывает. — Аврора пожала плечами. — У папы обычно очень много работы, и он часто уезжает, так что я могу играть только с экономкой. А у нее это не очень хорошо получается. — Аврора недовольно сморщила вздернутый, с аккуратными веснушками носик.

— О, бедняжка, — произнесла Грания, не зная, что еще можно сказать в этой ситуации. Девочка казалась очень странной, и Грания смутилась, подбирая слова. — Но ведь у тебя есть друзья в школе?

— Я не хожу в школу. Папа предпочитает, чтобы я оставалась дома вместе с ним. Я занимаюсь с гувернанткой.

— А сегодня где она?

— Мы с папой решили, что она нам не нравится, и оставили ее в Лондоне. — Аврора неожиданно захихикала. — Мы просто собрали вещи и уехали.

— Понятно, — кивнула Грания, хотя совсем ничего не понимала.

— А ты работаешь? — поинтересовалась Аврора.

— Да, я скульптор.

— Это тот, кто делает статуи из глины?

— Ты мыслишь в нужном направлении, — ответила Грания.

— О, значит, ты знаешь, что такое папье-маше? — Лицо Авроры просветлело. — Я обожаю папье-маше! У меня когда-то была няня, которая научила меня делать вазы. Мы их раскрашивали, а потом я дарила их отцу. Ты придешь ко мне, чтобы сделать что-нибудь? Пожалуйста!

Искренний восторг девочки очаровал Гранию. И неожиданно для себя она кивнула:

— Почему бы и нет? Я согласна.

— Пойдем прямо сейчас! — Аврора схватила ее за руку. — Мы могли бы сделать что-нибудь для папы, прежде чем он уедет. — Она протянула вторую руку и ухватила Гранию за капюшон. — Ну пожалуйста, не отказывайся!

— Нет, Аврора, сейчас не могу. Мне нужно взять с собой все необходимое для папье-маше. Кроме того, моя мама может подумать, что я потерялась, — добавила Грания.

И вдруг она увидела, как девочка погрустнела, свет в ее глазах угас и вся она как-то съежилась.

— А у меня нет мамы. Была когда-то, но умерла.

— Аврора, мне очень жаль! — Повинуясь порыву, Грания протянула руку и нежно погладила девочку по плечу. — Тебе, наверное, очень ее не хватает.

— Конечно, она была самой красивой, самой лучшей на всем белом свете! Папа всегда говорит, что она была ангелом и поэтому другие ангелы забрали ее к себе, в рай — туда, где ее место.

Страдания девочки тронули Гранию.

— Я уверена, твой папа прав, — сказала она. — И у тебя все же есть он.

— Да, конечно, — согласилась девочка, — и он лучший отец в мире. И еще самый красивый. Я уверена, ты влюбишься в него, как только увидишь. Со всеми это происходит.

— И все-таки мне обязательно надо познакомиться с ним? — улыбнулась Грания.

— Да. — Аврора внезапно вскочила. — Мне пора идти. Будь здесь завтра в это же время. — Девочка не просила, а как будто приказывала.

— Я...

— Отлично! — Поддавшись порыву, Аврора бросилась к Грании и обняла ее. — Бери с собой все для папье-маше, мы поднимемся в дом и все утро будем делать вазы для папы. Пока, Грания, до завтра!

— До свидания! — Грания помахала рукой, наблюдая, как девочка, пританцовывая, скачет по скалистой тропинке, словно молодая газель. Несмотря на огромную куртку и кроссовки, двигалась она очень грациозно.

Когда Аврора исчезла из виду, Грания глубоко вздохнула — она чувствовала себя так, будто ее околдовало и подчинило себе какое-то необычное, неземное существо. Она поднялась и покрутила головой, словно желая очнуться и прийти в себя. Интересно, как мама отреагирует, когда узнает, что завтра утром она собирается в Дануорли-Хаус, чтобы поиграть с Авророй Лайл.

3

Вечером того же дня, когда отец и брат вышли из-за стола, предоставив Кэтлин убирать посуду и приборы, Грания стала ей помогать.

— Я сегодня снова видела Аврору Лайл, — произнесла она как бы между прочим, вытирая тарелки.

Кэтлин удивленно приподняла бровь:

— Снова в ночной рубашке, как привидение?

— Нет, она была одета. Она необычная малышка, как считаешь?

— Откуда мне знать, какой она стала? — Губы Кэтлин упрямо сложились в тонкую линию.

— Я предложила навестить ее и сделать что-нибудь вместе из папье-маше. Она показалась мне одинокой, — рискнула признаться Грания.

Повисла пауза, а потом Кэтлин произнесла:

— Грания, я же говорила... Предупреждала тебя не связываться с этой семьей. Однако ты уже взрослая, так что я не могу остановить тебя.

— Но, мама, ведь речь идет о маленькой симпатичной девочке, которая одинока. Она кажется мне такой потерянной... У нее ведь нет матери. Что плохого, если я проведу с ней пару часов?

— Грания, я не собираюсь снова обсуждать это с тобой. Ты слышала мое мнение, а теперь решай сама. Разговор окончен.

Тишину внезапно прервал телефонный звонок. Ни Грания, ни ее мать не спешили поднимать трубку. После седьмого сигнала Кэтлин не выдержала и, уперев руки в бока, заявила:

— Не сомневаюсь, ты знаешь, кто звонит.

— Нет, — с невинным видом заявила Грания, — с чего бы это? Это может быть кто угодно.

— Девочка моя, мы обе знаем, кто звонит так поздно вечером. И мне очень неловко снова разговаривать с ним.

Телефон не умолкал: резкие, настойчивые гудки казались особенно громкими на фоне напряженного молчания двух женщин. Наконец аппарат замолчал, и они уставились друг на друга.

— Грания, я не потерплю такого поведения и подобной неучтивости под крышей моего дома. Я уже не знаю, что придумать, когда разговариваю с ним. Что такого сделал этот несчастный? Чем заслужил подобное обращение? Ты пережила потерю, но это вряд ли его вина, как считаешь?

— Прости, мама. — Грания покачала головой. — Но ты не понимаешь.

— Что ж, это первая твоя мысль, с которой я готова согласиться. Тогда объясни мне.

— Мама! Пожалуйста! Я не могу... — Грания в отчаянии заломила руки. — Просто не могу, и все.

— Грания, мне кажется, это неправильно. Что бы ни случилось, это затрагивает всех в доме, и мы хотели бы быть в курсе происходящего. Я...

— Дорогая, Мэтт звонит, — сказал отец, входя в кухню с телефоном. — Мы мило побеседовали, но, мне кажется, ему все же нужна ты. — Джон сконфуженно улыбнулся и протянул дочери трубку.

Грания бросила на отца убийственный взгляд и выхватила телефон у него из рук. Выйдя из кухни, она поднялась по лестнице в спальню.

— Грания, это ты?

От знакомых мягких ноток в голосе Мэтта у нее тут же возник комок в горле. Грания закрыла за собой дверь и присела на краешек кровати.

— Мэтт, я же просила не звонить мне.

— Я знаю, детка, но... Боже, я не понимаю, что происходит! Что я сделал? Почему ты ушла от меня?

Стараясь сохранить спокойствие, Грания крепко вцепилась в свое колено, впившись ногтями в джинсы.

— Грания, дорогая, ты меня слышишь? Пожалуйста, если бы я знал, в чем ты обвиняешь меня, то постарался бы все объяснить.

Но она по-прежнему молчала.

— Грания, пожалуйста, поговори со мной. Я Мэтт — мужчина, который любит тебя. Мы были вместе восемь лет. И я здесь схожу с ума, не понимая, почему ты уехала.

Грания набрала полную грудь воздуха.

— Пожалуйста, не звони мне. Я не хочу с тобой разговаривать. И эти твои звонки каждый вечер мешают моим родителям, они их расстраивают.

— Грания, прошу тебя! Я понимаю, как тяжело ты переживаешь потерю ребенка. Но мы могли бы сделать еще одну попытку! Дорогая, я люблю тебя и готов на все, чтобы...

— До свидания, Мэтт! — Грания не могла больше этого выносить и, нажав кнопку, дала отбой. Не вставая с места, она устремила невидящий взгляд на выцветший узор обоев в бывшей детской. Этот рисунок она разглядывала по ночам, погружаясь в девичьи мечты о будущем: туда, где появится прекрасный принц и унесет ее в мир идеальной любви. Мэтт более чем походил на принца из этих грез. Он понравился ей при первой же встрече. И их отношения были как настоящая сказка.

Грания легла на кровать и обняла подушку. Она больше не верила в то, что любовь способна на все: преодолеть любые границы, справиться с проблемами, которые возникают в жизни, и в итоге восторжествовать.

Мэтт Коннелли, ссутулившись, сидел на диване. Мобильный телефон был по-прежнему зажат у него в руке. Две недели назад Грания неожиданно уехала, и с тех пор он ломал голову, пытаясь понять причину ее поступка, но безрезультатно. Что еще можно сделать, чтобы прояснить ситуацию? Грания недвусмысленно дала ему понять, что не хочет иметь с ним ничего общего. Неужели их отношения и в самом деле закончены?

— Вот черт! — Мэтт запустил телефоном в стену, и от него отлетела крышка с батареей. Конечно, он понимал, как сильно Грания переживает из-за выкидыша. Но разве это причина, чтобы и его вычеркивать из жизни? Может, ему нужно сесть в самолет и полететь к ней в Ирландию? Но что, если она не захочет его видеть? Если все станет только хуже?

Внезапно приняв решение, Мэтт поднялся и направился к ноутбуку. Он понял, что любое действие лучше неопределенности, которая сейчас мучила его. Даже если Грания заявит, что все кончено, он предпочитал узнать, а не блуждать в потемках.

Подключившись к Сети, Мэтт принялся просматривать расписание рейсов из Нью-Йорка в Дублин. И в этот момент раздался звонок интеркома. Мэтт не обратил на него внимания, поскольку не ждал гостей, да и не хотел никого видеть. Но настойчивые звонки продолжались и настолько разозлили его, что он поднялся и, пройдя через гостиную, нажал кнопку:

— Кто там?

— Привет, Мэтт! Я проходила мимо и решила заглянуть и проверить, как ты тут.

Мэтт тут же нажал на кнопку, чтобы открыть дверь подъезда.

— Извини, Чарли, поднимайся!

Он оставил дверь незапертой и вернулся к компьютеру, чтобы продолжить поиски подходящего рейса. Чарли — одна из немногих, с кем он мог сейчас общаться. Она была его подругой с детства, но, познакомившись с Гранией, он разорвал с ней отношения, как и со многими старыми приятелями. Грания чувствовала себя некомфортно в компании его друзей из Коннектикута, и ради нее он отдалился от них. И вот несколько дней назад неожиданно объявилась Чарли и сказала, что слышала об отъезде Грании в Ирландию от его родителей. Чарли и Мэтт встретились и пообедали в пиццерии. Ему было приятно увидеть ее снова.

Войдя в квартиру, она обняла Мэтта за плечи, и он почувствовал легкий поцелуй на щеке. На столе рядом с компьютером появилась бутылка красного вина.

— Мне показалось, ты вряд ли откажешься. Я принесу бокалы?

— Отличная идея. Спасибо, Чарли! — Мэтт продолжал сравнивать время вылета и цены на билеты, пока она открывала бутылку и разливала вино.

— Что ты изучаешь? — спросила она, сбросив сапоги и устроившись с ногами на диване.

— Расписание рейсов в Ирландию. Если Грания не хочет возвращаться, я полечу к ней.

Идеальные брови Чарли поползли вверх.

— Ты полагаешь, это разумно?

— А что, черт возьми, еще я должен делать? Болтаться здесь и сходить с ума, пытаясь понять, в чем проблема, и не находя ответа?

Чарли отбросила за спину копну блестящих темных волос и отпила немного вина.

— А что, если ей просто нужно немного побыть одной? Чтобы пережить... Ну, ты понимаешь. Мэтти! Ты можешь только все испортить. Разве Грания сказала, что хочет тебя видеть?

— Нет, черт возьми! Я только что звонил ей, и она сказала, чтобы я оставил ее в покое! — Мэтт поднялся из-за компьютера, сделал большой глоток вина и сел на диван рядом с Чарли. — Может, ты и права, — вздохнул он. — Вероятно, я должен дать ей немного времени, пусть она придет в себя. Потеря ребенка стала для нее таким ударом! Ты же знаешь, с каким нетерпением мои родители ждали, когда на свет появится еще один Коннелли! Отец с трудом скрывал разочарование, когда оплачивал больничные счета после случившегося.

— Могу себе представить! — Чарли закатила глаза. — Твой отец никогда не отличался тактичностью, правда? Конечно, он не оскорблял меня, но тогда у тебя еще были нормальные отношения с родителями, а я успела привыкнуть к его манерам. И все же, полагаю, человеку со стороны, такому как Грания, было с ним очень сложно.

— Конечно! — Положив локти на колени, Мэтт обхватил лицо ладонями. — Возможно, я мало защищал ее. Я ведь знаю: она всегда помнила о том, что положение наших семей сильно отличается.

— Мэтт, дорогой, ну что ты! Ты не мог сделать большего! Ты ведь даже от меня отказался, после того как появилась Грания.

Нахмурившись, Мэтт посмотрел на бывшую подругу:

— Послушай, ты серьезно? Наши с тобой отношения никак не могли вылиться во что-то большее. Если ты помнишь, мы оба так считали.

— Конечно, Мэтти! — Чарли ободряюще улыбнулась ему. — Это рано или поздно должно было произойти, так ведь?

— Да, именно так. — Мэтт успокоился, услышав подтверждение собственным мыслям.

— Знаешь, — задумчиво произнесла Чарли, — когда я вижу, как мои подруги тяжело переживают похожие проблемы в отношениях, то благодарю небеса за то, что до сих пор одна. Почти у всех, кого я знаю, сейчас не все гладко со второй половиной, хотя мне казалось, что вы, парни, в свое время сделали правильный выбор.

— Так и было, — с грустью ответил он. — Но, я надеюсь, ты не думаешь всерьез о том, чтобы всю жизнь провести в одиночестве? Когда-то казалось, ты быстрее всех выскочишь замуж — королева всех студенческих вечеринок, лучшая студентка и первая красавица в классе. А теперь ты редактор популярного журнала. Чарли, брось! Ты ведь знаешь, что любой готов быть с тобой!

— Да, и, возможно, именно в этом загвоздка. — Чарли вздохнула. — Что, если я слишком хороша и мне никто не подходит? В любом случае сейчас не время говорить обо мне. Серьезные проблемы у тебя. Как тебе помочь?

— Что ж... Стоит ли мне завтра лететь в Дублин и пытаться спасти наши отношения? — спросил он.

— Мэтти, это уж тебе решать! — Чарли сморщила носик. — Но если тебе интересно мое мнение, я бы позволила ей какое-то время побыть одной. Совершенно очевидно, Грании нужно проделать большую внутреннюю работу. И я уверена, что она вернется, как только будет готова. Она попросила оставить ее в покое, разве не так? Так почему бы тебе не выполнить просьбу женщины, а позже, недели через две, снова вернуться к этому вопросу? Кроме того, мне казалось, ты по уши загружен работой.

— Так и есть, — выдохнул Мэтт. — Возможно, ты права. Мне следует сделать так, как она хочет. — Протянув руку, он нежно погладил Чарли по ноге. — Спасибо, сестренка. Ты ведь всегда поддержишь меня, правда?

— Да, дорогой. — Чарли улыбнулась, опустив ресницы. — Я всегда буду рядом.

* * *

Несколько дней спустя в интерком снова позвонили:

— Привет, дорогой, это мама. Я могу подняться к тебе?

— Конечно.

Мэтт открыл входную дверь, удивляясь неожиданному визиту. Его родители редко появлялись в этом районе города и всегда предупреждали о приезде.

— Дорогой, как ты? — Элейн расцеловала сына в обе щеки и последовала за ним в квартиру.

— Все в порядке, — ответил Мэтт, но его голос звучал тихо и устало.

Он наблюдал, как его мать — до сих пор носившая шестой размер одежды — снимает меховое пальто и, слегка тряхнув головой, поправляет искусно осветленные волосы и элегантно опускается на диван. Быстро отодвинув кроссовки и пустые пивные бутылки от ее ног в изящных туфлях на высоких тонких каблуках, Мэтт поинтересовался:

— Почему ты здесь?

— Я была в городе на благотворительном обеде и заехала к тебе. Это ведь по пути домой, — улыбнулась Элейн. — Хотела посмотреть, как дела у моего мальчика.

— Все в порядке, — повторил Мэтт. — Мама, хочешь что-нибудь выпить?

— Стакан воды, пожалуй.

— Хорошо.

Элейн смотрела, как ее сын идет к холодильнику и наполняет стакан водой. Он был бледным и усталым, и все выдавало в нем несчастного человека.

— Спасибо, — произнесла она, когда он протянул ей стакан. — Ну что, есть новости от Грании?

— Я звонил ей несколько дней назад, и мы немного поговорили, но она совершенно не хочет общаться со мной.

— Ты не выяснил, почему она уехала?

— Нет. — Мэтт пожал плечами. — Не понимаю, что я такого сделал. Боже мой, мама, этот ребенок так много для нее значил!

— Она была такая тихая в тот день, когда мы навещали ее в больнице. Она тогда вышла из ванной и выглядела так, словно все время плакала.

— Да, а на следующий день, когда я приехал к ней после работы, оказалось, что она уже выписалась. Вернувшись домой, я нашел записку с сообщением, что она уехала к родителям в Ирландию. С тех пор мы с ней так и не поговорили нормально. Я понимаю, что ей очень плохо, но не знаю, как достучаться до нее.

— Тебе ведь тоже очень плохо, дорогой! Это был не только ее, но и твой ребенок, — заметила Элейн. Ей было больно видеть страдания любимого сына, оставшегося в одиночестве.

— Да, сейчас не самое лучшее время. Мы ведь хотели стать настоящей семьей. Это была... моя мечта! Черт! Извини, мама. — Мэтт изо всех сил старался сдержать слезы. — Я так сильно люблю ее и этого малыша, которого она потеряла, а ведь он был частью нас двоих... Я...

— Ох, дорогой! — Элейн поднялась и обняла сына. — Я очень тебе сочувствую! Если я могу хоть как-то помочь...

Мэтт сожалел, что мать увидела его в таком состоянии, и он попытался взять себя в руки:

— Мама, я уже большой мальчик. И со мной все будет хорошо. Меня интересует только, что именно заставило Гранию убежать. Я никак не могу этого понять.

— Может, ты переедешь к нам на какое-то время? Мне неприятно думать, что ты здесь один.

— Спасибо, мама. Но у меня море работы. Буду надеяться, что рано или поздно, залечив раны, Грания вернется. Она всегда поступала, как считала нужным. Думаю, именно поэтому я так сильно люблю ее.

— Несомненно, она очень необычная девушка, — согласилась Элейн. — И ее не особенно заботят правила, которым следует большинство из нас.

— Возможно, дело в том, что она была воспитана по-другому, — возразил Мэтт, не желая выслушивать язвительные замечания матери или фразы типа «я же тебе говорила», когда речь шла о его выборе и чувствах.

— Нет, Мэтт, ты меня неправильно понял, — поспешно произнесла Элейн. — Мне действительно нравится Грания и то, что вы вдвоем смогли выйти за установленные рамки и начать жить вместе просто потому, что полюбили друг друга. Возможно, многим из нас стоит чаще прислушиваться к голосу сердца. — Элейн вздохнула. — Мне пора идти. Приятели твоего отца по гольфу собираются у нас сегодня на ежегодный зимний ужин.

Мэтт поднял с дивана меховое пальто и помог матери надеть его.

— Мама, спасибо, что зашла. Я очень тебе благодарен.

— Рада была повидать тебя, Мэтт! — Она поцеловала сына в щеку. — Ты ведь знаешь, что я горжусь тобой, не так ли? И если ты вдруг захочешь поговорить, я всегда готова, дорогой. Понимаю... каково тебе сейчас. — Легкая грусть промелькнула в ее глазах, а потом исчезла так же быстро, как появилась. — Пока, Мэтти.

Мэтт закрыл дверь за матерью, понимая, что она действительно сочувствует ему. Он ощутил прилив любви к ней и впервые подумал, что совсем мало знает о том, что скрывает Элейн под маской идеальной жены и матери из Коннектикута.

4

На следующее утро, когда Кэтлин уехала в Клонакилти за продуктами на неделю, Грания направилась в сарай, где хранились старые газеты, и взяла целую пачку. Потом провела ревизию в захламленной мастерской отца и обнаружила заплесневелую коробку с обойным клеем. Сложив все в хозяйственную сумку, она пошла по тропинке вверх, в сторону скал. Грания решила: если Аврора не появится, что вполне вероятно, ведь вчера они не договорились об определенном времени, то она просто вернется домой.

По пути Грания задумалась о том, какой сильный холод сковал ее душу, — казалось, что ее жизнью живет кто-то другой, а она сама словно увязла в странной липкой массе и ничего не чувствует. Она была не в состоянии плакать, не могла заставить себя поговорить с Мэттом начистоту и даже просто оценить, разумно ли поступила, уехав от него. Но тогда ей пришлось бы справляться с болью, поэтому она решила, что самый лучший и безопасный выход — запереть все чувства на замок. Что сделано, то сделано, и назад дороги нет.

Грания опустилась на камень на вершине скалы, откуда открывался вид на море, и вздохнула. Когда они вместе с Мэттом наблюдали, как разрушаются отношения их друзей, Грания искренне верила, что с ними никогда такого не случится. Она даже покраснела от смущения, вспомнив их беседы на эту тему. Ее память огнем жгли замечания типа «уж мы-то сможем этого избежать» и «какие мы счастливые, а они... бедняжки». Но в итоге и их затянул мощный, постоянно меняющий направление водоворот, в который попадают пары, стремящиеся построить гармоничные отношения. Вглядываясь в холодное серое море, Грания внезапно почувствовала глубокое уважение к своим родителям. Каким-то образом им удалось совершить невозможное: идти на компромиссы, мириться со многим и — это самое важное — оставаться счастливыми целых тридцать четыре года.

Возможно, сейчас планка у молодых людей слишком высока, да и приоритеты изменились. Родителям больше не нужно беспокоиться о том, как прокормить детей или где заработать еще один пенни. Или, к примеру, о том, выживет ли их малыш, подхвативший тяжелую детскую инфекцию. Теперь проблема не в том, чтобы не замерзнуть долгой зимой, а в получении информации, одежда какого дизайнера самая теплая. В наши дни немногие женщины западного мира целуют на прощание мужа так, словно он отправляется в бой и она не знает, когда они снова увидятся и вернется ли он вообще. Сейчас уже нет необходимости заботиться о том, чтобы просто выжить.

— В наши дни мы требуем счастья. И верим, что заслуживаем его. — Грания произнесла это вслух, скорее завидуя смирению и стойкости родителей, чем сочувствуя им. Они практически не имели материальных ценностей, и в их жизни не было захватывающих перспектив. Незначительные проблемы вызывали у них улыбку, они прекрасно понимали друг друга. Их мир был мал, но по крайней мере в его границах они были вместе и в безопасности. А Грания с Мэттом жили в огромном мегаполисе, где ограничить их могло только небо и практически не было запретов.

— Привет, Грания!

Услышав за спиной голос Авроры, Грания обернулась и увидела девочку, которая напомнила ей эльфа, беззвучно появляющегося на своей территории.

— Привет, Аврора. Как дела?

— Отлично, спасибо. Пойдем?

— Да, я взяла с собой все, что нам понадобится.

— Знаю, я уже заметила твою сумку.

Грания послушно поднялась, и они направились в сторону дома, где жила Аврора.

— Возможно, тебе удастся познакомиться с папой, — заметила девочка. — Он у себя в кабинете. Только у него, похоже, болит голова. С ним часто такое бывает.

— В самом деле?

— Да. И все из-за того, что он не носит очки и напрягает глаза, когда читает газеты о бизнесе.

— Но это ведь неразумно, как ты считаешь?

— Ну... Теперь, когда мамы с нами нет, о нем некому позаботиться. За исключением меня.

— Я уверена, ты очень хорошо с этим справляешься, — заверила девочку Грания, когда они приблизились к воротам особняка, за которыми простирался сад.

— Делаю все возможное, — сказала Аврора, толкая створку ворот. — Это Дануорли-Хаус, и я здесь живу. Дом принадлежит семье Лайл уже два столетия. Ты когда-нибудь бывала здесь раньше?

— Нет, — ответила Грания, заходя в ворота следом за Авророй.

Ветер, едва не сбивший их с ног, пока они поднимались вверх, внезапно стих. Окружавшая дом широкая изгородь из кустов ежевики и дикой фуксии, которыми был знаменит Западный Корк, надежно защищала сам особняк и его обитателей.

Грания удивленно смотрела на красивый, ухоженный сад в английском стиле — безупречную авансцену, в центре которой возвышалось строгое серое здание. Дорожка, ведущая к дому, была с двух сторон обсажена невысокими лавровыми деревьями, сформировавшими изгородь. Следуя за Авророй к дому, Грания заметила клумбы с розовыми кустами — голые и бесцветные сейчас, в разгар лета они, несомненно, украшали унылый окрестный пейзаж.

— Мы никогда не пользуемся парадным входом, — заметила Аврора, сворачивая направо, к дорожке вдоль дома. Потом она завернула за угол и вышла на задний двор. — Папа говорит, что его заперли еще во времена волнений в Ольстере, а ключ потеряли. Так что мы входим в дом здесь.

Грания оказалась в огромном внутреннем дворе, куда можно было попасть с основной дороги. Здесь же был припаркован новый «рейнджровер».

— Заходи, — пригласила Аврора, распахнув дверь.

Грания прошла за девочкой через холл и оказалась в большой кухне. У одной из стен стоял огромный сосновый буфет с выдвижными ящиками под рядами открытых верхних полок. Казалось, они прогибались под грузом сине-белых тарелок и огромного количества разнообразной кухонной утвари. Другую стену занимала плита, а третью — древняя прямоугольная раковина, зажатая с двух сторон старыми меламиновыми столешницами. В центре кухни располагался длинный дубовый стол, заваленный газетами.

В этой кухне не было ни уюта, ни комфорта, это было не то место, где собирается вся семья, а мать, стоя у плиты, готовит что-то вкусное на ужин. Здесь все оказалось устроено по-спартански, функционально и холодно.

— Мне не нужно было приносить газеты, — заметила Грания, показав на кучу прессы на столе.

— О, папе они нужны, чтобы разжигать камины в доме. Он терпеть не может холод. Давай освободим себе немного места и займемся тем, что запланировали. — Аврора с надеждой посмотрела на Гранию.

— Да... но разве не нужно сказать кому-нибудь, что я здесь?

— Нет. — Девочка покачала головой. — Папу нельзя беспокоить, а миссис Майзер я предупредила о твоем приходе. — Девочка переложила стопки газет на пол и указала Грании на освободившееся место. — Что нам еще понадобится?

— Вода, чтобы размешать клей. — Грания высыпала принесенные вещи из сумки на стол, чувствуя себя неловко, как непрошеная гостья.

— Я принесу. — Аврора достала кувшин с переполненной полки буфета и налила в него воду.

— И еще большой контейнер для клея.

Аврора принесла его и поставила на стол напротив Грании. Пока девушка размешивала клей, Аврора наблюдала за ней, и, судя по ее живому взгляду, ей было интересно.

— Правда, здорово? Я обожаю заниматься подобными вещами. Моя последняя няня не разрешала мне делать ничего подобного, она очень боялась, что я испачкаюсь.

— А я всю жизнь только и делаю, что пачкаюсь, — улыбнулась Грания. — Я создаю скульптуры из материала, который очень похож на папье-маше. Теперь садись рядом, и я покажу тебе, как делать вазу.

Аврора оказалась прилежной и способной ученицей, и час спустя с гордостью водрузила мокрую вазу из газет на конфорку плиты.

— Можно будет раскрасить, как только она высохнет. У тебя есть краски? — поинтересовалась Грания, моя руки над раковиной.

— Нет, в Лондоне были, но я не взяла их с собой.

— Надеюсь, я найду какие-нибудь дома.

— Можно, я пойду с тобой и посмотрю, где ты живешь? Мне кажется, ферма — это так здорово!

— Аврора, я не живу на ферме постоянно, — объяснила Грания. — Я приехала из Нью-Йорка. И сейчас я в гостях у родителей.

— О... — Лицо девочки вытянулось. — Значит, ты скоро уедешь?

— Да, но не знаю, когда точно. — Грания вытирала руки полотенцем, найденным около раковины, и чувствовала, что глаза девочки буквально буравят ее.

— А почему ты такая грустная? — вдруг спросила Аврора.

— Я не грустная.

— Неправда, я вижу это по твоим глазам. Кто-то тебя расстроил?

— Нет, Аврора, со мной все в порядке! — Грания почувствовала, что краснеет под пристальным взглядом ребенка.

— Я знаю, что ты грустишь. — Девочка скрестила маленькие ручки на груди. — Я знаю, каково это. И когда со мной такое бывает, я иду в одно волшебное место.

— Где оно?

— Я не могу сказать тебе, потому что тогда оно перестанет быть только моим и потеряет волшебную силу. Но тебе такое место тоже нужно.

— По-моему, это отличная идея. — Грания посмотрела на часы: — Я должна идти, уже пора обедать. И ты, наверное, хочешь есть? Кто-нибудь покормит тебя?

— О, миссис Майзер должна была оставить мне что-нибудь. — Аврора небрежно кивнула в сторону соседнего помещения. — Наверняка это опять суп. Но прежде чем ты уйдешь, я хочу показать тебе дом.

— Аврора... я...

— Ну давай же! — Девочка схватила Гранию за руку и потянула к двери. — Я хочу, чтобы ты посмотрела. Он такой красивый!

Аврора вытащила ее из кухни в большой холл, пол которого был выложен черно-белой плиткой. Дубовая лестница, расположенная в углу, вела наверх. Они пересекли холл, и Грания оказалась в просторной гостиной, высокие французские окна которой выходили в сад. В комнате было невыносимо жарко: в великолепном мраморном камине полыхал огонь.

Грания взглянула на картину над камином — она заинтересовала ее с профессиональной точки зрения. Художник запечатлел молодую женщину, ее лицо в форме сердца обрамляли тициановские кудри. У женщины были тонкие и, как заметила Грания, симметричные черты лица — а это признак истинной красоты. Сияющие голубые глаза на фоне белой кожи выглядели невинными и хитрыми в одно и то же время. Как профессионал, Грания видела, что этот портрет принадлежит кисти талантливого художника. Повернувшись, она взглянула на Аврору и тут же отметила сходство.

— Это моя мама. Все говорят, что я ее копия.

— Так и есть, — мягко заметила Грания. — Как ее звали? Аврора глубоко вздохнула:

— Лили. Ее звали Лили.

— Мне очень жаль, что она умерла, — осторожно произнесла Грания, заметив, что девочка не отрываясь смотрит на портрет.

Аврора, не ответив, не сводила глаз с лица матери.

— Аврора, кто это?

Грания вздрогнула от звука мужского голоса, который прозвучал позади них. Размышляя, какую часть разговора мог слышать этот человек, она обернулась, и у нее тут же перехватило дыхание.

Около двери стоял — Грания терпеть не могла избитых фраз, но в данном случае это было правдой — самый красивый мужчина, которого она когда-либо видела в жизни. Высокий, не меньше шести футов, с черными как смоль густыми волосами, аккуратно уложенными, но буквально на сантиметр длиннее, чем необходимо, и поэтому их концы завивались у него на затылке. Губы полные, но не пухлые и темно-голубые бездонные глаза в обрамлении темных густых ресниц.

Как профессиональный художник, Грания отметила безукоризненное строение лица мужчины и невольно залюбовалась им: острые скулы, волевая линия подбородка и нос идеальной формы. Лицо такого типа Грания хотела бы запомнить во всех подробностях, чтобы потом вылепить у себя в мастерской.

Ко всему прочему он был строен и имел идеальных пропорций фигуру. Грания не могла отвести взгляда от тонких беспокойных пальцев, которые то сжимались в кулак, то разжимались, указывая на его внутреннее напряжение. Вся его внешность говорила об исключительной элегантности — качестве, обычно несвойственном мужчинам. И было абсолютно ясно, что при появлении этого человека в любом месте у всех присутствующих мужчин и женщин закружится голова.

Грания невольно вздохнула. Профессиональная реакция при виде человека, внешность которого показалась ей совершенной, плюс естественная женская реакция — и на некоторое время она лишилась дара речи.

— Кто это? — снова спросил он.

— Папа, это моя подруга Грания. — Аврора нарушила молчание, и Грания вдруг испытала облегчение. — Помнишь, я рассказывала тебе, что встретила ее вчера на скалах? Мы так здорово провели время — клеили на кухне вазу из старых газет. Осталось только ее раскрасить, и я сразу же подарю тебе ее! — Девочка подошла к отцу и обняла его.

— Дорогая, я рад, что тебе было весело. — Он нежно погладил ее по голове и сдержанно, с долей подозрения, улыбнулся Грании: — Итак, ты гостишь в Дануорли?

Его темно-голубые глаза оценивающе смотрели на нее. Грания постаралась взять себя в руки. Во рту у нее пересохло, и ей пришлось сглотнуть, прежде чем она смогла заговорить:

— Я живу на ферме. Я родилась здесь, но последние десять лет жила за границей. А сейчас приехала навестить родителей.

— Понятно. — Он перевел взгляд на французские окна, из которых открывался потрясающий вид на сад и на море. — Это редкое и волшебное место. Тебе ведь нравится здесь, правда, Аврора?

— Папа, ты отлично знаешь, что нравится. Здесь наш настоящий дом.

— Да, так и есть. — Он снова перевел взгляд на Гранию. — Извини, я не представился. — Хозяин дома, продолжая обнимать дочь, подошел к девушке и протянул руку: — Александр Девоншир. — Длинные тонкие пальцы коснулись ее ладони.

Грании пришлось приложить максимум усилий, чтобы избавиться от ощущения нереальности происходящего.

— Девоншир? А я думала это дом семьи Лайл?

Его темные брови едва заметно дрогнули.

— Ты права, этот дом принадлежит семье Лайл, но я был женат на... — Он посмотрел на картину. — Моя жена унаследовала этот дом, и когда-нибудь он перейдет к ее дочери.

— Извини, я не подумала...

— Ничего страшного, Грания, я привык, что в этих местах меня называют мистер Лайл. — Углубившись в собственные мысли, Александр притянул дочь поближе к себе.

— Думаю, мне лучше уйти, — смущенно произнесла Грания.

— Папочка, неужели Грании нужно идти? Она может остаться на ленч? — Аврора подняла глаза и умоляюще посмотрела на отца.

— Спасибо за предложение, но мне действительно пора.

— Конечно, — произнес Александр. — Очень мило с твоей стороны, что ты провела время с моей дочерью.

— С ней гораздо веселее, чем с моей старой няней. Может, она будет присматривать за мной? — спросила Аврора.

— Дорогая, я уверен, у Грании множество других занятий. — Александр сконфуженно улыбнулся. — И мы не можем больше отнимать у нее время.

— Да нет, все в порядке. Я с удовольствием занималась с Авророй.

— Ты придешь завтра, когда ваза высохнет, и принесешь краски? — умоляюще поинтересовалась девочка.

Грания взглянула на Александра — он не возражал.

— Конечно, я посмотрю, есть ли они у меня. — Грания направилась к двери, и Александр, отступив в сторону, снова протянул ей руку.

— Грания, большое спасибо, что ты уделила время моей дочери. Пожалуйста, заходи к нам в любое время. Если меня нет дома, за Авророй присматривает миссис Майзер.

Держа дочь за руку, он вывел гостью из гостиной, и через холл они вернулись в кухню.

— Аврора, найди, пожалуйста, миссис Майзер и передай ей, что мы с тобой хотели бы перекусить.

— Да, папа, — послушно ответила девочка. — До свидания, Грания, до завтра. — Аврора развернулась и ушла вверх по лестнице.

Александр проводил Гранию из кухни к задней двери. Распахнув ее, он повернулся к девушке:

— Аврора может быть очень настойчивой. Пожалуйста, не позволяй ей отнимать у тебя больше времени, чем ты готова ей уделить.

— Я уже сказала, что мне было приятно общаться с ней. — Близость Александра, который продолжал держать дверь открытой, не позволяла Грании нормально думать.

— Что ж, просто будь внимательна. Я знаю, какой она может быть.

— Хорошо.

— Отлично. Я уверен, мы скоро увидимся. До свидания, Грания.

— До свидания.

Проходя через внутренний двор и спускаясь по дорожке к воротам, выходившим на скалу, Грания едва сдерживалась: ей очень хотелось оглянуться и посмотреть, стоит ли Александр у двери. Выйдя за ворота, она ускорила шаг и по скалистой тропинке добралась до любимого камня. Грания опустилась на него, чувствуя, что сильно взволнована и ей трудно дышать.

Обхватив голову руками, она попыталась разобраться в своих эмоциях. Ей никак не удавалось прогнать из памяти лицо Александра. Чувства захлестнули ее, и — это самое страшное — их вызвал мужчина, с которым она не проговорила и пяти минут!

Подняв голову, Грания посмотрела в сторону моря. Сегодня оно было тихим и спокойным и напоминало спящего монстра, который в любой момент мог проснуться и ввергнуть мир в хаос.

Грания поднялась и направилась домой, размышляя о том, может ли это сравнение также относиться к мужчине, которого она только что встретила.

— Привет, это я. Можно войти?

— Конечно. — Мэтт нажал кнопку, открывающую дверь подъезда, и с грустью вернулся к просмотру бейсбольного матча.

Чарли вошла в квартиру и закрыла за собой дверь.

— Я взяла нам кое-что в китайском ресторане. Твою любимую хрустящую утку, дорогой, — уточнила она, направляясь в кухню. — Ты голоден?

— Нет, — произнес Мэтт.

Чарли вернулась с тарелками и открыла бутылку вина, которую принесла с собой.

— Дорогой, тебе нужно поесть, а то ты становишься похожим на тень! — Чарли наблюдала за Мэттом, расставляя тарелки и раскладывая еду на кофейном столике напротив него. — Вот. — Она завернула в блинчик кусок утки с соевым соусом и протянула Мэтту.

Он со вздохом придвинулся к столу, откусил немного и без удовольствия принялся жевать.

Чарли приготовила еще один блинчик и сделала глоток вина.

— Хочешь поговорить?

— О чем тут говорить? — Мэтт пожал плечами. — Моя девушка ушла от меня. Причину я не знаю и не понимаю, а она отказывается прояснить хоть что-нибудь. — Он в отчаянии покачал головой. — Если бы я только знал, в чем состоит моя вина, то попытался бы предпринять что-нибудь! — Он положил в рот еще один блинчик. — И еще: твое предложение выдержать паузу не помогло. Грания мне так и не позвонила. Так что можно перестать притворяться, будто ничего не произошло, — мрачно добавил он.

— Мэтти, прости, я действительно считала, что если дать Грании побыть какое-то время одной, она придет в себя. Я думала, она любит тебя.

— И я так думал! — Лицо Мэтта исказила горькая гримаса. — Возможно, я ошибался. Да, возможно, все дело в ее чувствах ко мне. Что, если... — Мэтт в смятении взъерошил волосы. — Что, если я просто ей больше не нужен? Ведь я голову сломал, но так, черт возьми, и не смог понять, чем мог ее обидеть.

Стараясь успокоить Мэтта, Чарли положила руку ему на колено.

— Может, причина в том, что она потеряла ребенка или ее чувства изменились. — Она пожала плечами. — Прости, я говорю банальности.

— Нет, здесь больше нечего сказать. Грании нет рядом, и с каждым новым днем я все меньше верю, что она вернется. — Он посмотрел на Чарли. — Как думаешь, может, все же стоит полететь в Ирландию, как я и собирался?

— Мэтти, не знаю. Не хочу быть пессимисткой, но, по-моему, совершенно очевидно, что она сейчас не хочет иметь с тобой ничего общего.

— Да, ты права. — Мэтт допил вино и налил еще. — Я просто обманываю себя и питаю надежду, что еще не все кончено, а она уверена в обратном.

— Может, подождешь до конца недели? Вдруг она позвонит? Вот тогда ты мог бы сказать, что хочешь приехать.

— Возможно, но, честно говоря, мне уже надоело чувствовать себя виноватым в том, что произошло. Кроме того, у меня полно работы, и в ближайшие две недели меня здесь не будет — уезжаю читать лекции.

— Бедный старина Мэтти, — проворковала Чарли, — тебе сейчас действительно тяжело приходится. Обещаю: в любом случае тебе станет лучше. Знаешь, все переживают нелегкие времена... Как ты сейчас, когда кажется, что миру пришел конец.

— Да, должен признать, это так. Мы живем в городе, где каждый погружен в свои проблемы, — согласился Мэтт. — Извини, думаю, тебе стоит оставить меня одного. Со мной сейчас не очень весело.

— Именно для этого и существуют друзья, Мэтти. Чтобы быть рядом, когда необходимо. Кстати, давай на секунду сменим тему. Я пришла попросить тебя об одолжении, — сказала Чарли.

— Что такое? — Мэтт, погруженный в собственные проблемы, почти не слушал ее.

— Через пару дней в моей квартире начинается ремонт. Он продлится месяц или около того, и я хотела спросить, можно ли пожить пока у тебя в свободной комнате? Конечно, я готова внести арендную плату, — добавила Чарли. — И ты ведь меня знаешь: по вечерам и выходным я практически не бываю дома.

— Слушай, не надо ничего мне платить. Я уже сказал, что завален работой и провожу больше времени в разъездах, чем дома. Так что можешь вселяться, когда тебе будет удобно. — Мэтт поднялся, порылся в столе и, достав ключ, протянул его Чарли.

— Спасибо, дорогой.

— Нет проблем. И, честно говоря, несмотря на мои заявления, я бы не отказался от компании. Так что это ты оказываешь мне услугу.

— Что ж, я рада, если ты не сомневаешься в таком решении. И очень ценю это.

Мэтт хлопнул подругу по ноге:

— А я ценю то, что ты здесь, со мной.

— Всегда к твоим услугам, Мэтти, — улыбнулась ему Чарли, — когда пожелаешь.

5

— А сегодня ты куда собралась? — Кэтлин внимательно наблюдала за дочерью, пока та застегивала пальто. — Помыла голову и накрасилась.

— Если тебя это так интересует, я собираюсь навестить Аврору. Но разве в том, что женщина моет голову и красит ресницы тушью, есть что-то необычное? — с вызовом поинтересовалась Грания.

— Значит, ты собралась в Дануорли-Хаус?

— Да.

Кэтлин скрестила руки на груди.

— Грания, я ведь предупреждала тебя. Не следует соваться в их дела.

— Мама, я же не переезжаю туда, а просто занимаюсь с одинокой маленькой девочкой. Чем ты недовольна?

— Я говорила тебе и повторяю еще раз: у нашей семьи от них одни неприятности. И, мне кажется, у тебя достаточно проблем, не хватало еще добавлять к ним чужие.

— Ради Бога, мама! Аврора — девочка, которая растет без матери. Она только что вернулась сюда и никого не знает. Она очень одинока! — раздраженно произнесла Грания. — Увидимся позже.

Когда дверь за дочерью захлопнулась, Кэтлин тяжело вздохнула.

— Да... — прошептала она, — а у тебя нет детей...

С тяжелым сердцем Кэтлин принялась за утренние дела, размышляя, стоит ли обсудить с мужем визиты их дочери в Дануорли-Хаус. На прошлой неделе она ходила туда каждый день, а вчера вернулась домой затемно. Ей достаточно было взглянуть в глаза Грании, чтобы понять: ее тянет в тот дом, как раньше бывало с другими.

— Что ж, девочка моя, — тихо произнесла Кэтлин, застилая постель дочери, — чем скорее ты вернешься в Нью-Йорк к своему мужчине, тем лучше. Для всех нас.

Грания не сомневалась, что, поднимаясь по скалам к особняку, она встретит Аврору — та обычно сбегала вниз, к ней навстречу, чтобы проводить до ворот дома. В эти моменты Грания любила наблюдать за ней, она никогда еще не встречала такой грациозной маленькой девочки. Когда Аврора шла — она как будто парила, когда бежала — словно танцевала. А вот и она. Девочка закружилась вокруг Грании, как блуждающий огонек, — неземное существо из книжек со старыми ирландскими легендами, которые мать читала ей в детстве.

— Привет, Грания! — Аврора обняла ее, а потом, взяв за руку, потащила вверх на скалу. — Я ждала у окна спальни, пока ты появишься. Мне кажется, папа хочет спросить тебя кое о чем.

— Неужели? — Всю прошедшую неделю Грания ни разу не видела Александра. Аврора сказала, что у него сильная мигрень и он лежит в своей комнате. А когда Грания интересовалась его здоровьем, девочка лишь беззаботно пожимала плечами: «Ему быстро становится лучше, если рядом не шумят и его не трогают».

Как Грания ни ругала себя, она продолжала думать об Александре, лежа в кровати перед сном. А то, что он находился с ними в одном доме, в комнате наверху, и мог в любой момент спуститься вниз, вызывало у нее приятные чувства, хотя к ним и примешивалась вина. Грания до сих пор не могла понять, как повлияла на нее встреча с отцом Авроры. Вот только о Мэтте она стала думать гораздо меньше, чем раньше. И это не могло не радовать.

— Почему он хочет меня видеть? — поинтересовалась Грания, не сдержавшись.

Аврора захихикала:

— Это секрет.

Она сделала пируэт в сторону ворот и, к тому моменту, когда Грания подошла ближе, уже открыла их.

— Аврора, ты занималась танцами в Лондоне? Мне кажется, у тебя могло бы хорошо получаться.

— Нет, мама мне запрещала. Она никогда не любила балет. — Закрыв створку ворот, Аврора потерла нос. — А мне хотелось бы попробовать. Я нашла на чердаке старые книги с картинками, на которых изображены красивые женщины в балетных позах. Если бы мама не возражала так сильно, думаю, я бы хотела стать такой, как они.

Грания наблюдала, как Аврора скачет вверх по дорожке впереди нее, и хотела сказать, что ее матери уже нет и она не может препятствовать ее учебе. И все же это не ее дело. Поэтому она молча шла за Авророй до кухни.

— Ну... — Подбоченившись, девочка улыбнулась Грании. — Чем мы будем заниматься сегодня? Что спрятано в твоей волшебной сумке? — нетерпеливо спросила она.

Грания тут же достала акварельные краски и небольшой холст.

— Я подумала, раз сегодня хорошая погода, мы могли бы выйти из дома и попытаться запечатлеть вид, который открывается отсюда. Как тебе такая идея?

Аврора кивнула.

— Но разве нам не нужен мольберт?

— Я уверена, мы обойдемся без него. Но если тебе понравится это занятие, мы могли бы съездить в Корк и купить мольберт в художественном магазине.

Аврора просияла.

— А мы поедем на автобусе? — поинтересовалась она. — Я всегда мечтала об этом!

Грания удивленно приподняла брови:

— Ты никогда не ездила на автобусе?

— Нет, здесь их не так много. А в Лондоне нас всегда возил папин шофер. Может, когда ты будешь разговаривать с папой, спросишь у него разрешения?

Грания кивнула. Когда они проходили через гостиную на террасу, им встретилась экономка миссис Майзер, спускавшаяся по лестнице с корзиной белья. Грания уже видела ее несколько раз, и она показалась ей вполне приятной женщиной.

— Грания, можно тебя на минутку? — спросила она. И шепнула: — Без свидетелей.

— Аврора, отправляйся на террасу и поищи место, с которого открывается самый лучший вид. Я приду через пару секунд.

Девочка кивнула и, открыв французское окно, вышла.

— Мистер Девоншир просил меня узнать, сможешь ли ты поужинать с ним сегодня или завтра вечером? Он хотел бы поговорить с тобой об Авроре.

— Понятно.

Видимо, миссис Майзер показалось, что Грания озадачена, и поэтому она, прикоснувшись к руке девушки, улыбнулась:

— Тебе не о чем волноваться. И мистер Девоншир, и я, если признаться честно, благодарны тебе за то, что ты проводишь время с Авророй. И все же, что мне передать ему? Тебе удобнее сегодня или завтра? Но он явно не хочет, чтобы Аврора знала об этом разговоре, понимаешь?

— Сегодня меня вполне устраивает.

— Я скажу ему, что ты придешь около восьми?

— Да.

— Отлично. И еще я думаю, что ты — именно тот человек, который нужен этому ребенку, — добавила миссис Майзер. — Она просто ожила с момента вашей встречи.

Пройдя по комнате, Грания присоединилась к Авроре на террасе. Она старалась не думать о том, что именно Александр хочет сказать ей вечером. Несколько часов на слабом утреннем солнце Грания обучала Аврору основам перспективы. Когда стало прохладно, они вернулись в кухню и приступили к наброску. Аврора забралась на колени к Грании, когда она показывала ей, как смешать голубую краску и немного красной, чтобы получить мягкий лиловый оттенок для изображения силуэта скал в дальнем углу залива. Они уже закончили и рассматривали работу, как вдруг Аврора бросилась на шею Грании и крепко обняла ее.

— Спасибо! Она потрясающая. Куда бы мы ни переехали, я буду вешать ее в своей спальне как напоминание о доме.

В кухне появилась миссис Майзер и принялась перемешивать суп на плите. Грания восприняла это как сигнал, что пора уходить, и встала.

— Что мы будем делать завтра? — поинтересовалась нетерпеливая девочка. — Ты спросишь у папы сегодня вечером, можно ли мне поехать с тобой в Корк на автобусе?

Грания удивленно посмотрела на Аврору:

— Откуда ты знаешь, что я приду сегодня вечером?

— Просто знаю. — Аврора постучала себя по носу. — Ты ведь спросишь, хорошо?

— Обещаю, — кивнула Грания.

* * *

Грания сказала матери, что вечером не будет ужинать дома. Кэтлин удивленно приподняла брови, но не произнесла ни слова.

— Я ухожу, — сказала Грания, спустившись вниз. — Пока.

Кэтлин изучающе посмотрела на дочь:

— Мне кажется, ты оделась так, словно собралась на встречу с мужчиной. Я права, Грания?

— Ох, мама! Отец Авроры просто хочет поговорить со мной о девочке. Я видела его всего один раз, и это не свидание, как ты могла подумать. — Грания быстро, насколько могла, прошла в прихожую и взяла с полки фонарь.

— А что я должна буду сказать твоему мужчине, если он позвонит? О том, где его женщина?

Грания не удостоила замечание матери ответом и, захлопнув за собой дверь, направилась в сторону особняка. У нее не было никаких причин чувствовать себя виноватой, а Кэтлин не имела оснований задавать ей подобные вопросы. Что касается Мэтта — у него больше не было права диктовать ей, с кем видеться и что делать. Ведь это он разрушил их отношения. А с тем, что ее мать всегда испытывала к нему слабость, поделать ничего невозможно. Грания уже почти три недели сидела дома по вечерам, так что ей не мешало бы немного проветриться.

С этими дерзкими мыслями она включила фонарь и направилась вперед по тропинке. Подойдя к задней двери особняка, она постучала, но никто не ответил. Она не знала, что еще предпринять, поэтому просто вошла и остановилась в нерешительности в пустой кухне. Наконец она собралась с духом и, осторожно открыв кухонную дверь, проскользнула в холл.

— Добрый вечер! — крикнула она, но никто не отозвался. — Есть тут кто-нибудь?

Она пересекла холл и, постучав в дверь гостиной, толкнула ее и тут же увидела Александра. Он сидел в кресле у камина и что-то читал. Увидев девушку, он вздрогнул и смущенно поднялся.

— Извини, я не слышал, как ты пришла.

— Ничего страшного, — смущенно ответила Грания, снова ощущая скованность в его присутствии.

— Пожалуйста, позволь мне взять твое пальто и садись к огню. Мне кажется, в этом доме очень холодно, — объяснил он, помогая ей раздеться. — Хочешь бокал вина? Или, может, джин-тоник?

— Я не отказалась бы от вина.

— Располагайся, а я сейчас вернусь.

В комнате было невыносимо жарко, и Грания не стала садиться в кресло с другой стороны камина. Она опустилась на элегантный, но неудобный диван с жаккардовой обивкой и подумала, какой уютной эта комната кажется в сумерках. Александр вернулся с бутылкой вина и двумя бокалами.

— Грания, спасибо, что пришла, — сказал он, протянув ей бокал, и вернулся в кресло у камина. — Помимо всего остального, я хотел бы воспользоваться случаем и поблагодарить тебя за то, что ты развлекала Аврору всю прошлую неделю.

— Не за что, мне было приятно заниматься с ней. Я получила от этого такое же удовольствие, как она.

— Тем не менее это было очень мило с твоей стороны. Аврора сказала мне, что ты скульптор. Ты профессионально этим занимаешься?

— Да, у меня студия в Нью-Йорке.

— Как хорошо, когда можно зарабатывать на жизнь талантом, — вздохнул Александр.

— Думаю, это так, — согласилась Грания. — Хотя я не умею делать ничего другого.

— Что ж, гораздо лучше добиться успеха в каком-то одном деле, чем посредственно заниматься всякими разными. А я именно это и делаю.

— Если ты не против, я все же поинтересуюсь, чем ты занимаешься?

— Гребу деньги лопатой. Чужие деньги. Но, делая богатыми других, я и сам хорошо зарабатываю. Можешь считать меня стервятником. В любом случае моя работа не доставляет мне никакого удовольствия. Это не имеет никакого смысла, — грустно добавил Александр.

— Мне кажется, ты слишком строг к себе, — заметила Грания. — Как бы там ни было, ты умеешь это делать. А я даже не представляю, с чего начать.

— Спасибо за эти слова, но все же я ничего не создаю, в то время как ты делаешь нечто осязаемое, что приносит удовольствие его обладателю. — Александр отпил глоток вина. — Я всегда восхищался людьми с художественными способностями, которых нет у меня самого. Я бы хотел посмотреть твои работы. Ты участвуешь в выставках?

— Да, время от времени, но в последнее время выполняю в основном частные заказы.

Он взглянул на Гранию:

— Значит, я тоже могу сделать заказ?

— Да. — Она пожала плечами. — Почему бы и нет?

— Хорошо, тогда я попробую. — Он натянуто улыбнулся. — Ты готова приступить к ужину?

— Как тебе будет угодно, — едва смогла вымолвить Грания.

Александр поднялся:

— Пойду передам миссис Майзер, что мы готовы.

Грания проследила за ним взглядом, когда он выходил из комнаты. Ее озадачило, что такой человек, как Александр, может чувствовать себя неловко. По ее опыту богатые и успешные мужчины с такой потрясающей внешностью были высокомерными и уверенными в себе, что было абсолютно естественно, так как все вокруг восхищались ими.

— Все готово, — произнес Александр, заглянув в комнату, — мы будем ужинать в столовой. Мне кажется, там гораздо теплее, чем в кухне.

Грания проследовала за Александром через холл и вошла в комнату напротив гостиной. Один конец длинного стола из отполированного до блеска красного дерева был накрыт на двоих. В камине снова пылал огонь, и Грания выбрала место подальше от него.

Александр сел во главе стола рядом с ней. Миссис Майзер внесла в комнату две тарелки и поставила их перед ними.

— Спасибо, — кивнул он, когда экономка выходила из комнаты. Посмотрев на Гранию, он криво усмехнулся: — Прошу прощения за такую простую еду, но миссис Майзер не самая лучшая повариха.

— Честно говоря, окорок и колканон с соусом — одно из моих самых любимых блюд, — успокоила его Грания.

— Что ж, в чужой монастырь... Мне кажется, у миссис Майзер это блюдо всегда очень хорошо получается. Пожалуйста, приступай. — Он показал на тарелку.

Некоторое время они ели молча, и Грания украдкой посматривала на хозяина дома. В итоге она сама нарушила молчание:

— Итак, о чем же ты хотел со мной поговорить?

— Могу я узнать твои планы на ближайший месяц? — поинтересовался Александр. — Ведь если ты гостишь у родителей, то наверняка собираешься скоро вернуться в Нью-Йорк.

Грания отложила нож и вилку.

— Не стану тебя обманывать. Я еще не решила, что буду делать дальше.

— Я правильно понимаю, что ты бежишь от чего-то? Это следует из твоих слов.

Очень проницательное замечание человека, которого она почти не знала.

— Думаю, можно и так сказать, — медленно произнесла Грания. — Откуда ты узнал?

— Ну... — Александр вытер губы салфеткой. — Во-первых, в тебе есть некая утонченность, которая вряд ли могла появиться в этой деревне. Во-вторых, еще до твоего знакомства с Авророй я видел, как ты гуляешь по скалам. Было совершенно очевидно, что ты над чем-то размышляешь. Я решил тогда, что скорее всего ты пытаешься решить какую-то проблему. И наконец, вряд ли такая женщина, как ты, при обычных обстоятельствах будет располагать временем или желанием проводить целые дни в компании восьмилетней девочки.

Грания почувствовала, что начинает краснеть.

— Должна сказать, ты очень точно все подметил. Да, дело обстоит именно так.

— Моя дочь, похоже, тебя просто обожает, и она, судя по всему, тебе небезразлична...

— Я считаю, что Аврора чудесная девочка, мне с ней интересно, — перебила его Грания, — но она одинока.

— Да, — со вздохом согласился Александр, — это так.

— Почему ты не хочешь отправить ее учиться? Всего в миле отсюда есть отличная начальная школа. Она могла бы найти подругу своего возраста.

— Это было бы бессмысленно. — Он покачал головой. — Я не имею ни малейшего представления о том, долго ли мы здесь пробудем. А ей совсем не нужно заводить знакомства, которые потом придется прервать.

— А ты не думал о пансионе? Тогда, где бы вы ни были, у девочки всегда будет ощущение стабильности, — заметила Грания.

— Конечно, я думал об этом, — сказал Александр. — Проблема в том, что после смерти матери у Авроры появились некоторые эмоциональные проблемы. Из-за них я не могу отдать ее в пансион. И она вынуждена учиться дома, хотя это не самый лучший вариант. Вот почему я пригласил тебя сегодня.

— Не понимаю...

— Миссис Майзер работала в нашем доме в Лондоне, и с ее стороны было очень любезно согласиться приехать сюда, но только на первые несколько недель. Ее семья осталась в Лондоне, так что она хочет вернуться как можно скорее, и это вполне понятно. Я обратился в несколько агентств, пытаясь найти няню для Авроры и экономку в этот дом, но пока результатов нет. А через несколько дней мне нужно будет уехать. Так вот, Грания, я хотел попросить тебя: не могла бы ты пожить здесь вместе с Авророй и присмотреть за ней, пока я не найду тебе подходящую замену?

Этого Грания никак не ожидала услышать.

— Я...

Александр жестом попросил ее замолчать.

— Я понимаю, что ты не няня, и не рассматриваю тебя в этом качестве. И все же на этот раз Аврора не может поехать со мной, а мне необходимо срочно найти кого-то, кто присмотрел бы за ней. Человека, которому я мог бы доверять и с кем моя дочь чувствовала бы себя комфортно. Надеюсь, я не оскорбил тебя своей просьбой.

— Нет, конечно, — ответила Грания. — Я польщена, что ты доверяешь мне, хотя совсем меня не знаешь.

— Как бы не так, — улыбнулся он. — Аврора только о тебе и рассказывает. После смерти матери она еще ни к кому так не привязывалась. И все же прости меня за эту просьбу. Я понимаю, что у тебя могут быть другие планы. Обещаю: это лишь на месяц, пока я не завершу дела. — Он говорил все тише и тише. — А потом я найму кого-то на более длительный срок.

— Месяц... Александр, — Грания закусила губу, — честно говоря, я не знаю.

— Пожалуйста, обдумай мое предложение. Не принимай решение прямо сейчас. И еще: пока ты здесь, я хотел бы заказать тебе скульптуру Авроры. Как ты на это смотришь? Тогда ты могла бы присматривать за ней и одновременно работать. А я оплачу и то и другое. И довольно щедро, не сомневайся.

Грания почувствовала, что тонет в глубине его синих глаз, и постаралась взять себя в руки:

— Я должна вернуться домой и все обдумать, потому что пока не уверена в своих планах.

— Конечно. — Александр кивнул. — Но ты могла бы сообщить мне о своем решении как можно скорее? Я уезжаю в воскресенье.

Это означало — через четыре дня.

— А что ты будешь делать, если я откажусь? — поинтересовалась девушка.

— Даже не знаю. — Он пожал плечами. — Наверное, уговорю миссис Майзер остаться и удвою ее содержание. В любом случае это не твоя проблема, и я прошу прощения, если поставил тебя в сложное положение. Ты должна поступать так, как считаешь нужным. Прости, что предложил тебе это, но Аврора умоляла меня.

— Можно, я подумаю до завтра?

— Да. А сейчас извини, у меня ужасная мигрень.

— Конечно. Я могу чем-то помочь тебе?

Александр посмотрел на нее, в его глазах читалась глубокая грусть.

— Нет, к сожалению, хотя это было бы замечательно, — сказал он и прикоснулся к ее руке. — Спасибо, что спросила.

Грания возвращалась домой по скалистой тропинке, освещая путь фонарем. Ей было стыдно вспоминать, что она едва не согласилась на предложение Александра, почувствовав прикосновение его руки. В тот момент она сделала бы все, чтобы помочь ему. Она не знала, кто он и чем занимается. Но когда она осторожно вошла в дом, поднялась по лестнице и залезла под одеяло, его полный боли взгляд продолжал преследовать ее. Непонятно почему Грания чувствовала себя измученной.

Его предложение казалось нелепым: она — известный нью-йоркский скульптор, и ее жизнь... Как она может всерьез думать о том, чтобы переехать в Богом забытый дом на скале и присматривать за маленькой девочкой, с которой знакома всего неделю? И все это ради того, чтобы угодить мужчине, о котором она ничего не знает? Более того, семейная история Лайлов и то, что Грания теперь как-то связана с ними, причиняет ее матери невыносимую боль.

И все же... все же...

Часы монотонно отсчитывали время, но Грания не спала, размышляя о том, что ступает на опасную территорию. Внезапно ей ужасно захотелось вернуть спокойную, безопасную, нормальную жизнь, которую она вела минувшие восемь лет.

Неужели ее отношения с Мэттом действительно закончены?

Она сбежала из Нью-Йорка, словно испуганное животное, чувствуя такую сильную боль... И она так и не дала ему возможности все объяснить. А если она неправильно все поняла и это была лишь цепь нелепых случайностей, совершенно невинных, которые можно было легко объяснить? Она же связала их вместе и придумала целую историю. Кроме того, она ведь только что потеряла ребенка. Своего долгожданного малыша. Неужели ее эмоциональное состояние в тот момент заставило ее неправильно истолковать события? И она отреагировала слишком сильно из-за гормональной бури, бушевавшей в ее теле? Грания вздохнула и снова повернулась на узком ложе. Она скучала по широкой кровати, которую делила с Мэттом, и по тому, чем они в ней занимались. Ей не хватало прежней жизни... и его.

Внезапно Грания приняла решение: пришло время все выяснить и дать Мэтту шанс изложить свою версию событий.

Она посмотрела на часы — было уже три часа утра. Значит, в Нью-Йорке девять вечера. Плохо, если мобильный телефон Мэтта выключен и в лофте работает автоответчик. Но если ей повезет, он ответит сам.

Грания села, включила свет и взяла телефон. Не размышляя больше ни секунды, она нашла номер Мэтта и нажала нужную кнопку. Тут же включилась его голосовая почта, и Грания отменила звонок. Затем она набрала номер лофта и после двух звонков услышала:

— Алло?

Голос был женский, и Грания знала, кому он принадлежит. Она молча уставилась в одну точку, а девушка на другом конце линии повторила:

— Алло?

«О Боже, Боже, Боже!!!»

— Кто это?

Большим пальцем Грания нажала на кнопку и прервала разговор.

6

Когда следующим утром Грания и Аврора вошли в дом, в кухне появился Александр. Ему нужен был ответ Грании.

— Я согласна. Я готова один месяц присмотреть за Авророй.

— Это замечательно! Грания, спасибо! Ты даже не представляешь, как это важно для меня — знать, что моя дочь останется с кем-то, кто ей нравится. — Александр посмотрел на девочку: — Аврора, ты довольна?

Но взрослые и не ждали от нее ответа — все было написано на ее лице.

— Да, конечно! — Она подбежала и обняла отца, а потом и Гранию. — Спасибо тебе! Обещаю, со мной не будет никаких проблем.

— Я в этом не сомневаюсь, — улыбнулась Грания.

— Возможно, вы найдете время для занятий. Учебники лежат наверху. Как ты на это смотришь? — Вопросительно приподняв бровь, Александр смотрел на Гранию. — Лондонская гувернантка так много ей задала, что работы хватит на месяц. Я сомневаюсь, что она к ней приступила.

— Но, папа! Я ведь училась рисовать!

— Не беспокойся, я прослежу, чтобы Аврора занималась, — торопливо произнесла Грания.

— Ты спросила папу, можно ли нам съездить в Корк на автобусе? — поинтересовалась Аврора, поворачиваясь к отцу. — Грании нужно купить кое-что для уроков рисования, и она сказала, что может взять меня с собой. Папа, ты разрешаешь? Я никогда раньше не ездила на автобусе.

— Не вижу в этом ничего плохого. Если только Грания не возражает, что ты постоянно будешь ходить за ней.

— Нет, конечно, — сказала Грания.

— Может, ты купишь все необходимое и для работы над скульптурой, о которой мы вчера говорили? — спросил Александр.

— Да, если ты уверен, что хочешь заказать ее мне. Хочешь посмотреть мои работы в Интернете?

— Честно говоря, я уже сделал это сегодня утром, — признался он. — И рад, что ты готова взяться за эту работу. Конечно, нам еще нужно обсудить твой гонорар и сумму за месяц, который ты проведешь с Авророй. Скажи, не знаешь ли ты кого-нибудь в деревне, кто мог бы приходить сюда на несколько часов в день, чтобы заниматься уборкой? Мне кажется, это не должно входить в круг твоих обязанностей.

Грания вспомнила о негативном отношении матери к семье Лайл, и ей стало любопытно, многие ли в деревне разделяют чувства Кэтлин.

— Я спрошу, — неуверенно произнесла она, — но...

Александр жестом остановил ее:

— Понимаю, у нашей семьи здесь не очень хорошая репутация. Честно говоря, мне так и не удалось выяснить причину, я ведь здесь относительно недавно. Но могу заверить тебя, что она таится в далеком прошлом.

— У ирландцев долгая память, — согласилась Грания. — Но я все же попробую кого-нибудь найти.

Аврора потянула Гранию за рукав:

— Если мы не поторопимся, то опоздаем на автобус.

— Да, он отходит в полдень. У нас еще десять минут.

— Тогда, девочки, я вас оставлю, — кивнул Александр. — Еще раз спасибо, Грания! Мы встретимся еще раз до моего отъезда, чтобы уточнить все детали.

Аврора была счастлива съездить в город на автобусе. Они вернулись с полными сумками разных товаров из художественного магазина. Грания появилась дома в тот момент, когда Кэтлин накрывала на стол к ужину.

— Ну и где тебя носило целый день, хотела бы я знать?

— Я ездила в Корк. — Грания поставила сумки на пол в прихожей и сняла пальто. — Мне нужно было купить кое-какие материалы.

— Говорят, с тобой была подружка, — заметила Кэтлин, разливая по тарелкам говяжий бульон.

— Да, я брала с собой Аврору. Она никогда не ездила на автобусе и была в полном восторге. Мама, тебе помочь?

Проигнорировав предложение дочери, Кэтлин поставила тарелки на стол.

Отец и брат присоединились к ним, и, сидя со всей семьей за столом, Грания чувствовала себя так, словно это ей восемь лет и ее поймали в автобусе, когда она прогуливала школу.

После ужина Шейн отправился в бар, отец устроился в кресле в соседней комнате, а Грания помогала матери убирать тарелки.

— Давай, я вскипячу воду, и выпьем чая? — предложила она. — У меня есть новости для тебя.

— Возвращаешься в Нью-Йорк к любимому? — Лицо Кэтлин на мгновение осветилось улыбкой.

Грания покачала головой:

— Нет, мама, извини, но теперь я уже не уверена, что это когда-нибудь случится.

— Что ж, Грания, я не могу понять только одного: в чем причина такого решения. Конечно, потерять ребенка — это ужасно, но...

— Мама, причин много, но я не хотела бы их обсуждать.

— Но что бы ни натворил Мэтт, судя по его поведению, он хочет все исправить. Неужели ты не дашь ему шанса, дорогая? — настаивала Кэтлин.

Грания налила чай в две чашки и поставила их на стол.

— Мама, клянусь, если бы существовал способ все уладить, я бы это сделала. Но боюсь, уже слишком поздно. Ты же сама говоришь, что над пролитым молоком не плачут. Мне нужно жить дальше.

— И какие у тебя планы?

— Я знаю, что тебе они не понравятся. — Грания отхлебнула обжигающий чай. — Отец Авроры вынужден уехать на месяц, и я согласилась пожить с девочкой в особняке и присмотреть за ней, пока его не будет.

— Пресвятая Богородица! — Кэтлин закрыла лицо руками. — Дела становятся все хуже!

— Мама, прошу тебя! Александр сказал мне сегодня: что бы ни случилось, это старая история. И бедная малышка не имеет к ней никакого отношения. Как и я, — подчеркнула Грания, стараясь изо всех сил сохранить спокойствие. — Александр попросил меня сделать скульптуру Авроры. Он заплатит за работу, а мне понадобятся деньги, мама, пока я не разберусь в отношениях с Мэттом. Это ведь очевидно. К тому же я не уверена, вернусь ли когда-нибудь в Нью-Йорк.

Теперь Кэтлин сидела, сжав виски руками.

— Боже! Такое впечатление, что все повторяется! Но ты права. — Она подняла глаза на дочь. — Почему прошлое должно иметь к тебе какое-то отношение?

— Мама, видишь ли, если бы я знала что-то об этом прошлом, то попробовала бы тебя понять. А так я собираюсь принять предложение Александра. Почему бы и нет?

— Почему нет? — прошептала Кэтлин. Усилием воли она постаралась взять себя в руки. — Знаешь, мне кажется, проблема в том, что мы обе бродим в потемках. Я не представляю, что произошло у вас с Мэттом, а ты не понимаешь, почему я расстраиваюсь из-за твоей связи с семьей Лайл. Ты говоришь, хозяина не будет, когда ты переедешь в Дануорли-Хаус?

— Да, ему нужно уехать.

— А что ты вообще думаешь об отце Авроры?

— Он кажется мне приятным человеком. — Грания пожала плечами. — Я не слишком хорошо его знаю.

— Думаю, он был... он хороший человек. Но эта семья плохо влияет на каждого, кто, к несчастью, оказывается с ними связан. И ты, Грания, не исключение! — Кэтлин с недовольным видом помахала пальцем перед лицом дочери.

— Мама, меньше всего мне хочется огорчать тебя, но пока я не в курсе...

— Да, ты права, — грустно перебила ее Кэтлин. С тусклой улыбкой она похлопала дочь по руке. — Но мне казалось, ты уже приняла решение.

— Мама, я пробуду там всего месяц, — подчеркнула Грания, — и перестану путаться у тебя под ногами.

— Ты думаешь, это то, о чем я мечтаю? После стольких лет разлуки? Я рада, когда ты рядом, и это никогда не изменится.

— Спасибо, мама. Скажи, можно привести сюда Аврору, чтобы она познакомилась с тобой? — рискнула спросить Грания. — Я уверена, ты все поймешь, как только увидишь ее. Она такая чудесная девочка.

— Не торопи события, дочка. Я не сомневаюсь, что она именно такая, как ты ее описываешь, но пока здесь слишком накалены страсти. Давай сейчас не будем обсуждать это.

— Понимаю. — Грания зевнула. — Извини, я плохо спала прошлой ночью. Пойду в кровать. — Она встала и вымыла чашку. Подойдя к матери, Грания поцеловала ее в макушку. — Спокойной ночи. Приятных снов!

— И тебе, детка.

Когда дверь в комнате дочери закрылась, Кэтлин встала и пошла в гостиную, чтобы поговорить с мужем.

— Я переживаю за нашу девочку, — вздохнула она, опускаясь в кресло напротив Джона. — Она только что согласилась переехать на месяц в Дануорли-Хаус, чтобы присматривать за дочкой Лайлов.

— Ты серьезно? — Джон оторвался от экрана и посмотрел на озабоченное лицо жены.

— И что мы можем сделать? — спросила его Кэтлин.

— Думаю, ничего. Она уже взрослая.

— Джон, разве ты не видишь, что происходит? Ты же знаешь: она всегда замыкается в себе, когда испытывает душевные переживания. И сейчас именно такой момент. Мы чувствуем, что ее гложет боль, но посвящать в свои беды нас она не станет.

— Кэтлин, наша дочь такая, какая есть. Как, впрочем, и я, — спокойно заметил Джон. — Мы все справляемся с проблемами по-своему, и трудно сказать, кто делает это правильно, а кто нет.

— Тебе не кажется странным, что она ни слезинки не пролила из-за потери ребенка?

— Дорогая, я ведь уже говорил — мы все разные. Оставь Гранию в покое.

— Джон! — Кэтлин чувствовала, что начинает терять терпение из-за буднично-спокойного отношения мужа к событиям, в которых она видела подступающую катастрофу. — Наша дочь вкладывает в этого ребенка все нерастраченные материнские чувства. Она использует Аврору, чтобы забыть о потере. А что, если она уже считает ее отца заменой Мэтту? Отдавая им сейчас все силы, она просто не в состоянии думать о собственной жизни и пытаться наладить ее.

— Ох, Кэтлин... — Джон наконец откликнулся на переживания жены. — Я понимаю, как ты расстроена. Ты хочешь защитить нашу девочку, но я не представляю, что можно сделать. А ты?

— И я нет, — после долгой паузы ответила Кэтлин. В душе она понимала, что Джон не в состоянии предложить решение, но все равно разозлилась на него. Она поднялась с кресла. — Я иду спать.

— Я тоже скоро поднимусь, — произнес Джон и вздохнул. Если Кэтлин начинала переживать за кого-то из двух обожаемых ею детей, что бы он ни делал и ни говорил, успокоить ее было невозможно.

Три дня спустя брат привез Гранию в Дануорли-Хаус.

— Спасибо, Шейн, — поблагодарила она, выбираясь из машины.

— Не за что, Грания, — улыбнулся он. — Обязательно дай мне знать, если вам с девочкой нужно будет куда-нибудь съездить. И следи за собой!

Грания достала вещи из багажника и через заднюю дверь вошла в кухню. Девочка как молния бросилась к ней.

— Ты приехала! Я ждала тебя все утро!

— А как же! — улыбнулась Грания. — Неужели ты боялась, что я не приеду?

Аврора поджала розовые губки.

— Иногда взрослые не выполняют обещания.

— Ну, я не отношусь к их числу, — успокоила она девочку.

— Отлично. Папа просил показать тебе комнату, когда ты приедешь. Будешь жить рядом со мной, чтобы тебе не было одиноко. Пойдем.

Аврора взяла Гранию за руку и потащила из кухни в холл, а затем вверх по лестнице. Миновав лестничную площадку, они оказались в симпатичной комнате, где стояла большая кровать с основанием из кованого железа и стеганым покрывалом из белого кружева. Стены были выкрашены в розовый цвет, а потрясающий вид из окна на оконечность мыса обрамляли занавески с изображениями цветочных побегов.

— Розовый — мой любимый цвет, — сказала Аврора, прыгая на кровати. — А твой?

— Я люблю розовый, и голубой, и фиолетовый! — Грания присоединилась к Авроре и принялась щекотать ее. — А еще желтый, и красный, и оранжевый, и зеленый.

Аврора хихикала от удовольствия, и в этот момент их застал Александр. Постучав в дверь, он вошел в комнату:

— Боже мой! Что за шум!

— Прости, папа! — Аврора тут же села. — Надеюсь, мы не потревожили тебя.

— Нет, дорогая, совсем нет. — Он улыбнулся, но Грании показалось, что его лицо исказила гримаса. Он был мертвенно-бледным. — Грания, если Аврора выпустит тебя из объятий на полчаса, мы успеем обсудить некоторые вопросы до моего отъезда, — предложил Александр.

— Да, конечно. — Грания спустилась с кровати и повернулась к девочке. — Ты не могла бы поискать учебники, о которых говорил твой папа? А потом приходи в кухню.

Аврора послушно кивнула и отправилась в спальню, находившуюся рядом с комнатой Грании. А Грания с Александром спустились вниз. Он провел ее в небольшую библиотеку, где на письменном столе стоял компьютер.

— Присаживайся, пожалуйста.

Грания села, и Александр протянул ей лист с напечатанным текстом:

— Здесь все мои контактные телефоны. Я также указал данные моего адвоката Ханса. Если не сможешь связаться со мной, лучше всего будет обратиться к нему. Я рассказал ему о тебе.

— Могу я поинтересоваться, куда ты направляешься?

— В Штаты, а потом, возможно, в Швейцарию. — Александр пожал плечами. — Извини, но я не могу сказать конкретнее. Если в доме вдруг возникнут какие-то проблемы, здесь ты найдешь телефоны водопроводчика и электрика. Бойлер для отопления и подогрева воды расположен в хозяйственном помещении рядом с кухней. Раз в неделю здесь работает садовник, он же приносит дрова для камина.

— Я поняла, — сказала Грания. — Похоже, мне удалось найти девушку, готовую убирать в доме какое-то время. Это дочь хозяйки деревенского магазина. Она производит приятное впечатление.

— Отлично, Грания, спасибо. Здесь также чек на твое имя. Думаю, тебя устроит сумма, указанная в нем. Это оплата за месяц работы и за мой заказ. Еще я включил сюда расходы на питание и деньги на случай чрезвычайной ситуации, из них ты можешь платить и за уборку. Я здесь все подробно расписал. Если по какой-то причине тебе понадобятся дополнительные средства, сразу свяжись с моим адвокатом.

Грания взглянула на чек, в котором была указана сумма: двенадцать тысяч долларов.

— Но это слишком много, я...

— Грания, я знаю, что каждая твоя скульптура стоит не меньше десяти тысяч долларов.

— Да, но клиент обычно предпочитает увидеть готовую работу и только потом выплачивает гонорар.

— В этом нет необходимости, — произнес Александр. — Ну все, хватит о деньгах. Если бы не ты, я вообще не смог бы уехать.

— Я делаю это с радостью, — повторила Грания. — Мне очень нравится Аврора.

— И ты должна знать, что это чувство взаимно. После смерти жены она ни к кому так не привязывалась, как к тебе. И я нахожу это, — он вздохнул, — очень трогательным.

В глазах Александра снова появилось выражение глубокой грусти, и Грании потребовалось собрать все силы, чтобы сдержать порыв и не прикоснуться к его руке, пытаясь успокоить.

Она тихо произнесла:

— Обещаю, что позабочусь о ней.

— Я знаю... И хотел бы предупредить тебя... Это сложно объяснить... Аврора иногда говорит о матери так, словно та все еще здесь, в этом доме. — Александр покачал головой. — Мы оба должны понимать — это лишь фантазия ребенка, пережившего тяжелую потерю. Поверь мне, здесь нет привидений, но если Авроре спокойнее думать по-другому, то я не вижу в этом ничего плохого.

— Да, конечно, — медленно произнесла Грания.

— Что ж, тогда все. Я уеду примерно через час. Такси отвезет меня в аэропорт Корка. Ты можешь пользоваться моей машиной, ключи висят в хозяйственном помещении на ключнице.

— Спасибо. — Грания встала. — Пойду проверю, как дела у Авроры, и постараюсь уговорить ее хотя бы одним глазком взглянуть на учебники.

— Я буду звонить так часто, как смогу, — кивнул Александр, — и, пожалуйста, не волнуйся, если я пропаду на какое-то время. Аврора тоже не должна переживать. Да, кстати... — Он показал на левый верхний ящик стола. — Если со мной что-то случится, все необходимые бумаги ты найдешь здесь. Мой адвокат скажет тебе, где ключ.

У Александра было такое выражение лица, что Гранию вдруг бросило в дрожь.

— Хочется надеяться, что мне не придется звонить ему. Увидимся через месяц. Удачной поездки.

— Спасибо.

Она повернулась, собираясь уйти.

— Грания?

— Да?

Неожиданно Александр широко улыбнулся:

— После возвращения с меня ужин. Ты буквально спасла мне жизнь.

Грания молча кивнула и быстро вышла из комнаты.

Сидя у окна в детской, Грания с Авророй наблюдали, как такси Александра удаляется от дома, спускаясь вниз со скалы по извилистой дороге. Грания инстинктивно обняла девочку, но та казалась спокойной. Она подняла глаза и сказала:

— Все в порядке. Я не расстроена. Я привыкла, что он оставляет меня, когда ему нужно уехать по делам. А на этот раз все гораздо лучше, потому что ты со мной. — Аврора встала на колени и обняла девушку за шею. — Грания!

— Да?

— Как ты думаешь, мы можем пойти в гостиную, разжечь камин и поджарить в нем маршмеллоу*, как делали герои в книге Энид Блайтон? Я только что закончила ее читать.

— Думаю, это отличная идея. Только сначала ты часок порешаешь примеры за кухонным столом, а я приготовлю ужин. Согласна? — Грания протянула девочке руку.

Аврора схватила ее и улыбнулась:

— Согласна.

Позже в тот же вечер, укладывая девочку спать, Грания пошла у нее на поводу и читала вслух гораздо дольше, чем предполагалось вначале. Когда Аврора наконец уснула, Грания спустилась в гостиную. Встав на колени перед камином, чтобы добавить дров, она прислушалась к тишине в доме, недоумевая, что, черт возьми, побудило ее принять предложение Александра. Грания осознавала, что ее согласие было вызвано шоком, который она пережила, услышав голос Чарли в телефонной трубке той ночью. Но неужели разумно было заточить себя на месяц в этом особняке с девочкой, которую она практически не знала?

Грании хотелось, чтобы Мэтт позвонил ее родителям и мать сказала бы ему, что она живет в другом месте. Тогда он понял бы, что его поведение не сломило ее и она уже идет по жизни дальше.

---

* Маршмеллоу — пастила из воздушного риса. — *Здесь и далее примеч. пер.*

Усилием воли Грания заменила в воображении лицо Мэтта лицом Александра. Ей показалось, или у него было особое выражение в тот момент, когда он приглашал ее на ужин после возвращения? Неужели она сейчас настолько впечатлительна, что несколько ничего не значащих слов, возможно, сказанных из вежливости, никак не выходят у нее из головы? Грания вздохнула, осознав, что, каковы бы ни были мотивы Александра, у нее есть целый месяц, чтобы пытаться разгадать их.

Выключив внизу свет, она поднялась по лестнице в спальню, долго лежала в глубокой ванне на металлических лапах в ванной комнате, примыкающей к ее спальне, а потом натянула пижаму и устроилась на большой удобной кровати. Откинувшись на подушки, Грания наслаждалась простором нового ложа после нескольких недель неудобств на узкой кровати.

Выключая свет, она решила, что завтра начнет делать наброски лица Авроры — нужно почувствовать его форму и понять, какое выражение чаще всего появляется в глазах девочки.

Грания устроилась поудобнее и закрыла глаза.

Кэтлин сидела за кухонным столом, сжимая в ладонях чашку с чаем. По звукам, доносившимся из соседней комнаты, она поняла: только что закончились десятичасовые новости. Она знала, что, дослушав прогноз погоды, Джон выключит телевизор, потом свет и выйдет в кухню, чтобы налить для себя на ночь стакан воды.

Кэтлин поднялась и, подойдя к задней двери, открыла ее и посмотрела в левую сторону. В особняке на вершине скалы свет не горел. Грания, должно быть, уже легла. Закрыв дверь, Кэтлин заперла ее на ключ и задвинула засов. Она слегка дрожала, и от мысли о том, где сегодня приходится ночевать ее дочери, ей стало не по себе. Кэтлин вернулась в кухню и увидела Джона, который набирал в стакан воду из-под крана.

— Я иду спать, дорогая. А ты? — Он посмотрел на жену и нежно улыбнулся.

Кэтлин тяжело вздохнула и потерла щеки руками.

— Ох, Джон, я места себе не нахожу.

Муж поставил стакан рядом с раковиной, подошел и обнял ее.

— Что случилось? На тебя это совсем не похоже. Расскажи мне, что тебя волнует.

— Грания... Она в том доме, совершенно одна. Я понимаю, ты скажешь, что это глупо, но... — Она подняла глаза на мужа. — Ты знаешь, какие чувства вызывает у меня та семья и как мы от нее настрадались.

— Да, знаю. — Джон нежно заправил прядь седеющих волос за ухо жены. — Но это было очень давно. Грания и эта девочка принадлежат к другому поколению.

— Мне, наверное, следует ей рассказать? — Кэтлин смотрела на мужа, умоляя его дать ответ.

Джон вздохнул:

— Даже не знаю, хорошая это мысль или нет. Но очевидно, что молчание расстраивает тебя. Если тебе станет легче, тогда следует ей все рассказать. Не думаю, что это как-то повлияет на ее решение. Мы с тобой прекрасно знаем: дети не отвечают за грехи родителей.

Кэтлин прижалась лицом к широкой груди мужа.

— Знаю, Джон, знаю... Но то, как они поступили с нашей семьей... — Она покачала головой. — Они практически уничтожили нас, Джон, не забывай об этом. — Она подняла глаза, в которых светился страх. — И я видела лицо Грании, когда она говорила об отце Авроры. Два поколения пострадали из-за Лайлов, и теперь, похоже, на моих глазах прошлое повторяется.

— Перестань, дорогая. Наша Грания из другого теста, она гораздо сильнее, — попытался успокоить жену Джон. — Ты не хуже меня знаешь, что нашу дочь невозможно заставить сделать что-то, если она этого не хочет.

— А если она решит, что он ей нужен?

— Тогда ты ничего не сможешь сделать. Грания уже не ребенок, она взрослая женщина. Неужели ты боишься самого худшего? Его нет в том доме, а она просто присматривает за девочкой, пока он в отъезде. Ничто не предвещает...

Кэтлин оттолкнула Джона и в отчаянии всплеснула руками:

— Нет, ты ошибаешься! Я видела это выражение ее глаз, и все из-за него! А как же Мэтт? Может, позвонить ему и попросить приехать?.. Она ведь не осознает, что происходит, и ничего не понимает.

— Кэтлин, успокойся, — вздохнул Джон. — Тебе не стоит вмешиваться в дела дочери. Она скрывает что-то о своих отношениях с Мэттом, и нам следует подождать, пока она сама все не расскажет. Возможно, тебе станет лучше, если ты поговоришь с ней о прошлом. Хуже не будет, а Грания поймет, почему ты так переживаешь из-за ее решения присматривать за девочкой.

Кэтлин подняла глаза на мужа:

— Ты так считаешь?

— Да. И тогда она сможет сама все решить. А сейчас я думаю, нам пора спать. Я ее отец и заверяю тебя: я не допущу, чтобы с ней случилось что-то плохое.

Немного успокоившись, Кэтлин слабо улыбнулась мужу:

— Спасибо, дорогой. Я знаю это.

Гранию разбудил громкий стук. Он села и потянулась к выключателю, пытаясь понять, не приснилось ли ей это. Часы на столике у кровати показывали пять минут четвертого. В доме стояла полная тишина, поэтому она выключила свет и снова улеглась в кровать, собираясь спать.

Легкое поскрипывание досок на лестничной площадке недалеко от спальни заставило ее снова сесть. Грания прислушалась и различила звук шагов, а потом скрип двери в коридоре. Выбравшись из кровати, она осторожно открыла дверь и выглянула из спальни. Дверь на другом конце площадки была приоткрыта, и из нее лился слабый свет. Грания направилась туда, у нее под ногами поскрипывали доски. Оказавшись у двери, Грания распахнула ее и увидела спальню, залитую лунным светом, проникавшим в комнату из двух французских окон, за которыми виднелся небольшой балкон с балюстрадой. В комнате было очень холодно, и она поняла, что окна открыты. Грания, встревожившись, направилась к ним. Сердце неистово колотилось в ее груди. Перешагнув порог, она оказалась на балконе.

Там стояла Аврора: похожая на призрак фигурка, освещенная лунным светом, руки вытянуты в сторону моря — именно в той позе Грания впервые увидела ее.

— Аврора, — шепотом позвала она.

Балюстрада, предохраняющая девочку от падения вниз с высоты двадцати футов, доходила ей только до бедер, и Грания заволновалась еще сильнее.

— Аврора, — еще раз осторожно произнесла она, но снова не было никакой реакции.

Повинуясь порыву, Грания потянулась и схватила Аврору за руку, однако девочка словно не заметила этого.

— Дорогая, пожалуйста, пойдем в дом. Ты можешь разбиться! — Она чувствовала, что кожа девочки под тонкой ночной рубашкой стала ледяной.

Внезапно Аврора показала рукой на море:

— Она вон там... Ты ее видишь?

Грания проследила взглядом за рукой Авроры, и у нее вдруг перехватило дыхание. На самом обрыве, где она впервые встретила Аврору, стояла темная фигура, и ее силуэт был хорошо виден в лунном свете. Грания с трудом сглотнула, закрыла глаза и открыла вновь. Снова посмотрев в сторону обрыва, она ничего не увидела. Ее охватила паника, и она потянула Аврору за руку:

— Аврора! Скорей пойдем в дом!

Девочка повернулась к ней — ее лицо было белым, как лунный свет. Она молча улыбнулась Грании и пошла с ней в дом: сначала в спальню, а потом по коридору в комнату.

Чтобы согреть Аврору, Грания закутала ее в одеяла, прихватив еще одно, лежавшее в ногах. Девочка, не сказав больше ни слова, повернулась и закрыла глаза. Грания посидела рядом еще некоторое время, пока не убедилась, что у ее подопечной выровнялось дыхание и она крепко спит. Потом, дрожа от холода и страха, она вернулась в свою спальню.

Лежа в кровати, Грания продолжала думать о призрачной фигуре на скалах.

Конечно... конечно, ей это привиделось. Она никогда не боялась неведомого и все время смеялась над матерью и ее богатым воображением, когда та говорила о загробном мире, в который верила.

Но сегодня... сегодня... на скалах...

Грания вздохнула: что за нелепые мысли, — и, закрыв глаза, постаралась уснуть.

7

На следующее утро Грания проснулась, когда через шторы пробивался слабый свет. Потянувшись, она повернулась и увидела, что уже больше восьми утра. Дома ее обычно будили брат и отец, которые шумно собирались на утреннюю дойку. Откинувшись на подушки, она вспомнила странное происшествие прошлой ночи и вздрогнула. Наверняка это была просто игра воображения. Вставая с кровати и одеваясь в утреннем свете, Грания с легкостью убедила себя, что именно так все и было.

Аврора уже сидела в кухне. Перед ней стояла миска с хлопьями. Когда Грания вошла, лицо девочки вытянулось, и она надула губы:

— А я собиралась принести тебе завтрак в постель.

— Очень мило с твоей стороны, но я с удовольствием приготовлю его сама. — Грания налила воду в чайник и поставила на плиту. — Как тебе спалось? — осторожно поинтересовалась она.

— Отлично, спасибо, — ответила девочка. — А тебе?

— Неплохо, — солгала Грания. — Хочешь чая?

— Нет, спасибо. Я пью только молоко. — Аврора замерла с полной ложкой хлопьев. — Грания, иногда у меня бывают странные сны.

— Правда?

— Да... — Ложка все еще висела в воздухе. — Мне снится, что я вижу маму, стоящую на скалах.

Грания промолчала, продолжая заниматься чаем, и увидела, что Аврора наконец-то положила хлопья в рот и принялась задумчиво жевать. Она села за стол, и девочка посмотрела на нее:

— Но это ведь просто сон, да? Мама умерла и не может вернуться, потому что она на небесах. По крайней мере так говорит папа.

— Да, — согласилась Грания и положила руку на худенькое плечо своей подопечной, стараясь ее успокоить. — Папа прав. Тот, кто оказывается на небесах, не может вернуться, как бы мы этого ни хотели.

В свою очередь, и Грания вдруг почувствовала боль утраты. Ее драгоценный крошечный малыш так и не получил возможности узнать, что такое жизнь, — он умер внутри ее, не сделав ни единого вдоха самостоятельно. Но это не значит, что она перестала мечтать, кем мог бы стать ее ребенок. Мечтать о жизни, которая была бы у него... или у нее. На глаза ей навернулись слезы, и она изо всех сил постаралась сдержать их.

— Но иногда я чувствую, что она здесь, — продолжала Аврора, — и мне кажется, что я вижу ее. Но когда я рассказываю об этом папе, он начинает злиться и отвозит меня к врачу. Так что я перестала говорить с ним об этом, — грустно добавила она.

— Иди ко мне. — Грания протянула руки к девочке и усадила ее к себе на колени. — Аврора, я не сомневаюсь, что мама любила тебя очень-очень сильно, как и ты ее. Даже если папа прав и люди не возвращаются с небес, нам все равно кажется, что они рядом: присматривают за нами и любят нас.

— И ты не считаешь, что это плохо? — Аврора серьезно смотрела на Гранию, ожидая, что та успокоит ее. — Не думаешь, что я сошла с ума?

— Нет, не думаю. — Грания погладила рыже-золотистые волосы девочки и накрутила одну прядь на палец. — А сейчас... — она поцеловала ее в лоб, — я думаю, что утром ты немного позанимаешься, ведь папе это было бы приятно, а я сделаю несколько набросков для твоей скульптуры, которую он мне заказал. И день мы проведем так, как захотим. Есть какие-нибудь предложения?

— Нет. — Аврора пожала плечами. — А у тебя?

— Думаю, мы могли бы съесть по сандвичу в Клонакилти, а потом пойти на пляж.

Аврора в восторге захлопала в ладоши:

— Да, отлично! Я обожаю пляж!

— Значит, договорились.

Сидя за столом, Аврора прилежно решала примеры, а потом отвечала на вопросы по географии. Грания быстро делала наброски с разных ракурсов, пока наконец не почувствовала пропорции тела девочки. Ближе к полудню, заваривая кофе, Грания поняла, чего ей не хватает.

— Аврора, у вас здесь есть радио или проигрыватель компакт-дисков? — поинтересовалась она. — Я люблю слушать музыку, когда работаю в студии.

— Мама не любила музыку, — сообщила девочка, не поднимая головы.

Грания удивилась, но не стала задавать лишних вопросов.

— А телевизор?

— У нас есть дома, в Лондоне. Я любила его смотреть.

— Знаешь, папа оставил мне немного денег. Может, мы купим телевизор? Как тебе такая идея?

Радость осветила лицо Авроры.

— Мне бы очень хотелось.

— Как думаешь, папа не будет возражать?

— Нет, в Лондоне он тоже смотрел телевизор.

— Значит, мы купим телевизор в городе, перед тем как идти на пляж. И я попрошу моего брата Шейна прийти к нам попозже и установить его. Он отлично разбирается в технике.

— А можно съесть мороженое на пляже?

— Да, — улыбнулась Грания, — конечно.

Они купили телевизор, потом пообедали в Клонакилти, и Грания направила машину в сторону пляжа Инчидони — одной из достопримечательностей этих мест. Аврора кружилась и танцевала на пустынной полоске чистого белого песка, и ее движения были полны такой грации и изящества, что Грания не могла отвести взгляда. Удивительные способности этой маленькой девочки, которая ни разу в жизни не брала урока танцев, завораживали. Ее руки двигались, рисуя изящные линии и красивые фигуры, а ноги легко отрывались от песка в идеальном жете*. Аврора подбежала к Грании и села рядом на песок. На щеках девочки играл здоровый румянец.

— Тебе ведь нравится танцевать? — поинтересовалась Грания.

— Да. — Положив руки за голову, Аврора наблюдала за плывущими по небу облаками. — Меня не учили правильно танцевать, но... — Она замялась.

— Что? — спросила Грания.

— Такое ощущение, что мое тело само знает, что делать. Когда я танцую, то забываю обо всем и чувствую себя счастливой! — Внезапно тень промелькнула на лице Авроры, и она вздохнула. — Хотела бы я, чтобы так было все время.

---

* Жете — одно из основных прыжковых па в классическом танце.

— Подумай и ответь мне: ты хотела бы учиться танцу? Я говорю о серьезных занятиях в балетной школе.

— Да, с удовольствием. Но когда папа однажды предложил это маме, она сказала «нет». Не знаю почему. — Аврора сморщила маленький вздернутый носик.

— Что ж, может, она сказала это, потому что считала тебя еще слишком маленькой, — осторожно заметила Грания. — Я уверена, она не стала бы возражать, если бы ты сейчас попробовала. А ты как думаешь?

Для Грании было крайне важно, чтобы девочка приняла решение самостоятельно. Она не хотела делать это за нее.

— Может быть... Но где я могла бы заниматься? — с сомнением поинтересовалась она.

— Каждую среду днем в Клонакилти проводят занятия в классе балета. Я знаю, поскольку сама туда ходила.

— Наверное, педагог — совсем старушка?

— Нет, дорогая, — рассмеялась Грания. — Как, впрочем, и я. Ну что? Попробуем завтра?

— Разве мне не нужны пуанты и все остальное, что обычно носят танцоры? — поинтересовалась Аврора.

— Ты говоришь о трико? — Грания задумалась. — Что ж, думаю, завтра ты позанимаешься, и, если тебе понравится и ты захочешь продолжить, мы снова поедем в Корк и купим все необходимое.

— А другие девочки не будут смеяться, если я приду в обычной одежде?

Классическая реакция застенчивой восьмилетней девочки.

— Думаю, как только ты начнешь танцевать, они сразу забудут, что на тебе надето.

— Хорошо, — неуверенно согласилась Аврора. — Но если мне не понравится, я не пойду туда больше?

— Конечно, нет, дорогая.

Ближе к вечеру пришел Шейн, чтобы помочь установить телевизор в гостиной. Аврора восторженно прыгала вокруг него, а потом слушала терпеливые объяснения, как переключать каналы с помощью пульта управления. Усадив девочку у телевизора, брат с сестрой вышли в кухню.

— Выпьешь что-нибудь? — спросила Грания. — Я решила побаловать себя и купила вина, когда ездила в город, — добавила она, открывая бутылку.

— Я бы выпил немного, хотя ты ведь знаешь, что я не большой любитель вина, — сказал Шейн, садясь и оглядываясь по сторонам. — Этому дому не помешал бы небольшой ремонт.

— Так и есть, ведь он пустовал последние четыре года. Возможно, если они здесь останутся, Александр решит привести все в порядок.

— Богом забытое место, — сказал Шейн и выпил вино в два глотка, словно это была пинта его любимого пива «Мерфис». — Мне кажется, остаться здесь только с малышкой — очень смело с твоей стороны. Я бы точно не смог. И мама не очень этому рада.

— Она дала это ясно понять. — Грания налила брату еще немного вина. — Мама никогда не относилась к тем, кто скрывает истинные чувства, правда? Ты не знаешь, почему она так настроена против этого дома и этой семьи?

— Понятия не имею. — Шейн снова залпом выпил вино. — Но думаю, это связано с очень далеким прошлым. Не переживай, Грания, не ты одна страдаешь от маминых причуд. В прошлом году я недолго встречался с девушкой, мать которой училась в одном классе с нашей. У мамы остались о ней плохие воспоминания, и она превратила мою жизнь в ад. Вот такая история. — Шейн улыбнулся. — Хорошо, что я не собирался строить с ней серьезные отношения. Тем не менее наша мама многое чувствует сердцем, ты же знаешь.

— Да, — вздохнула Грания, — знаю. Хотя иногда трудно понять, насколько оправданы ее чувства.

— Я знаю, что вчера она говорила с отцом о тебе, так что завтра, возможно, нагрянет в гости. А сейчас мне пора идти, мама накроет стол к чаю. Она ведь очень не любит, когда мы опаздываем. — Шейн поднялся и махнул рукой в сторону Авроры. — А вот эта малышка — просто прелесть, и, думаю, ей нужна мать и немного любви. Если тебе понадобится что-нибудь, пока ты будешь здесь, звони мне на мобильный. Маме не нужно знать, что я заходил к тебе. В одном я не сомневаюсь, — добавил он, целуя Гранию в щеку, — она никогда не изменится. Пока, увидимся!

Вечером, перед тем как лечь в постель, Грания прошла по коридору к двери, за которой была комната с балконом, где она увидела Аврору прошлой ночью. Включив свет, она уловила в воздухе легкий запах духов. Взгляд Грании устремился к элегантному трюмо, на котором были разложены всякие вещицы. Грания подошла и взяла в руки красивую щетку для волос с ручкой из слоновой кости, с обратной стороны которой были выгравированы инициалы «ЛЛ». Перевернув ее, она заметила длинный рыже-золотистый волос, все еще закрученный между зубцами. Грания вздрогнула — вещи, оставшиеся от людей, которых уже нет, всегда казались ей странными и вызывали беспокойство.

Отвернувшись от трюмо, она увидела кровать с белым кружевным покрывалом и красиво расставленными подушками, словно ожидавшую, что ее бывшая хозяйка снова ляжет спать. Взглянув на большой гардероб красного дерева, Грания не смогла удержаться и повернула ключ в дверце. Как она и предполагала, одежда Лили по-прежнему висела там, и от вещей исходил сильный запах тех же духов, который она уловила в комнате.

— Ты умерла... Уходи... — произнесла Грания громко, словно пыталась доказать что-то самой себе.

Она вышла из комнаты и, вынув ключ из двери, заперла ее снаружи. Вернувшись к себе, она спрятала его в ящик у изголовья. Уже в постели Грания задумалась, правильно ли было, учитывая состояние Авроры, оставлять комнату ее погибшей матери в неприкосновенном виде. Теперь это помещение было неким подобием святилища, манящим и внушающим мысль, что Лили до сих пор жива.

— Бедняжка, — сонно прошептала Грания. И подумала, что хотя ее мать чересчур драматизирует Лайлов, теперь и она не сомневается: сам дом и его обитатели — странные люди.

Грания, внезапно проснувшись, увидела, что свет у кровати по-прежнему горит. Услышав шаги за дверью, она на мысочках подошла и открыла ее. Девочка в конце коридора пыталась повернуть ручку двери в комнату матери.

Грания включила свет на лестничной площадке и подошла к своей подопечной.

— Аврора, — мягко сказала она и осторожно положила руку ей на плечо, — это я, Грания.

Девочка повернулась к ней — ее лицо выражало беспокойство и растерянность.

— Дорогая, это опять твои сны, возвращайся в постель! — Грания попыталась увести Аврору от запертой двери, но та увернулась и, снова взявшись за ручку, принялась крутить ее еще с большим отчаянием. — Аврора, это сон! Просыпайся! — повторила Грания.

— Почему она не открывается? Мама зовет меня, я должна идти к ней. Почему я не могу войти?

— Аврора! — Грания нежно потрясла ее. — Дорогая, ты должна проснуться! — Она пыталась оторвать пальцы девочки от дверной ручки, и в итоге ей это удалось. — Давай я отведу тебя в кровать и подоткну одеяло.

Неожиданно Аврора прекратила сопротивляться и упала на руки Грании, всхлипывая:

— Я слышала, как она звала меня. Грания, я слышала!

Почувствовав, что девочка дрожит, Грания подхватила ее и, пройдя по коридору, уложила в кровать. Нежно стерев слезы с лица Авроры, она погладила ее по голове:

— Дорогая, разве ты не понимаешь, что это лишь сон? Тебе все это привиделось, поверь мне.

— Но я слышу ее, Грания, слышу ее голос! Она зовет меня к себе.

— Да, дорогая, я знаю и верю тебе. Многим снятся такие яркие сны, особенно об ушедших людях, по которым они очень скучают. Но, Аврора, твоей мамы здесь нет, она на небесах.

— Иногда мне кажется, — сказала девочка и вытерла нос рукой, — что она зовет меня к себе. Она говорит, что очень одинока и я должна составить ей компанию. Многие считают, что я сумасшедшая. Но это не так, Грания, со мной все в порядке.

— Знаю. — Грания пыталась успокоить девочку. — А теперь закрывай глаза. Я никуда не уйду, пока ты не уснешь.

— Хорошо, по-моему, я немного устала. — Аврора выполнила просьбу Грании, и та погладила ее лоб. — Я люблю тебя, Грания, — пробормотала девочка. — И мне не страшно, когда ты со мной.

Наконец Аврора заснула, и Грания, чувствуя себя совершенно разбитой, тихо вернулась в свою спальню.

8

На следующий день Грания с Авророй отправились в Клонакилти. Девочка очень волновалась, и Грания старалась успокоить ее:

— Обещаю, если тебе не понравится в балетном классе, ты больше не будешь туда ходить.

— Я люблю танцевать. Но меня пугает то, что девочки будут смотреть на меня, — призналась Аврора. — Мои ровесники не очень меня жалуют.

— Аврора, я уверена, это не так. Как утверждает моя мама, всегда нужно сначала попробовать.

— Твоя мама, похоже, очень хорошая, — заметила Аврора, выбираясь из машины. — Как ты думаешь, мы можем как-нибудь сходить на ферму, чтобы я познакомилась с ней?

— Это легко устроить. Кстати, я встречаюсь с мамой за чашкой чаю, пока ты будешь заниматься. — Грания провела девочку в здание, где также располагался совет общины.

Грания заранее предупредила об их приходе мисс Элву, свою старую учительницу танцев, и та встретила ее поцелуем и тепло улыбнулась Авроре.

— Грания, как я рада тебя видеть! А это, должно быть, Аврора? — Мисс Элва опустилась на колени перед девочкой и взяла ее за руки. — Ты ведь знаешь, что тебя назвали именем одной красавицы принцессы из балета «Спящая красавица»?

Аврора широко открыла глаза и покачала головой:

— Нет, я этого не знала.

Мисс Элва протянула ей руку:

— А теперь пойдем, я познакомлю тебя с другими девочками. И давай попрощаемся с Гранией, она вернется за тобой примерно через час.

— Хорошо, — согласилась Аврора и, смущаясь, дала учительнице руку.

Грания вышла из здания и направилась вверх по узкой шумной улице с домами, выкрашенными в яркие цвета, как принято в Ирландии. Она заметила маму с чашкой чаю за стеклом кафе «У Донована».

— Привет, как дела? — Поцеловав Кэтлин, Грания села напротив нее.

— В целом неплохо, а у тебя?

— Все хорошо! — Изучив меню, она тоже заказала чай и пшеничный скон.

— Итак, ты говорила, что Аврора впервые пойдет в балетный класс?

— Да, и я действительно считаю, что у нее очень большой потенциал. Хотя, конечно, я не специалист в этой области. Она такая изящная! Я порой не могу отвести от нее глаз, так красиво она движется.

— Да, конечно, — глубокомысленно кивнула Кэтлин. — Думаю, у нее есть талант. Это у нее в крови, — вздохнула она.

— В самом деле? — Грания удивленно приподняла бровь. — Ее мать была танцовщицей?

— Нет, не мать, а бабушка. В свое время она была очень известна.

— Удивительно, что Аврора не упоминала об этом, — сказал Грания, откусывая кусочек скона.

— Возможно, она просто не в курсе. Ну и как тебе в особняке?

— Э-э... неплохо. — Грании нужно было поговорить с матерью о лунатизме Авроры и о странной атмосфере в доме, но она не хотела еще больше подогревать ее недовольство. — Похоже, со мной Аврора начала оттаивать и постепенно вылезает из своей раковины. Ты же знаешь, я купила телевизор, и она с удовольствием его смотрит. Мне кажется, ей нужно... — Грания замолчала, подыскивая правильные слова, — нужно жить нормально. Похоже, раньше она почти все время проводила в изоляции от внешнего мира, и я считаю, что это нехорошо. В одиночестве ей гораздо легче погрузиться в собственные печальные мысли, а это только подстегивает воображение.

— Думаешь, дело в воображении? — Кэтлин криво улыбнулась. — Она ведь говорит о том, что видит мать?

— Да... но мы обе знаем, что это происходит во сне.

— И что? Неужели ты еще не замечала ее мамочку на обрыве? — В глазах Кэтлин блеснул огонек.

— Мама, тут не до шуток. Я говорю серьезно.

— И я не шучу, дорогая. Я сама никогда не встречала призрак Лили, но могу назвать тебе несколько человек в деревне, готовых поклясться, что видели ее собственными глазами.

— Но это ведь глупо! — Грания, скрывая тревогу, отпила из чашки. — Аврора верит, что мать действительно приходит к ней, — вот в чем проблема! Она... ходит во сне, а когда я пытаюсь разбудить ее, говорит, что слышит голос зовущей ее матери.

Кэтлин перекрестилась и покачала головой:

— Ох, даже не знаю, что заставило ее отца вернуться сюда. И о чем он думал? В любом случае это не наше дело, хотя ты и осталась в одиночестве решать проблемы бедной девочки.

— Я не против, поскольку она мне нравится. И хочу, если это возможно, ей помочь, — защищаясь, ответила Грания. — Так о чем ты хотела со мной поговорить?

— Знаешь, дочка, — подавшись вперед, понизила голос Кэтлин, — я говорила с твоим отцом, и он считает, что я должна объяснить тебе, почему так беспокоюсь из-за твоей связи с этой семьей. — Опустив руку в хозяйственную сумку, она достала толстую пачку писем.

По потемневшим краям конвертов Грания поняла, что они очень старые.

— Мама, что это? От кого они?

— Это письма Мэри, моей бабушки.

Грания сосредоточенно нахмурилась.

— Я когда-нибудь видела ее?

— К сожалению, нет. Признаюсь сразу: она была замечательной женщиной и я очень любила ее. Сейчас сказали бы, что она опережала свое время. У нее был твердый и независимый характер, и мне кажется, ты вся в нее, Грания, — улыбнулась Кэтлин.

— Мама, а мне кажется, это комплимент.

— Но ты и внешне на нее похожа! — Открыв верхний конверт, Кэтлин передала дочери небольшую черно-белую фотографию. — Вот она, твоя прабабушка.

Рассматривая снимок, Грания не могла не согласиться с матерью. Несмотря на одежду и шляпку, каких давно не носили, она видела в женщине свои черты, и цвет глаз и волос тоже совпадали.

— Когда фотография была сделана?

— Думаю, Мэри здесь чуть больше двадцати. Значит, ее снимали в Лондоне.

— В Лондоне? Что Мэри там делала?

— А это ты узнаешь из писем.

— Хочешь, чтобы я их прочитала?

— Если ты стремишься узнать, с чего начались наши трения с Лайлами, думаю, тебе стоит это сделать. Кроме того, письма помогут тебе скоротать одинокие вечера в особняке. Кстати, Дануорли-Хаус — самое подходящее место для этого занятия, ведь Мэри тоже бывала там.

— Ты считаешь, что они мне все объяснят?

— Нет. — Кэтлин покачала головой. — Я этого не говорила. Это только начало, я потом решу, рассказывать тебе остальное или нет. — Она посмотрела на часы: — Мне пора.

— И мне. — Грания подозвала официантку. — Иди, мама, я заплачу.

— Спасибо, Грания! — Поднявшись, Кэтлин поцеловала дочь. — Всего хорошего, увидимся.

— Кстати, мама, ты не будешь против, если я приведу Аврору к нам на ферму? Она очень хочет познакомиться с тобой и увидеть животных.

— Почему бы и нет? — вздохнула Кэтлин, сдавшись. — Только позвони мне перед вашим приходом.

— Спасибо, мама. — Грания улыбнулась. Она заплатила по счету, спрятала толстую пачку писем в сумку и пошла за Авророй.

Войдя здание, Грания увидела, что все девочки закончили и переодеваются, и лишь Аврора осталась в зале с наставницей. Мисс Элва заметила, что Грания смотрит на них через стекло, и что-то сказала Авроре. Девочка кивнула, и мисс Элва вышла, чтобы поговорить с Гранией.

— Ну как она? — с нетерпением поинтересовалась Грания.

— Эта девочка... — Мисс Элва понизила голос, чтобы ее не слышали другие ученицы, которые уже стали расходиться. — Она просто потрясающая. Неужели она впервые пришла в балетный класс?

— Во всяком случае, она так мне сказала. Хотя, кажется, у нее нет причин лгать.

— У Авроры есть все необходимое для того, чтобы стать балериной. Осанка, высокий подъем, идеальные пропорции. Честно говоря, Грания, я глазам своим не верю.

— Думаете, ей стоит продолжать?

— Однозначно. И нельзя терять время. Она уже опоздала на четыре года, а как только она начнет взрослеть, учиться будет гораздо тяжелее. Балет — именно то, чем Аврора должна заниматься. Еще пара уроков — и она обгонит здесь всех. Не знаю, какая обстановка у нее дома, но я не отказалась бы дважды в неделю давать ей дополнительные частные уроки.

— Вопрос в том, хочет ли этого сама Аврора?

— Я только что спрашивала ее мнение, и мне показалось, она очень заинтересована. Грания, стоит этой девочке освоить технику, и года через два, как мне кажется, она сможет поступить в школу Королевского балета в Лондоне. Может, мне поговорить с ее родителями?

— Ее мать умерла, а отец уехал по делам за границу. Сейчас я присматриваю за ней. Давайте, я поговорю с Авророй и выясню, хочет ли она продолжить занятия.

Мисс Элва кивнула, и в этот момент девочка, заскучавшая в зале, подошла к ним.

— Привет, дорогая. Мисс Элва сказала, что ты занималась с удовольствием. Это правда?

— Да, конечно! — Глаза Авроры светились от радости. — Мне очень понравилось, — сказала она.

— Отлично, так ты хочешь прийти еще раз?

— Конечно. Мы с мисс Элвой уже обсуждали это. Я ведь вернусь сюда еще?

— Думаю, да. Только сначала мне нужно переговорить с твоим папой и выяснить, не возражает ли он.

— Хорошо, — неохотно согласилась Аврора. — До свидания, мисс Элва, спасибо вам.

— Надеюсь увидеть тебя на следующей неделе! — крикнула учительница, когда Грания с девочкой уже вышли из здания и направились к машине.

Вечером Аврора пребывала в радостном возбуждении и, пока Грания готовила ужин, подпрыгивала, поднимала ноги и кружилась в танце по кухне.

— Когда мы можем поехать в Корк за всем, что требуется для моих занятий? Может, завтра?

— Возможно, — ответила Грания после ужина, — но я все же хочу сначала узнать мнение твоего отца.

— Если это то, чего хочу я, он никогда не откажет, разве не так? — Девочка надула губки.

— Уверена, что нет, и все-таки мне необходимо убедиться в этом. Рассказать тебе сказку?

— Да, пожалуйста, — с удовольствием согласилась Аврора, когда они с Гранией, взявшись за руки, поднимались на второй этаж. — Ты знаешь «Спящую красавицу»? О принцессе, именем которой меня назвали? Я бы хотела когда-нибудь станцевать эту партию, — мечтательно произнесла она.

— Уверена, что так и будет, дорогая.

Когда Аврора уснула, Грания спустилась вниз. Войдя в кабинет Александра, набрала номер из списка, который он оставил. Тут же включилась голосовая почта, и Грания начала диктовать сообщение:

— Добрый день, Александр. Это Грания. С Авророй все в порядке. Прости, что беспокою, я только хотела спросить, можно ли ей посещать балетный класс. Она уже занималась сегодня, осталась очень довольна и хочет продолжить. Если возможно, перезвони мне или пришли сообщение... — Грания быстро обдумала следующую фразу. — Если от тебя не будет никаких известий в ближайшие два-три дня, я буду считать, что ты не возражаешь. Надеюсь, у тебя все хорошо. Всего доброго.

В одиннадцать вечера Грания, сама того не желая, ложилась спать с дурными предчувствиями. Она прислушивалась, не прозвучат ли в коридоре легкие шаги, но в доме было тихо. В три часа — именно в это время Аврора расхаживала по дому прошлой ночью — Грания на цыпочках вошла в комнату девочки и обнаружила, что та сладко спит. Так же тихо вернувшись к себе, она достала толстую пачку писем, которую дала ей мать. Она сняла ленту, взяла один конверт и, снова скрепив другие письма, открыла его и принялась читать.

Аврора

Итак, моя история началась. И некоторые из наших героев уже заняли свои места, включая и меня, конечно же. Как обычно, у меня центральная позиция. Оглядываясь назад, я осознаю, что повзрослела очень рано. Но я была «сложным ребенком», а взрослые многое прощают таким детям.

Не стану портить историю, раскрывая скрытые подробности моих хождений по ночам. Я упомянула об этом, желая добавить немного драматизма в описание. Кроме того, во втором акте «Спящей красавицы» принцесса Аврора сама приоткрывает легкую занавесь, отделяющую мечты от реальности, и ей в этом помогает фея Сирени.

Кто может определить, что вымысел, а что реальность?

Я уже упомянула, что верю в волшебство.

Сегодня я узнала, что Аврора — это не только имя сказочной принцессы, но и загадочное сияние, которое появляется на ночном небе. Мне хотелось бы быть звездой, вечно сияющей с небес, но я все равно рада, что мое второе имя не «Бореалис» *.

А теперь мы отправляемся назад во времени, и мне как автору придется постараться. До этого момента все действующие лица этой истории были живыми людьми.

---

* Avrora borealis — северное или полярное сияние (*лат.*).

Грания, которая тяжело переживала потерю ребенка и совершенно запуталась в отношениях с любимым мужчиной. Сейчас я понимаю, какой она была уязвимой, — легкая добыча для девочки, нуждающейся в матери, и красавца отца, который в одиночку с трудом справлялся со всеми делами.

Кэтлин, которая знала что-то о прошлом и отчаянно пыталась защитить дочь. Но пока безрезультатно.

И Мэтт, милый Мэтт, совершенно сбитый с толку и беспомощный, чья жизнь оказалась во власти женщин. Мне кажется, мужчинам очень тяжело как с ними, так и без них…

Женщины, удивительное и загадочное племя…

На следующих страницах нам повстречается много разных женщин, как и мужчин: плохих и хороших — у нас достаточно героев, чтобы составить конкуренцию настоящей сказке. Тогда были непростые времена: человеческая жизнь практически ничего не стоила, и все усилия людей были направлены лишь на то, чтобы выжить.

Как бы мне хотелось сказать, что мы усвоили урок!

Многие оглядываются на прошлое, только когда начинают совершать свои прежние ошибки. К этому моменту их мнение никого не интересует — считается, что пожилые уже не могут понять молодых. Именно поэтому люди никогда не избавятся от недостатков, но все же останутся загадочными и непостижимыми.

А теперь вернемся на те самые скалы в заливе Дануорли, где началась моя история…

9

— Пришел приказ о мобилизации. Завтра я должен отбыть в Лондон в казармы Веллингтона.

Жаркий августовский день расцветил яркими красками тусклый, ничем не примечательный залив Дануорли, и он стал похож на открытку с видом Французской Ривьеры. Мэри, наслаждавшаяся необычной голубизной моря внизу, резко остановилась и отпустила руку Шона.

— Что?! — воскликнула она.

— Мэри, дорогая, но ведь мы с тобой прекрасно знали, что этот день настанет. Я резервист Ирландской гвардии, и сейчас, когда началась война против Германии, союзные войска нуждаются в моей помощи.

Мэри пристально уставилась на жениха — солнечный удар у него, что ли?

— Но мы ведь должны пожениться через месяц! И наш дом построен только наполовину! Ты не можешь так просто взять и уйти на фронт!

Шон улыбнулся, глядя на Мэри сверху вниз. Судя по нежному взгляду, он понимал, каким потрясением стала для нее эта новость. Честно говоря, получив повестку, он испытал те же чувства, хотя и был резервистом. И все же одно дело — знать о чем-то и совсем другое — понять, что это реально происходит. Шон наклонился, пытаясь притянуть Мэри к себе — он со своими шестью футами тремя дюймами был намного выше ее, — но она сопротивлялась.

— Мэри, перестань! Это мой долг — пойти на фронт защищать мою страну.

— Шон Райан! — Мэри уперла руки в бока. — Ты будешь сражаться не за свою страну! А за Британию, которая поработила эту землю триста лет назад!

— Ох, Мэри, даже мистер Редмонд* призывает нас сражаться за Британию. Ты ведь сама знаешь, что парламент вот-вот примет закон, дающий Ирландии и всем нам независимость! Нам сделали одолжение, и теперь мы должны быть благодарны за это.

— Одолжение? Позволить тем, кому принадлежит эта земля, распоряжаться ею — разве это одолжение? Ладно. — Мэри резко опустилась на пологий камень. — Я бы сказала, что нам сделали чрезмерно большое одолжение. — Скрестив руки на груди, она хмуро уставилась на воды залива.

— Ты что, тоже собралась вступать в националистическую партию? — поинтересовался Шон. Он понимал, что девушка готова винить кого угодно в угрожающей ее жизни катастрофе.

— Я сделаю все, если это поможет мне удержать любимого мужчину рядом, там, где ему и следует находиться.

Шон опустился на корточки рядом с Мэри и потянулся, чтобы взять ее за руку. Но девушка оттолкнула его.

— Мэри, прошу тебя, все это значит лишь то, что наши планы придется отложить, но не отменить.

Она продолжала смотреть на море, не обращая на Шона никакого внимания. Но потом все же произнесла со вздохом:

— А ведь я думала, что армия для тебя что-то вроде мальчишеской игры, возможности побаловаться с оружием и

---

* Имеется в виду Джон Эдуард Редмонд (1856—1918) — ирландский политический деятель.

почувствовать себя взрослым. Я даже предположить не могла, что ты уйдешь на службу и я потеряю тебя.

— Дорогая! — Шон снова протянул руку, и на этот раз Мэри не оттолкнула ее. — Это не важно, резервист я или нет. Джон Редмонд призывает всех ирландцев пойти добровольцами на фронт. У меня по крайней мере есть хотя бы какая-то подготовка, а у других ее вообще нет. Вот как я смотрю на это, понимаешь? А Ирландская гвардия — это мощная сила, и я буду среди своих. Мэри, мы дадим немцам такой урок, который они никогда не забудут. А потом я вернусь к тебе, не переживай.

Опять воцарилось долгое молчание — Мэри старалась облечь мысли в слова. Наконец она заговорила, задыхаясь от переполнявших ее эмоций:

— Но, Шон, вернешься ли ты? Никто не может гарантировать этого, и ты знаешь это не хуже, чем я.

Шон, поднявшись, вытянулся во весь рост.

— Мэри, посмотри на меня! Я как будто рожден солдатом. Твой будущий муж — не слабак, со мной даже несколько немцев не справятся. Я уложу трех сразу, им со мной никак не совладать!

Девушка посмотрела на него — глаза ее были полны слез.

— Но одна пуля в сердце... Пуля не разбирает, кто какого роста.

— Дорогая, не смей даже думать об этом! Я знаю, как позаботиться о себе. Я вернусь к тебе очень быстро, ты даже не заметишь моего отсутствия.

Внимательно всмотревшись в глаза Шона, Мэри различила в них огонек радости. Она не могла думать ни о чем, кроме его смерти, а он уже представлял себя победителем на поле боя. Она поняла, что именно к этому он стремился.

— Значит, завтра ты уезжаешь в Лондон?

— Да, из Корка нас, резервистов из Манстера, отвезут в Дублин, а оттуда мы на корабле поплывем в Англию.

Мэри наконец отвела глаза от неба и уставилась на густую жесткую траву под ногами.

— Когда я увижу тебя снова?

— Мэри, откуда мне знать? — мягко ответил Шон. — Но как только меня отпустят, я сразу приеду к тебе. — Он взял девушку за руку. — Понимаю, срок расплывчатый, но что поделать?

— А как отец будет управляться на ферме без тебя? — с грустью поинтересовалась Мэри.

— Женщины, как обычно в такие времена, возьмут всю мужскую работу на себя. Ведь когда отец был на Англо-бур-ской войне, мать трудилась не покладая рук.

— Ты ей еще не сообщил?

— Нет, хотел, чтобы ты узнала первой. Теперь мне нужно поговорить с ней. Ох, Мэри, что я могу сказать? — Он поло-жил руки на плечи девушки и притянул ее к себе. — Мы поженимся, как только я вернусь. А сейчас, дорогая, мне надо на ферму. Ты со мной?

— Нет. — Мэри покачала головой. — Думаю, мне нужно побыть какое-то время одной. А ты иди и поговори с ма-мой.

Шон кивнул, поцеловал ее в макушку и выпрямился.

— Я зайду к тебе позже, чтобы... попрощаться.

— Да, — прошептала она еле слышно, когда Шон начал медленно спускаться со скалы. Дождавшись, когда он скро-ется из виду, она обхватила голову руками и заплакала.

В душе Мэри злилась на Бога — она ведь столько часов проводила в беседах с ним, рассказывая о своих грехах. И все же она не сделала ничего дурного, чтобы заслужить такое наказание.

Еще двадцать минут назад, пока Шон не рассказал ей о повестке, она не сомневалась, что станет миссис Шон Райан всего через четыре недели. И впервые в жизни у нее были бы дом, семья и положение в обществе. И — что самое главное — мужчина, которого не волновало ее полное тайн прошлое. Он просто любил ее такой, какая она есть. Прежняя Мэри должна была исчезнуть в день свадьбы. Она прекратила бы работать прислугой в Дануорли-Хаусе, где мыла полы и была на побегушках у всех членов семьи Лайл, и занялась бы полами в собственном доме.

Нельзя сказать, что за все время работы Мэри в особняке молодой Себастьян Лайл, ее хозяин, когда-либо обидел ее. Около четырех лет назад он приехал в монастырский приют в поисках девушки на пустующее место прислуги в доме. Мэри тогда было четырнадцать, и она умоляла, чтобы ее представили ему. Но настоятельница монастыря не пришла в восторг от этой мысли: Мэри, умная и трудолюбивая, помогала учить остальных сирот чтению и письму. И сама Мэри знала, что самым большим желанием настоятельницы было облачить ее в одеяние монахини и оставить в стенах монастыря до конца жизни.

Но сама девушка не хотела этого. Порой она серьезно сомневалась в существовании Бога, позволявшего пастве так много страдать. Младенцы, которых матери оставляли на пороге монастыря, быстро умирали во время эпидемии дифтерии или кори, так и не узнав любви. Мэри учили, что страдания — это путь в рай и к самому Богу, поэтому она изо всех сил старалась поверить в его милосердие. И все же Мэри считала, что достойна лучшей доли, чем провести жизнь в служении Господу в стенах монастыря, лишившись возможности, переезжая с места на место, увидеть мир.

Настоятельница благосклонно согласилась отпустить Мэри. Она понимала, что этой смышленой девушке с ее пытливым умом выпал шанс проявить себя, но мысль о том, что Мэри начинает свой путь с работы прислугой, расстраивала ее.

— Мне казалось, ты могла бы стать гувернанткой, — убеждала она девушку. — У тебя несомненные способности к преподаванию. Когда тебе исполнится восемнадцать, я могу навести справки... узнать, не нужна ли кому-нибудь гувернантка.

Для четырнадцатилетней Мэри мысль о том, что до начала самостоятельной жизни нужно подождать еще четыре года, была невыносимой.

— Мать-настоятельница, мне не важно, чем я буду заниматься. Пожалуйста, просто дайте мне возможность встретиться с мистером Лайлом, когда он приедет сюда, — умоляла она.

И в итоге настоятельница согласилась:

— Ты можешь побеседовать с ним, и тогда уже Всевышний определит твое будущее.

К счастью для Мэри, Бог оказался на ее стороне. Из шести кандидаток в служанки для черной работы, которых настоятельница представила Себастьяну Лайлу, он выбрал Мэри.

Она упаковала немногочисленные пожитки и, покидая монастырь, ни разу не оглянулась.

Как и предполагала настоятельница, новое занятие совсем не соответствовало способностям Мэри, но после долгих лет в монастыре она не боялась тяжелой работы. Мэри провела всю жизнь в спальне с одиннадцатью другими девочками, поэтому комната на чердаке, в которой жила еще одна служанка, привела ее в восторг. Мэри была очень прилежной и отдавала работе все силы. И очень скоро молодой хозяин заметил это.

Буквально через несколько месяцев Мэри стала горничной. Прислуживая хозяину и его гостям, она всегда внимательно смотрела, слушала и училась. Лайлы были британцами, они поселились в особняке Дануорли двести лет назад, чтобы контролировать дикарей ирландцев, населявших земли, которые Британия считала своими. Мэри училась понимать их акцент — они четко произносили согласные и не растягивали слоги, — привыкала к их странным традициям и непоколебимому чувству превосходства, которое было у них в крови.

Работа в доме оказалась не слишком тяжелой. Себастьян Лайл, хозяин дома, молодой человек восемнадцати лет, жил со своей матерью Эвелин. Ее муж погиб на Англо-бурской войне, и теперь домом управлял сын. Мэри узнала также, что у Эвелин Лайл есть еще старший сын, Лоуренс, который пошел по стопам отца — стал дипломатом и работал за границей. У Лайлов был еще один дом в Лондоне — большое белое здание, напоминавшее Мэри свадебный торт с картинки, которую она когда-то видела.

Мэри мечтала о том, как однажды покинет Ирландию и отправится смотреть мир. Ради этой цели она откладывала каждую неделю по нескольку шиллингов и прятала под матрас.

А через два года она познакомилась с Шоном Райаном. Экономка разболелась и, не желая в проливной дождь идти на ферму за яйцами и молоком, отправила туда Мэри.

Спустившись со скалы к ферме, Мэри промокла насквозь. Постучав в дверь, она осталась на пороге — вода потоками стекала с ее одежды на землю.

— Мисс, я могу вам помочь? — раздался глубокий голос позади нее. Мэри повернулась и подняла глаза, потом посмотрела еще выше и увидела лицо молодого человека с добрыми зелеными глазами. Он был необычайно высокий и широкоплечий. «Словно рожден для работы на земле», — подумала Мэри. Можно было не сомневаться — такой мужчина защитит от любых неприятностей. А в объятиях этих сильных, мускулистых рук всегда, что бы ни случилось, будешь в полной безопасности.

После их первой встречи Мэри никогда больше не проводила свободное время, бесцельно бродя по скалам возле особняка. Шон обычно ждал ее в повозке, и они ехали в деревню Росскарберри или пили чай в Клонакилти. Иногда в погожий день они просто гуляли вместе по ближайшему пляжу. Они без устали обсуждали самые разные темы и делились друг с другом познаниями в разных областях. У Мэри было монастырское образование, а Шон знал все о работе на земле. Они говорили об Ирландии и волнениях в Ольстере, о своих мечтах и планах на будущее, в том числе и об отъезде из Ирландии в Америку. А иногда они просто молчали.

Однажды Шон привел Мэри к себе домой, чтобы познакомить с семьей. Когда она вошла в кухню, ее колени дрожали. Но Бриджет, мать Шона, и Майкл, его отец, очень тепло и по-доброму встретили девушку и с нетерпением ждали историй о жизни в Большом Доме. А когда родители Шона узнали, что Мэри может цитировать не только целые стихи из Библии, но и катехизис на латыни, на их обветренных лицах появились восхищенные улыбки.

— Ты нашел себе хорошую девушку! — заявила Бриджет. — Надеюсь, скоро сделаешь ей предложение. Пора бы жениться, сынок.

И через полтора года после первой встречи Шон попросил Мэри стать его женой. Свадьба должна была состояться через год.

— А теперь послушай, — несколько дней спустя произнес отец Шона, несколько перебравший самогона. — Мы с твоей мамой говорили о будущем. Наш дом уже старый, здесь сыро и тесно. Нужно подумать о том, чтобы всем вместе построить новый дом. Он отлично встанет позади сарая. Мы с матерью уже немолоды, чтобы переезжать, но должны сделать это для тебя, Мэри, детишек, которые у вас появятся, а в перспективе и для их детей. — Майкл положил перед Шоном грубый набросок. — Как тебе вот это?

Шон внимательно рассмотрел рисунок: большая кухня, гостиная, столовая, и еще остается пространство в задней части дома, чтобы разместить удобства прямо в доме. Наверху четыре спальни и чердак, который можно превратить в жилое помещение, если семья увеличится.

— Но, папа, где мы возьмем деньги на такое строительство? — спросил он.

— Это не должно волновать тебя, сынок. У меня кое-что отложено. А для верности мы сэкономим на оплате строителям! — Майкл стукнул кулаком по столу. — Сделаем все сами, вот этими руками!

— Все равно, — вздохнул Шон, — мы потратим деньги, будем работать, но так и не сможем стать хозяевами дома. Мы ведь только арендуем землю и все, что на ней стоит, у Лайлов.

Майкл еще глотнул самогона и кивнул, соглашаясь:

— Я знаю, сынок, сейчас именно так все обстоит. Но думаю, в ближайшие несколько лет в Ирландии многое изменится. Голос националистической партии громче с каждым днем, и британское правительство начинает прислушиваться к нему. Мне кажется, что однажды Райаны будут жить на собственной земле. И мы должны думать о будущем, а не о прошлом. Итак, как тебе мое предложение?

Когда Шон рассказал Мэри о плане отца, она захлопала в ладоши от восторга.

— О, Шон, уборная в доме! Новый дом для нас и наших детей! Его можно быстро построить?

— Да, дорогая, — кивнул Шон. — Местные ребята помогут мне.

— А как же наши планы? — Улыбка девушки померкла. — Мы ведь мечтали уплыть на корабле в Америку и посмотреть мир...

— Помню, помню, — кивнул он и взял Мэри за руку. — Не стоит отказываться от этого. Но даже если мы уедем, Райанам все равно нужна новая крыша над головой. Решив уехать, разве мы не будем чувствовать себя лучше, зная, что оставляем родным новый дом?

— Мне казалось, мы уже решили, — ответила Мэри.

— Да, дорогая, да, но всему свое время.

И в прошлом году, получив от Себастьяна Лайла разрешение на постройку нового дома, — как заметил Майкл, убытков ему это не принесет, а земля станет дороже, — они заложили фундамент и начали возводить стены. Мэри часто проходила мимо стройки и, останавливаясь, в восхищении смотрела на дом.

— Мой дом, — не веря глазам, шептала она.

Каждую свободную минуту Шон работал на стройке, и постепенно, когда стали видны очертания комнат, где предстояло хозяйничать Мэри, мечты об отъезде в Америку сменились обсуждением мебели, которую Шон сделает в мастерской. И еще разговорами о том, кого они пригласят на новоселье в огромный новый дом после свадьбы.

Мэри была одинока, семья Шона стала для нее родной. Она помогала Колин, младшей сестре Шона, писать буквы, вместе с его матерью пекла пироги и училась у Майкла доить скот. Все они, в свою очередь, были очень расположены к внимательной и способной девушке.

Семья Шона была небогатой, но сто акров земли приносили стабильный доход, а сама ферма обеспечивала всем необходимым: молоком, яйцами, бараниной и овечьей шерстью. Майкл и Шон работали от рассвета до заката, чтобы получить максимальную прибыль.

По выражению лиц местных жителей, которые заходили к Райанам и знакомились с Мэри, она понимала, что многие считали ее счастливицей.

«А сейчас, — думала девушка, торопливо вытирая глаза платком, — все это у меня отнимут. Хорошо, что Шон надеется вернуться живым и здоровым, но если все выйдет иначе?»

Мэри вздохнула. Ей следовало почувствовать: с самого начала все складывалось слишком хорошо, чтобы быть правдой. Она уже уведомила о своем уходе хозяина особняка, намереваясь прекратить работать в следующем месяце и заняться подготовкой к свадьбе. Мэри задумалась: стоит ли теперь, учитывая сложившиеся обстоятельства, делать это? Если она поселится у Райанов и будет ждать возвращения Шона с войны, то потеряет независимость и деньги, которыми может распоряжаться сама. А если Шон не вернется, она скорее всего так и умрет старой девой в доме родителей погибшего жениха.

Встав, Мэри направилась в сторону Дануорли-Хауса. Хотя миссис О'Флэннери, экономка, не особенно жаловала Мэри, она высоко ценила ее трудолюбие и была расстроена, когда та предупредила ее о предстоящем уходе. Да и сам Себастьян Лайл и его мать с грустью восприняли это известие.

Поднимаясь на скалу, Мэри не сомневалась, что сможет сохранить работу в особняке. По крайней мере до возвращения Шона. Входя в кухню, девушка собрала волю в кулак. Она решила поступиться гордостью и попросить экономку оставить ее, пусть даже та будет злорадствовать. В любом случае это меньшее из двух зол. Почти всю жизнь Мэри не была хозяйкой собственной судьбы, но в итоге вырвалась на волю.

И теперь ей совсем не хотелось возвращаться в тюрьму.

10

Мэри провожала Шона на войну, стиснув зубы, чтобы не дать воли эмоциям. Вернувшись в Дануорли-Хаус, она, взяв себя в руки, вновь приступила к работе.

Шли месяцы. Новости с фронта Мэри рассказывал Себастьян Лайл, раз в неделю получавший из Англии «Таймс». Время от времени приходили письма и от Шона — он уже был по ту сторону Ла-Манша и даже участвовал в сражении за город Монс. Судя по письмам, Шон пребывал в отличном настроении и наслаждался духом товарищества «ирландцев» — так все называли солдат Ирландской гвардии. Но к сожалению, батальон Шона уже понес потери: в письмах он рассказывал о погибших и раненых друзьях.

Иногда Мэри заходила навестить Райанов, но вид недостроенного дома — никто не занимался им с тех пор, как Шон и другие молодые парни из деревни ушли на фронт, — расстраивал ее.

Она как будто замерла в тихой бухте, ожидая решения своей участи.

* * *

Через девять месяцев письма от Шона стали приходить реже. Мэри писала ему каждую неделю, пытаясь выяснить, когда он получит обещанный отпуск. В последнем письме Шон упомянул, что должен на четыре дня отправиться в казармы Ирландской гвардии в Лондоне, но этого времени не хватило бы даже на то, чтобы добраться до Западного Корка.

Из статьи в «Таймс» Мэри узнала, что тысячи солдат союзнических войск погибли в сражении у Ипра.

Себастьян Лайл уехал из Ирландии пять месяцев назад. Он не мог отправиться на фронт, так как страдал от астмы, но говорил, что собирается оказать посильную помощь в Форин-офис*.

В особняке Дануорли воцарилась тишина. В доме осталась только Эвелин Лайл. Гостей не приглашали, и трем слугам было практически нечем заняться. Помощницу горничной уволили, так что Мэри пришлось взять на себя дополнительные обязанности. Она вместе со всеми обитателями дома ждала и надеялась.

Восемнадцать месяцев спустя Себастьян Лайл вернулся домой. Было приятно, что наконец-то можно обслужить хозяев за столом. Эвелин вышла из состояния оцепенения и спустилась вниз, чтобы поужинать в гостиной вместе с сыном. Два дня спустя Мэри вызвали в кабинет хозяина дома.

— Вы хотели видеть меня, сэр? — спросила она, входя.

— Да.

Бесцветные голубые глаза Себастьяна Лайла, казалось, еще более глубоко впали, чем раньше. Он был худым, измученным, выглядел вдвое старше своего возраста. Его рыжие волосы начинали редеть, и Мэри подумала, что благородное происхождение не гарантирует безупречной внешности.

---

* Форин-офис — до 1968 г. название министерства иностранных дел Великобритании.

— В наш дом в Лондоне требуется горничная. Я предложил тебя. Что ты об этом думаешь?

Потрясенная, Мэри смотрела на хозяина:

— Я? В Лондон?

— Да. Теперь, когда я вернулся, здесь справится миссис О'Флэннери и приходящая на день горничная из деревни. А в Лондоне крайне сложно найти прислугу, ведь все силы сейчас мобилизованы на нужды фронта, девушки идут на военные заводы и берут на себя мужскую работу: водят автобусы и все такое прочее. Мой брат просил меня подыскать кого-нибудь в Ирландии, а ты лучшая кандидатура.

— Лондон! — Мэри вздохнула. Именно там расположены казармы Шона. Возможно, в следующий раз, когда он приедет в отпуск из Франции, она сможет встретиться с ним. Кроме того, это было настоящее приключение, и она не хотела упускать такую возможность. — Думаю, это замечательно, сэр. Мои обязанности будут такими же, как здесь?

— Да, примерно. Дом гораздо больше этого, и раньше в нем работали двадцать человек. Сейчас мы сократили количество прислуги до десяти, так что каждый выполняет какую-то грязную работу. У тебя будет красивое форменное платье, комната на двоих с еще одной горничной и зарплата тридцать шиллингов в месяц. Тебя это устраивает?

— Думаю, вполне, сэр.

— Замечательно, Мэри. Дай мне знать, как только примешь решение, и я организую твой отъезд в Лондон.

— Да, сэр, конечно.

Через несколько дней Мэри спустилась на ферму к родителям Шона, чтобы рассказать о своих планах. Неудивительно, что их ничуть не обрадовала новость об отъезде из Ирландии невесты отсутствующего сына.

— Но, Бриджет, — объясняла Мэри, пока они вдвоем пили чай в кухне, — я хочу поехать, поскольку у меня появится возможность увидеть Шона, когда он в следующий раз получит отпуск.

— Все это, конечно, замечательно. Но дочь моей кузины, которая отправилась в Лондон в прошлом году, говорит, что там не любят прислугу из Ирландии. Англичане будут относиться к тебе свысока, — фыркнула Бриджет.

— Можно подумать, меня это волнует! Не сомневайтесь, я смогу постоять за себя. — Мэри невозмутимо улыбнулась, с трудом скрывая радость.

— Мэри, только обещай мне, что, когда война закончится, ты вернешься домой, к жениху, — попросила Бриджет.

— Вы знаете, что больше всего в жизни я хочу быть рядом с Шоном. Но раз я могу заняться чем-то полезным, дожидаясь его, и заработать для нас обоих еще немного денег, думаю, не стоит отказываться.

— Что ж, будь осторожна в этом ужасном городе. — Бриджет содрогнулась при одной мысли о Лондоне.

— Не волнуйтесь за меня. Все будет хорошо. Обещаю.

Мэри ни капли не боялась, отправляясь в длинное путешествие. Сначала в Дублин, потом на корабле в Ливерпуль, затем на юг в забитом поезде, который прибыл на большой вокзал. Вытащив саквояж на платформу, Мэри осмотрелась. Она знала, что ее будет встречать человек с листом бумаги с ее именем. Мэри разглядывала толпу цвета хаки: кто-то грустно прощался, кто-то, наоборот, радостно приветствовал прибывших с фронта, — и наконец увидела мужчину в красивой форменной одежде, который держал в руке листок с именем «Мэри».

— Здравствуйте, — улыбнулась она, приблизившись к нему, — меня зовут Мэри Бенедикт.

Мужчина торжественно кивнул:

— Пожалуйста, следуйте за мной.

У здания вокзала он жестом предложил ей сесть на заднее сиденье блестящего черного автомобиля. Мэри подчинилась, придя в восхищение от мягкой кожи, которой были обтянуты сиденья. Она еще никогда не ездила в машине, поэтому, когда они тронулись с места, почувствовала себя принцессой.

Девушка смотрела в окно на газовые фонари, проплывавшие над головой, — как будто лимонные леденцы на длинных палочках; на высокие здания, выстроившиеся в линию вдоль тротуаров, на реки пешеходов. По рельсам, проложенным в середине проезжей части, один за другим в обе стороны шли трамваи. Мэри заметила, что юбки женщин открывали лодыжки. Они ехали по набережной широкой реки, но было слишком темно, чтобы разглядеть что-нибудь. Затем шофер свернул направо — река осталась позади, и наконец автомобиль оказался на большой площади, которую обступали огромные белые здания. Проехав по узкой подъездной дорожке, шофер припарковал машину и сделал ей знак выходить.

— Сюда, пожалуйста, — сказал он, ведя Мэри дальше по дорожке. — Это вход в Кэдоган-Хаус для прислуги, и ты всегда будешь пользоваться только им. — Спустившись по ступенькам вниз, он распахнул перед ней дверь в небольшую прихожую.

Следующая дверь вела в кухню с невысоким потолком, но очень теплую, в центре которой стоял стол. За ним сидело несколько человек, все в красивой форменной одежде.

— Я привез новую горничную, миссис Ка. — Шофер кивнул крупной женщине, сидевшей во главе стола.

— Подойди поближе, чтобы я могла рассмотреть тебя! — Женщина жестом подозвала Мэри и принялась разглядывать ее.

— Здравствуйте, мадам. — Мэри присела в реверансе. — Я Мэри Бенедикт.

— А я миссис Каррадерз, экономка. — Она кивнула. — Что ж, по крайней мере ты не выглядишь больной в отличие от последней девушки из Ирландии, работавшей здесь. Она зачахла от бронхита за неделю. Не так ли, мистер Смит? — обратилась она к лысеющему мужчине, который сидел рядом с ней, и захихикала так громко, что ее пышная грудь затряслась.

— Надеюсь, я здорова, мадам, — ответила Мэри. — Я ни одного дня в жизни не болела.

— Что ж, думаю, неплохо для начала, — согласилась миссис Каррадерз.

Экономка говорила по-английски с непривычным для Мэри акцентом, и девушке приходилось напрягаться, чтобы разобрать ее слова.

— Полагаю, ты голодна. Вы, ирландцы, постоянно хотите есть. — Она указала на место в конце стола. — Снимай шляпу, пальто и садись сюда. Тереза, положи Мэри рагу.

— Да, миссис Каррадерз. — Молодая девушка в коричневом платье и чепце тут же поднялась из-за стола.

Мэри сняла шляпку, перчатки, пальто и платок — ей сказали повесить все это в прихожей. Потом она села рядом с девушкой в платье горничной.

— Итак, Мэри, полагаю, ты не умеешь ни читать, ни писать? Это нормально для таких, как ты. И это очень осложняет мне жизнь, — вздохнула экономка.

— Нет, мадам, умею, — сказала Мэри. Перед ней на столе появилась тарелка с рагу. — Я учила младших детей в монастырской школе.

— В школе? — ухмыльнулась миссис Каррадерз. — Тогда ты очень скоро начнешь учить меня накрывать на стол.

Слуги, сидевшие за столом, угодливо засмеялись. Мэри сознательно проигнорировала насмешку и молча продолжила есть, чувствуя, что сильно проголодалась после долгого путешествия.

— Я слышала, ты работала в доме брата мистера Лайла в Ирландии, — вновь заговорила миссис Каррадерз.

— Да.

— Что ж, не знаю, как у них там все устроено, но, думаю, ты увидишь, что здесь все немного по-другому. Мистер Себастьян Лайл говорил, ты умеешь прислуживать за столом, это так?

— Думаю, да, — согласилась Мэри. — Но я с вами согласна. Здесь все по-другому.

— Ты будешь жить с Нэнси. Это горничная, которая
работает наверху. — Миссис Каррадерз указала на девушку
рядом с Мэри. — Завтрак ровно в пять тридцать. Если опоз-
даешь даже на пять минут, останешься без еды, поняла?

Мэри молча кивнула.

— Форменное платье у тебя на кровати. И не забывай,
что твой передник всегда должен быть чистым. Мистер Лайл
очень требователен к чистоте одежды.

— Передник? — не поняла слова Мэри.

— Твой фартук, девочка. — Миссис Каррадерз в недоумении приподняла брови. — Завтра утром после завтрака я
расскажу о твоих обязанностях. Когда мистер Лайл в резиденции, у нас очень много дел. Он важная персона и любит,
чтобы все было идеально. К счастью для тебя, сейчас он в
отъезде, но мы не позволяем себе расслабляться, так ведь?

Все согласно закивали и начали подниматься из-за
стола.

— Нэнси, покажи Мэри вашу комнату.

— Да, миссис Ка, — послушно ответила соседка Мэри. —
Иди за мной, — сказала она девушке.

Несколько минут спустя Мэри уже тащила саквояж вверх
по лестнице с просторными лестничными площадками. На
потолке висела огромная люстра, освещавшая все вокруг
множеством электрических лампочек. Они поднялись еще
на три пролета вверх и наконец оказались в чердачном помещении.

— Святые угодники! — воскликнула Мэри. — Вот это
дворец!

— А это твое место! — сказала Нэнси, когда они вошли
в комнату, где из мебели было всего две кровати. Она указала на ту, что стояла у окна. — Ты появилась после меня, пусть
сквозняки достаются тебе.

— Спасибо. — Мэри сухо улыбнулась и положила саквоя-
яж на кровать.

— Горячую воду в умывальник будем носить по очереди, для других дел под кроватью есть горшок. — Нэнси уселась на кровать и изучающе уставилась на Мэри. — А ты симпатичная. Как вышло, что ты не рыжая, как все ирландцы?

— Понятия не имею, — ответила Мэри, доставая свои скудные пожитки и складывая их в ящик у кровати. — Но знаешь, не все из нас рыжие.

— Значит, все, кого я встречала. А у тебя симпатичные голубые глаза и светлые волосы. Чем ты пользуешься?

— Ты имеешь в виду, крашу ли я их? — Мэри засмеялась и покачала головой. — В наших местах краски не достать. У нас и электричества пока нет.

— Вот это да! — захихикала Нэнси. — Даже не представляю, как можно жить без него. Хотя, когда я была маленькая, у нас тоже не было света. Вот почему у меня так много братьев и сестер! — фыркнула она. — А у тебя есть парень?

— Да, но он отправился воевать с немцами, и мы не виделись восемнадцать месяцев.

— Ну, парней вокруг много, — ухмыльнулась Нэнси, — особенно здесь, в Лондоне.

— Нет, меня больше никто не интересует. Для меня существует только он, — строго ответила Мэри.

— Подожди, поживешь здесь несколько месяцев, тогда посмотрим. В этом городе полно одиноких солдат, приехавших в отпуск. И каждый ищет девушку, на которую мог бы потратить все деньги. Помяни мое слово! — Нэнси начала раздеваться — ее корсет едва прикрывал грудь потрясающей красоты и рубенсовские бедра. Она распустила длинные светлые волосы и стала похожа на соблазнительного херувима. — Если у нас выдастся общий выходной, я возьму тебя с собой и покажу, что тут есть интересного. В этом туманном городе точно не заскучаешь.

— А хозяин с хозяйкой? Какие они? — поинтересовалась Мэри, забираясь в постель.

— О, хозяйки у нас пока нет. Мистер Лайл живет один, по крайней мере когда он здесь. Похоже, никто не привлек его внимания. Или он никому не нравится, — хмыкнула Нэнси.

— Надо же, его брат Себастьян тоже не женат, — заметила Мэри, натягивая на себя тонкое одеяло. Ей быстро стало понятно, почему ее кровать пустовала.

— Миссис Каррадерз считает, что хозяин шпион, — сказала Нэнси. — Но как бы там ни было, он занимается очень важными делами. В этот дом на ужин приходит столько известных людей! Однажды был даже сам Ллойд Джордж*! Ты только представь, британский премьер-министр в нашей столовой!

— Пресвятая Богородица! Матерь Божия! Значит, я могла бы прислуживать ему за столом? — Глаза Мэри округлились от ужаса.

— Когда в дом приходят известные люди и я вижу их собственными глазами, то всегда думаю, что они тоже пользуются уборной. Так что стоит только представить, как они там сидят, и все — страх пропадает. Я всегда так делаю.

Мэри захихикала и почувствовала, что ей нравится Нэнси.

— Давно ты здесь работаешь? — спросила она.

— Мать отправила меня сюда в одиннадцать лет. Сначала я мыла горшки. Непростое было дело — выкидывать дерьмо. — Нэнси содрогнулась. — И пахнет оно у всех одинаково — не важно, леди ты или служанка.

Страх и радостные переживания, вызванные приездом в Лондон, взяли над Мэри верх, глаза закрывались. Нэнси продолжала что-то рассказывать, но Мэри засыпала, уже не слушая ее.

11

Первые несколько недель жизни в Кэдоган-Хаусе Мэри не уставала удивляться. Хозяйство велось на широкую ногу, даже когда мистера Лайла не было дома. Она не могла сдержаться и постоянно ахала, оказываясь в больших красивых

---

* Дэвид Ллойд Джордж (1863—1945) — британский политический деятель, лидер либеральной партии.

комнатах с огромными окнами, закрытыми плотными шторами из жаккарда, мебелью с искусной резьбой, огромными каминами и изящными зеркалами.

Вся прислуга относились к Мэри вполне доброжелательно, если не считать постоянных шуток о ее ирландском происхождении. Нэнси, всю жизнь прожившая в Лондоне, оказалась отличным гидом по городу. Они с Мэри ездили на трамвае на площадь Пиккадилли и ели горячие каштаны, сидя на ступенях под статуей Эроса, и на улицу Пэлл-Мэлл, откуда разглядывали Букингемский дворец. Они пили чай с булочками в «Лайонс-Корнер-Хаус», где двое молоденьких солдат «положили на них глаз», как выразилась Нэнси. Она уже собиралась ответить им тем же, но Мэри высказалась категорически против.

Ей нравился новый захватывающий мир. В ярком свете и шуме толпы на улицах Лондона можно было забыть о том, что Британия участвовала в войне. Город почти не изменился; удивление вызывали только женщины, управляющие автобусами и трамваями и стоящие за прилавками магазинов.

Так продолжалось до того момента, пока в небе над городом не появились цеппелины.

Однажды ночью Мэри, как и весь город, проснулась от мощного взрыва. Позже стало известно, что бомба, сброшенная немцами на Ист-Энд, унесла жизни двухсот человек. Внезапно Лондон превратился в людской муравейник, небо закрыли заградительные аэростаты, на крышах высоких зданий темнели силуэты пулеметчиков, а в подвале каждого дома шли приготовления к очередным налетам.

В течение лета 1917 года — после приезда Мэри в Лондон прошел почти год — сирены воздушной тревоги звучали регулярно. Слуги обычно прятались в подвале и под доносящуюся сверху канонаду ели галеты и играли в карты. Миссис Каррадерз восседала на деревянном стуле, который принесли вниз с кухни, и, чтобы успокоить нервы, тайком попивала виски из плоской фляги. В самые страшные моменты, когда, казалось, цеппелин находится прямо у них над головами, Мэри видела страх на освещенных свечами лицах вокруг себя. Но даже тогда она почти не думала о себе. Она чувствовала себя... неуязвимой, словно ужас всего происходящего не мог коснуться ее.

Наконец весенним утром 1918 года Мэри пришло письмо от Шона. Хотя она сразу сообщила ему новый адрес, вестей от него не было. Она не знала, где он находится и жив ли вообще. Мэри чувствовала себя виноватой каждый раз, когда в выходной день они с Нэнси наряжались и отправлялись в город, желая весело провести время. Но больше всего Мэри угнетало ощущение свободы, которое появлялось у нее на городских улицах, где все казалось возможным.

Кроме того, если быть честной, она уже почти не помнила, как выглядит ее жених. Распечатав конверт, Мэри принялась читать.

Франция, 17 марта

Моя дорогая Мэри!

Спешу сообщить тебе, что со мной все в порядке, хотя, кажется, война длится целую вечность. Я получил твои письма, где ты сообщала, что теперь работаешь в Лондоне. Скоро у меня будет недельный отпуск. Я обязательно зайду к тебе, когда приеду.

Мэри, дорогая, мы оба должны верить, что война скоро закончится и мы вместе вернемся в Дануорли к нашей прежней жизни.

Все эти дни и ночи меня поддерживают только мысли о тебе.

С любовью, Шон.

Мэри пять раз перечитала письмо, а потом села и молча уставилась на выбеленную стену напротив кровати.

— Что случилось? — пристально посмотрела на нее Нэнси.

— Шон, мой жених, скоро будет в отпуске и собирается навестить меня.

— Боже мой! — воскликнула Нэнси. — Так он все-таки существует! Ты не выдумала его?

Мэри покачала головой:

— Нет, он настоящий.

— Похоже, его и пули не берут, и немцы не могут одолеть, раз он воюет уже три года. Большинство солдат гибнет в первые же недели. Тебе просто повезло, что твой парень жив. А что делать нам, остальным девушкам? Одному Богу ведомо, сколько тысяч парней мы потеряли на этой войне. И мы все в итоге умрем старыми девами! Так что покрепче держись за жениха, счастливица! — предостерегающе заявила Нэнси.

Несколько недель спустя, когда Мэри подкладывала уголь в камин в гостиной, в двери показалась голова Сэма, служившего в доме лакеем.

— Мэри, у парадного входа тебя спрашивает джентльмен по фамилии Райан. Я отослал его к задней двери.

— Спасибо, Сэм, — сказала Мэри.

Когда она спускалась по лестнице навстречу прошлому, ее колени тряслись. Мэри молилась о том, чтобы кухня оказалась пустой и они с Шоном могли провести наедине хотя бы одно мгновение. Но слуги, уставшие от повседневных скучных дел, всегда были не прочь развлечься. Поэтому кухня уже была полна народу.

Мэри ринулась к двери в надежде оказаться около нее первой, но Нэнси опередила ее. Она стояла на пороге, положив руки на бедра, и широко улыбалась изможденному, едва знакомому солдату.

— Похоже, этого молодого человека зовут Шон. — Нэнси повернулась к Мэри. — И он хочет поговорить с тобой.

— Спасибо.

— Он хоть и ирландец, но очень симпатичный, — возвращаясь в кухню, прошептала Нэнси на ухо Мэри.

Мэри взглянула в глаза Шону впервые после трех с половиной лет разлуки.

— Мэри, моя Мэри, поверить не могу, что ты передо мной! Иди скорей к жениху! — Эмоции душили Шона, он широко развел руки, и Мэри тут же оказалась в его объятиях.

Его запах казался знакомым, и все же в нем было что-то новое. Прижавшись к Шону, она почувствовала, какой он худой.

— Мэри, — с чувством произнес он, — это действительно ты, здесь, в Лондоне! И я обнимаю тебя! Ты даже представить не можешь, как часто я мечтал об этом мгновении. Дай мне посмотреть на тебя. — Взяв за плечи, Шон изучающе взглянул на нее. — Клянусь, ты стала еще красивее!

Он улыбался, и его добрые глаза светились нежностью.

— Не говори глупости. — Мэри покраснела. — Я ни капли не изменилась.

— Ты можешь уйти сегодня? Я пробуду в Лондоне всего два вечера, а потом мне придется вернуться.

Мэри с сомнением посмотрела на него:

— Шон, выходной у меня обычно в другой день. Но я могу спросить разрешения у миссис Каррадерз. — Она уже повернулась, чтобы идти в кухню, но он остановил ее:

— Иди одевайся, и мы отправимся погулять. А я спрошу у нее сам. В Лондоне мало кто может отказать солдату в просьбе.

И конечно, когда Мэри спустилась вниз в лучшей юбке и новой шляпке, Шон, держа в руке бокал с джином, уже сидел за столом с миссис Каррадерз и рассказывал ей и всем остальным жадно внимающим слушателям истории о жизни на фронте.

— Нам ничего не сообщают, — жаловалась экономка. — Мы не знаем правды о том, что происходит. Говорят только то, что считают нужным.

— Что ж, миссис Каррадерз, думаю, еще полгода, и мы разобьем врага. Честно говоря, потери немцев больше, чем наши. Мы уже научились сражаться с ними. На это потребовалось много времени, но, думаю, теперь преимущество на нашей стороне.

— Хотелось бы надеяться на это, — пылко отозвалась экономка, — запасы продовольствия в Лондоне иссякают, и мне с каждым днем все труднее планировать меню.

— Не волнуйтесь, миссис Каррадерз. За Британию сражается целая армия храбрецов, и я лично прослежу, чтобы на следующее Рождество на вашем столе появился гусь, — подмигнув экономке, добавил Шон.

Миссис Каррадерз усмехнулась и подняла глаза на Мэри:

— Хочу заметить, твой парень очень даже ничего, юная мисс. Вам давно уже пора идти по своим делам. Уверена, вы не хотите терять ни секунды отпуска, болтая с такой старой клушей, как я.

— Что вы, миссис Каррадерз! Именно за таких прекрасных женщин, как вы, и за вашу спокойную жизнь мы сражаемся! — Шон посмотрел на Мэри и улыбнулся: — Ты готова?

— Да. — Мэри повернулась к экономке. — Во сколько я должна вернуться?

— Дорогая, не торопись. Приходи когда сможешь. Уверена, Нэнси не будет возражать и разок подменит тебя, правда, Нэнси?

— Конечно, миссис Ка, — неохотно ответила Нэнси.

— Миссис Каррадерз, вы так добры, что отпускаете со мной Мэри. Обещаю, я доставлю ее обратно ровно к десяти часам, — добавил Шон.

— Я уже сказала, не надо торопиться, — повторила довольная экономка.

Мэри и Шон вышли из дома и остановились на дорожке.

— Я и забыла, как легко ты можешь очаровать кого угодно, Шон Райан! — Мэри в восхищении смотрела на жениха. — Даже эту старую ворчунью, нашу экономку. Куда мы направимся?

Шон посмотрел на нее и пожал плечами:

— Ты лучше знаешь Лондон. Так что решай сама.

— Что ж, тогда для начала мы поищем какое-нибудь тихое место. Давай пойдем в ближайший парк, где нас никто не побеспокоит, и посидим немного.

Шон, сжав ладони Мэри, произнес:

— Мне все равно, пока я могу смотреть в твои прекрасные глаза.

Они пересекли площадь, открыли кованую чугунную калитку и устроились на скамейке.

— Ах, Мэри! — Шон принялся целовать ее руки. — Ты не представляешь, как много для меня значит наша встреча. Я... — Он внезапно замолчал.

— Что такое, Шон?

— Я... — И вдруг он заплакал — громкие, судорожные рыдания сотрясали его.

Мэри в растерянности смотрела на жениха, не зная, что сказать и как помочь ему.

— Прости, Мэри... Прости меня... — Шон вытирал слезы со щек большой ладонью. — Я веду себя как дурак, но этот ад... Там, где я был... И то, что я видел... А здесь ты, такая красивая, какой была всегда. Я... — Его плечи поднялись и тут же опустились. — Не могу объяснить.

— Шон, думаю, стоит попробовать. Я не обещаю, что смогу тебе помочь, но обязательно все выслушаю, — мягко попросила девушка.

Он покачал головой:

— Я поклялся себе, что этого не случится... Что я не сломаюсь, увидев тебя. Но, Мэри, как объяснить тебе, что там происходит? Я так часто хотел умереть, потому что такая жизнь, — его голос дрогнул, — невыносима.

Мэри нежно погладила его по руке:

— Шон, я здесь, рядом с тобой. Что бы ты ни хотел рассказать мне, обещаю: я смогу это выдержать.

— Вонь, Мэри... Запах мертвых, гниющие трупы. Я чувствую его даже сейчас. Ошметки тел везде, куда ни бросишь взгляд... И они втоптаны в грязь. А еще запах пороха и газа и бесконечные взрывы, которые пугают до смерти, днем и

ночью. — Шон обхватил голову руками. — И никакой пере-
дышки, Мэри, ни на секунду. И каждый раз, идя в атаку, ты
понимаешь, что в лучшем случае потеряешь друзей, а в худшем — погибнешь сам. Конечно, это счастье — выбраться
на время из этого ада на земле, в котором я нахожусь последние три с половиной года!

Мэри в ужасе смотрела на него:

— Шон, мы знаем только, что у наших солдат сейчас все
в порядке, что мы побеждаем!

— Ах, Мэри! — Шон уже не плакал, но по-прежнему
сидел, тяжело свесив голову. — Конечно, никто не хочет
рассказывать о страданиях. Честно говоря, если бы все узнали правду, ни одного человека не послали бы больше в
окопы. — Он внезапно посмотрел на нее. — И мне не следовало сейчас говорить об этом.

— Шон... — Мэри протянула руку и погладила его по
голове — волосы были жесткие. — Ты все делаешь правильно. Я ведь стану твоей женой, как только ты вернешься. И
думаю, ждать теперь недолго, так ведь?

— Я задаю себе этот вопрос каждый день уже три с половиной года, а война все еще не закончилась, — с безысход-
ным отчаянием произнес он.

Некоторое время они сидели молча.

— Знаешь, Мэри, — наконец признался Шон, — я уже
забыл, во имя чего мы сражаемся. И не уверен, что найду в
себе силы снова вернуться туда и увидеть все это.

— Очень скоро война закончится. — Мэри продолжала
гладить любимого по голове. — И мы вернемся в Дануорли,
в новый дом, где нас ждут.

— Ты никогда не должна рассказывать об этом маме. —
Шон поднял голову, на его лице читалось беспокойство. —
Ты обещаешь мне, Мэри? Я не переживу, если она будет все
время думать обо мне и волноваться. И ты права. — Он взял
девушку за руку и сжал ее так сильно, что пальцы Мэри по-
белели. — Все это скоро закончится. По-другому и быть не
может.

* * *

Когда через несколько часов Мэри вернулась в Кэдоган-Хаус и тихо поднялась по лестнице в спальню, она увидела, что Нэнси сидит на кровати и ждет ее.

— Ну что? Как все прошло? Я никогда не видела, чтобы миссис Ка была так тронута. Твой Шон умеет очаровывать.

— Да, это так. — Мэри принялась устало снимать одежду.

— Где вы были? Он водил тебя на танцы?

— Нет, сегодня мы не танцевали.

— Ходили ужинать в клуб?

Мэри, натянув ночную рубашку, ответила:

— Нет.

— Ну и чем же тогда вы занимались? — уже слегка раздраженно продолжала допытываться Нэнси.

Мэри забралась в кровать.

— Сидели в парке на площади.

— Ты хочешь сказать, вы никуда не ходили?

— Нет, Нэнси. — Мэри выключила свет. — Мы никуда не ходили.

12

На следующий вечер Шон снова зашел за Мэри в Кэдоган-Хаус. На этот раз они поехали на трамвае на Пиккадилли-Серкус, купили рыбу с картофелем фри и устроились на ступенях под статуей Эроса.

— Мэри, мне очень жаль, что отпуск получился таким коротким и я не смог сводить тебя в какое-нибудь хорошее место.

— Шон, мне хорошо здесь. — Мэри поцеловала его в щеку. — Это гораздо лучше, чем оказаться где-нибудь в толпе и думать о том, правильно ли мы себя ведем. Ты так не считаешь?

— Если ты довольна, то я и подавно, — согласился голодный Шон, торопливо отправляя картошку в рот. — Мэри, я хочу извиниться за вчерашний вечер. Не надо было обрушивать свои жалобы на тебя. Но сегодня мне намного лучше.

— Ничего страшного, Шон! — Она пожала плечами. — Тебе нужно было выговориться, и правильно, что ты сказал это мне, а не кому-то другому.

— Знаешь, давай больше не будем об этом. Мне скоро туда возвращаться. Расскажи о себе, Мэри. Как тебе живется в Лондоне?

Мэри заговорила, и они пошли, держась за руки, в сторону Сент-Джеймс-парка. Наконец они остановились, и Шон обхватил ладонями лицо Мэри.

— Еще совсем немного, и мы вместе поедем домой! — Внезапно он разволновался. — Ты ведь вернешься со мной в Дануорли, правда? Я хочу сказать... — он развел руки в стороны, — там ведь все по-другому, не так, как в Лондоне.

— Да, Шон, — согласилась Мэри. — Знаешь, мы оба повзрослели за эти годы. И мир тоже изменился. Но у нас общее будущее, каким бы оно ни было.

— Мэри, моя Мэри! — Шон схватил ее в объятия и принялся страстно целовать, но вдруг резко отстранился. — Я должен быть осторожен, иначе не смогу остановиться. — Он несколько раз глубоко вздохнул и снова обнял ее. — Нам лучше вернуться, я не хочу, чтобы тебя ругала миссис Каррадерз.

Они шли назад по улицам, на которых, несмотря на двенадцатый час ночи, все еще кипела жизнь.

— Как в Клонакилти в дождливый вечер воскресенья, — усмехнулся Шон. — А как тебе Лоуренс Лайл? Он такой же несчастный, как его брат Себастьян? Несмотря на все земли и огромный дом?

— Ничего не могу сказать тебе о нем, — ответила Мэри. — Я его не видела после приезда в Лондон.

— И где же он?

— Точно неизвестно, но говорят, он работает на британское правительство где-то за границей. По слухам, в России.

— Тогда ты наверняка знаешь, что там сейчас происходит. Думаю, если мистер Лайл в России, то вы очень скоро его увидите. Большевики с каждым днем становятся все сильнее. Эх, — вздохнул Шон, — наш старый добрый мир... Даже не знаю, чем все это закончится.

Они подошли к дому и, поднявшись по лестнице, молча остановились, не зная, как попрощаться.

— Иди, моя дорогая, обними меня. Мне нужны силы, чтобы оставить тебя, такую нежную, здесь и вернуться в ад, — пробормотал Шон, когда она заключила его в объятия.

— Шон, я люблю тебя, — прошептала Мэри. — Прошу тебя, возвращайся ко мне целым и невредимым.

— Я буду писать тебе так часто, как только смогу, но ты не волнуйся, если некоторое время вестей не будет. У меня предчувствие, что скоро на фронте нам тяжело придется. Нужно еще разок поднажать и покончить с этой войной.

— Не буду. Благослови тебя Господь, мой дорогой, и возвращайся скорее. До свидания, Шон! — Мэри вытерла слезы и привстала на цыпочки, чтобы поцеловать его.

— До свидания, дорогая! Только мысли о тебе помогут мне пережить все это.

Шон неохотно отвернулся от нее — его глаза блестели от слез — и, ссутулившись, пошел прочь.

— Ума не приложу, что тебя сейчас гложет? — несколько дней спустя поинтересовалась Нэнси, когда они с Мэри уже легли спать. — Может, то, что ты встретилась с женихом и ему снова пришлось уехать на фронт?

— Да. — Мэри вздохнула. — И еще то, что он рассказал мне о своей жизни на фронте. Не могу выбросить его слова из головы.

— Возможно, он немного сгустил краски, чтобы ты пожалела его и лишний раз поцеловала!

— Нет, Нэнси, не думаю. — Мэри снова вздохнула. — Хотелось бы, чтобы это было правдой, но Шон никогда не лжет.

— Ну, судя по тому, что пишут в газетах, война скоро закончится. И тогда твой парень увезет тебя назад, в то болото, откуда вы приехали, — хихикнула Нэнси. — Давай поедем в центр города в четверг? Поглазеем на витрины и, как всегда, выпьем чая у Лайонса. Может, это развеселит тебя немного.

— Не знаю, буду ли я в настроении.

— Как хочешь, — обиделась Нэнси.

Мэри повернулась, закрыла глаза и постаралась уснуть. Прошло уже целых три дня после отъезда Шона, но она по-прежнему не могла избавиться от ужасных видений, вызванных его рассказом. Теперь она все чаще замечала, как много в Лондоне мужчин, потерявших на фронте руку или ногу, и мужчин с повязками на глазах. А сегодня днем солдат в центре Слоун-сквер кричал на прохожих как настоящий сумасшедший. Шон говорил, что постоянная канонада сводит солдат с ума. Вид этого несчастного, отверженного солдата заставил Мэри прослезиться.

Газеты пестрели новостями о большевистской революции в России. Сообщалось также, что царская семья арестована. В кухне говорили о том, что хозяин должен вернуться со дня на день. Судя по всему, миссис Каррадерз получила телеграмму с просьбой приготовить дом к его приезду. Она развила небывалую активность и заставила Мэри и Нэнси трижды полировать серебро, пока дворецкий Смит не одобрил результат.

— Можно подумать, хозяин будет рассматривать чайные ложки и искать на них пятна! — раздраженно заявила Нэнси. — После того ужаса, который творится в России, думаю, он будет в восторге, просто оказавшись на своей удобной кровати!

И хотя дом был полностью готов к приезду хозяина, он появился не сразу. Только четыре дня спустя сонная экономка сообщила прислуге, что Себастьян Лайл прибыл домой в три часа утра.

— И с тех пор мне так и не удалось прилечь, — пожаловалась она. — Почему? Об этом вы узнаете позже. В самом деле, — сказала она и вопросительно посмотрела на Смита, — кто мог ожидать от него такого? — Они обменялись недоуменными взглядами, и миссис Каррадерз произнесла: — Мэри, мы с хозяином хотим поговорить с тобой в гостиной ровно в одиннадцать часов.

— Какие-то проблемы? — взволнованно поинтересовалась девушка.

— Нет, Мэри, не у тебя... Как бы там ни было, я больше ничего не скажу до твоей встречи с мистером Лайлом. Не забудь, что ты должна быть в чистом форменном платье! И чтобы все волосы были заправлены под чепец!

— Хорошо, миссис Ка.

— Интересно, что все это значит? — спросила Нэнси, когда экономка вышла из кухни. — Она так странно выглядит. Зачем они хотят тебя видеть?

— Что ж, через пару часов я это узнаю, — сухо ответила Мэри.

Ровно в одиннадцать она подошла к двери в гостиную и постучала. Ее впустила миссис Каррадерз.

— Мэри, входи и познакомься с мистером Лайлом.

Девушка повиновалась. Рядом с камином стоял высокий мужчина, имеющий сильное сходство с младшим братом Себастьяном. И все же Мэри показалось, что Лоуренсу Лайлу удалось взять лучшее из семейных генов.

— Доброе утро. Я Лоуренс Лайл. А ты... Мэри, не так ли?

— Да, сэр. — Она присела в реверансе.

— Мэри, в моем доме возникла... деликатная ситуация. Я посоветовался с миссис Каррадерз, и она считает, что ты —

единственный человек, который способен помочь нам с ней справиться.

— Не сомневайтесь, я сделаю все возможное, когда вы сообщите мне, что случилось, — волнуясь, произнесла девушка.

— Миссис Каррадерз сказала мне, что ты выросла в монастырском приюте.

— Именно так, сэр.

— И, находясь там, помогала присматривать за другими детьми, в основном за самыми маленькими?

— Да, сэр. Когда мы находили несчастных брошенных младенцев на пороге монастыря, я ухаживала за ними вместе с монахинями.

— Значит, ты любишь малышей?

— Да, сэр, люблю.

— Отлично, просто замечательно, — кивнул Лоуренс Лайл. — Что ж, Мэри, ситуация такова: из поездки я привез домой малышку, чья мать, как те несчастные, которые оставляли младенцев на пороге монастыря, оказалась... не в состоянии заботиться о ней. Она попросила меня взять девочку и заботиться о ней до тех пор, пока она не сможет забрать ее.

— Понимаю, сэр.

— Мы с миссис Каррадерз обсуждали, не нанять ли нам няню, но она предложила временно поручить девочку тебе. Как горничная ты сейчас не очень занята, и вряд ли в ближайшие несколько месяцев работы прибавится. Так что мы с миссис Каррадерз хотели бы, чтобы ты немедленно занялась ребенком.

— Да, сэр. А сколько этой малышке?

— Ей около... — Лоуренс задумался на мгновение. — Думаю, ей не больше четырех-пяти месяцев.

— Хорошо, сэр. Где она?

— Вон там. — Он указал на маленькую плетеную люльку, стоящую на кушетке в другом конце гостиной. — Ты можешь подойти и взглянуть на нее, если хочешь.

— Спасибо, сэр.

Когда Мэри приблизилась к люльке и осторожно заглянула туда, Лоуренс добавил:

— Мне кажется, она вполне симпатичная для своего возраста, хотя у меня совсем мало опыта в этих вопросах. И покладистая. Пока мы плыли на пароме из Франции, она и звука не издала.

Потрясенная, Мэри разглядывала темные пушистые волосы и идеальные черты бледного личика. Засунув большой пальчик в рот, довольная малышка крепко спала.

— Я покормила ее всего час назад, — заметила экономка. — Как она громко кричит, когда хочет есть! Надеюсь, ты знаешь, как кормить ребенка из бутылочки и менять подгузники?

— Конечно, миссис Ка. — Мэри улыбнулась девочке. — Как ее зовут?

Лоуренс немного замялся, а потом произнес:

— Анна. Ее зовут Анна.

— Можно не сомневаться, — прошептала Мэри, — она очень хорошенькая. Да, сэр, я с удовольствием позабочусь о ней.

— Отлично, вопрос решен, — с облегчением произнес Лоуренс. — Девочка будет спать на втором этаже, детская комната уже готова. Ты должна сегодня же перебраться туда, чтобы иметь возможность кормить ее по ночам. С этого момента ты освобождена от другой работы по дому. Вы с миссис Каррадерз должны купить все необходимое для ребенка: коляску, одежду и так далее.

— Вы не привезли с собой одежду для девочки, сэр?

— Ее мать собрала в поездку лишь небольшую сумку. Это все, что у нее есть. Итак, — указал на дверь он, — полагаю, ты можешь отнести ее наверх в детскую.

— Могу я поинтересоваться, в какой стране родился этот ребенок? — спросила Мэри.

Лоуренс Лайл нахмурился и, немного поразмыслив, произнес:

— С этого момента девочка англичанка. Если кто-то, включая прислугу в доме, поинтересуется — она дочь моего близкого друга, жена которого после родов была не в состоянии заботиться о ней. А ее отец спустя месяц погиб на фронте. Я стал опекуном ребенка до тех пор, пока мать не будет готова забрать ее. Ты понимаешь меня, Мэри?

— Да, сэр, конечно. Обещаю, что обеспечу Анне самый лучший уход, какой только возможен.

Мэри присела в реверансе и, выйдя из комнаты, с люлькой в руках осторожно поднялась на второй этаж. На площадке она подождала, пока ее догонит миссис Каррадерз.

— Сюда. — Экономка провела Мэри по коридору в спальню, окна которой выходили на парк на площади. — Я разместила вас здесь, поскольку эта комната дальше других от хозяина. Чтобы он ни говорил, крошка кричит очень громко, когда голодна, и я не хочу причинять ему беспокойство.

Мэри в восхищении изучала комнату. Она выглядела очень мило: туалетный столик, удобная кровать с кованым основанием, покрытая стеганым покрывалом.

— У тебя не должно быть никаких иллюзий по поводу твоего положения в доме, милочка, — добавила экономка. — Ты здесь только потому, что должна присматривать за ребенком постоянно — и ночью тоже.

— Я понимаю, — быстро согласилась Мэри. Она осознавала, что ее внезапное возвышение могло угрожать статусу самой миссис Каррадерз.

— Не забывай: это временно. Я уверена, что как только хозяин сможет, он найдет профессиональную няню. Но, как я уже заметила, во время войны это равнозначно поискам иголки в стоге сена. Надеюсь, девочка, ты рада, что я предложила хозяину твою кандидатуру. Не подведи меня, хорошо?

— Я буду стараться, миссис Ка, обещаю, — заверила Мэри. — И не нужно тратить деньги на одежду для малышки. Я умею обращаться с иголкой и ниткой и люблю шить.

— Отлично. Заберешь свои вещи из старой спальни, когда сможешь. В соседней комнате ванна и туалет. Больше никаких горшков, девочка. Вот как тебе повезло!

— Да, миссис Ка. Спасибо за то, что дали мне шанс.

— Ты хорошая девушка, хотя и ирландка, Мэри. — Миссис Каррадерз подошла к двери и остановилась. — Не знаю, в этой истории есть что-то странное. Когда ты унесла ребенка, хозяин попросил меня позвать Смита и поручил ему отнести на чердак небольшой чемодан. Сказал, пусть он хранится там, пока мать девочки не заберет его. И мне кажется, малышка не похожа на англичанку, — добавила она, заглядывая в люльку. — А ты как думаешь?

— Честно говоря, она выглядит необычно, — осторожно произнесла Мэри. — Такие темные волосы и светлая кожа.

— Я бы сказала, что она русская, — предположила экономка. — Но мы вряд ли когда-нибудь узнаем правду.

— Думаю, сейчас важно, что малышка здесь, с нами, в безопасности, — сказала Мэри.

— Да, ты права, — согласилась миссис Каррадерз. — Увидимся внизу.

Мэри наконец осталась наедине с новой подопечной. Она села на кровать, поставив люльку с девочкой рядом, и принялась рассматривать крошечное лицо Анны. И вдруг, словно почувствовав, что за ней наблюдают, малышка вздрогнула, зашевелилась и открыла сонные глазки.

— Привет, малышка, — проворковала Мэри, глядя прямо в глубокие карие глаза ребенка. Она заметила, что их выражение изменилось, и поняла, что теперь девочка рассматривает ее.

Мэри взяла Анну за ручку:

— Привет! Я здесь, чтобы заботиться о тебе.

Это была любовь с первого взгляда.

13

Война затянулась еще на несколько месяцев, и Мэри получила только одно письмо от Шона. Он с надеждой рассказывал, что войска союзников наконец-то начинают одерживать верх. Мэри продолжала писать жениху каждую неделю и каждую ночь молилась за него.

И все же теперь в минуты бодрствования ее мысли были сосредоточены не только на Шоне, но и на маленькой, прелестной девочке, о которой она заботилась. Она проводила с малышкой двадцать четыре часа в сутки. Утром, когда накормленная девочка спала в саду, Мэри стирала подгузники и крошечные вещички, которые сшила ей сама. После обеда она укладывала Анну в большую коляску и шла с ней на прогулку в Кенсингтон-Гарденс. Обычно она садилась на скамейку около статуи Питера Пэна и слушала болтовню нянь, которые собирались там со своими воспитанниками.

Они не разговаривали с Мэри. Она понимала причину их высокомерного отношения, так как по-прежнему носила форменное платье горничной, а они были в простых серых платьях.

После прогулки, если хозяина не было дома, Мэри приносила свою подопечную в кухню и кормила ее, а все слуги играли с ней. Анне нравилось быть в центре внимания: обычно она сидела в деревянном детском стульчике и стучала по столу ложкой, радостно реагируя на громкие звуки. Окружающие с удовольствием наблюдали за тем, как она растет и развивается. Никто из слуг не изменил отношения к Мэри — она несла ответственность за маленький лучик солнца, который заливал светом всю кухню. Все единодушно обожали Анну.

По ночам, сидя у люльки, Мэри шила платьица, украшала воротнички изящной вышивкой, вязала кардиганы и теплые башмачки. Анна расцветала с каждым днем, ее бледные щечки округлялись и начинали румяниться от свежего воздуха.

Лоуренс Лайл иногда заглядывал в детскую посмотреть на девочку, интересовался ее здоровьем и быстро уходил. К сожалению, он чаще всего не обращал внимания на то, что Мэри старалась продемонстрировать успехи своей воспитанницы.

Однажды вечером в октябре, когда по Лондону уже ходили слухи о близкой победе, Мэри сидела около кроватки спящей Анны и смотрела на нее. Хорошие новости привели всех в доме в состояние воодушевления — здесь каждый затаив дыхание ждал, будет ли наконец заключено обещанное окончательное перемирие.

Как и тысячи женщин, чьи любимые были на фронте, Мэри часто думала о том, какие эмоции испытает, когда будет объявлено о конце войны. «Сейчас я совсем не уверена в своих чувствах», — с печалью подумала она.

Анна зашевелилась и что-то пробормотала во сне. Мэри тут же подошла к кроватке и, взглянув на девочку, погладила ее по щечке.

— Что будет с тобой, если мне придется уехать?

Неожиданно у нее на глаза навернулись слезы.

Об окончательном перемирии объявили три недели спустя. Миссис Каррадерз согласилась присмотреть несколько часов за Анной, а Мэри, Нэнси и лакей Сэм присоединились к тысячам восторженных горожан. Вместе с ликующей толпой Мэри прошла по улице Пэлл-Мэлл к Букингемскому дворцу. Все вокруг кричали, пели и размахивали флагами. Когда на балконе дворца показались две маленькие фигуры, по толпе пронесся радостный гул. Издалека разглядеть было невозможно, но Мэри знала, что все приветствуют короля Георга и его жену, ее тезку, Мэри.

Повернувшись, она увидела, что Нэнси страстно целует Сэма, а потом почувствовала, как ее подхватила и закрутила пара сильных рук.

— Отличные новости, правда, мисс? — спросил молодой человек в военной форме, опуская ее на землю. — Это начало новой жизни!

Нэнси и Сэм присоединились к гуляющим, которые шли назад по той же улице к Трафальгарской площади, чтобы продолжить празднование. А Мэри, возвращаясь домой в одиночестве по шумному городу, ощущала царившее вокруг счастливое настроение, но не могла разделить всеобщую радость в полной мере.

Окончание войны означало для нее расставание с Анной.

Через месяц Мэри получила письмо от Бриджет, матери Шона. Бриджет никогда не была сильна в посланиях подобного рода и на этот раз тоже написала коротко. Все парни, кто ушел на фронт и уцелел в этой мясорубке, уже вернулись в Дануорли. Шона среди них не было. Кто-то помнит, что видел его в последнем сражении на Сомме, но неделю назад она получила письмо из министерства, в котором сообщалось, что ее сын официально считается пропавшим без вести.

Бриджет писала не очень грамотно, поэтому до Мэри не сразу дошел смысл ее слов. Шон пропал без вести. Скорее всего погиб? Мэри не могла быть в этом уверена. Она слышала о неразберихе, которая творилась во Франции, когда солдаты начали возвращаться домой. И судьба очень многих пока оставалась неизвестной. Мэри в отчаянии подумала, что, возможно, надежда еще остается.

Впервые за пять лет окружающие стали задумываться о будущем, но Мэри осознавала, что ее собственные перспективы сейчас еще более неопределенные, чем когда-либо. Она не видела смысла возвращаться в Ирландию, пока о Шоне ничего не известно. По крайней мере здесь, в Лондоне, она была занята делом, и количество шиллингов под матрасом увеличивалось с каждым месяцем.

— Конечно, будет лучше, если я пока останусь с тобой, — приговаривала она, купая Анну. — Дорогая, в Ирландии мне нечего делать, пока Шон не вернется.

* * *

По мере приближения Рождества за большим столом в Кэдоган-Хаусе стали все чаще собираться гости. Однажды утром в середине декабря Лоуренс Лайл попросил Мэри зайти в гостиную.

Затаив дыхание, Мэри присела в реверансе и замерла в ожидании приговора.

— Мэри, присядь, пожалуйста.

Девушка удивленно приподняла бровь. Слугам редко предлагали сесть в присутствии хозяев. Она осторожно села.

— Я хотел спросить, как Анна?

— Все замечательно. Она уже начала ползать, причем так быстро, что мне приходится постараться, чтобы догнать ее. Она скоро начнет ходить, и тогда нам всем придется несладко, — улыбнулась Мэри. Глаза ее светились любовью.

— Хорошо, хорошо. Что ж, Мэри, ты, вероятно, заметила: дом постепенно возвращается к жизни. И в этой ситуации нам снова нужна горничная, которая прислуживала бы за столом.

У Мэри вытянулось лицо, сердце заколотилось.

— Да, сэр.

— Это была твоя прежняя должность, и ты имеешь право снова занять ее.

— Да, сэр. — Девушка смотрела в пол. Ей пришлось стиснуть зубы, чтобы не разрыдаться.

— Тем не менее миссис Каррадерз считает, что у тебя сформировалась естественная привязанность к Анне. Она рассказала мне, что твое отношение благотворно влияет на развитие девочки. Я согласен с ней. Итак, Мэри, меня интересуют твои планы. Мне очень жаль, что твой жених считается пропавшим без вести, однако я готов предложить тебе должность постоянной няни Анны. Но только ты должна пообещать, что не уедешь в Ирландию, когда он вернется.

Мэри обменялась с хозяином взглядом, который ясно говорил: вероятность возвращения Шона с каждым днем становится все более призрачной.

— Сэр, я не знаю, что будет, если он вернется... Но пока его... нет, я была бы счастлива... продолжать заботиться об Анне. Если он все же... вернется домой, — неуверенно бормотала Мэри, — думаю, мне придется вернуться с ним в Ирландию. Я не хотела бы вводить вас в заблуждение, сэр.

Лоуренс Лайл задумался на мгновение, взвешивая в уме все «за» и «против».

— Что ж, тогда, возможно, мы будем решать проблемы по мере их поступления?

— Да, сэр.

— Нам всем приходится мириться с тем, что приносит каждый новый день, а миссис Каррадерз уверяет меня, что ты — лучшая няня для Анны. Итак, если ты согласна, я буду платить тебе дополнительно десять шиллингов в месяц и попрошу миссис Каррадерз подобрать для тебя более подходящую одежду. Не хочу, чтобы мои друзья думали, что я плохо забочусь о ребенке.

— Спасибо, сэр. Обещаю вам, что буду и дальше делать для Анны все, что в моих силах. Она такая чудесная девочка. Может, вы хотите подняться в детскую и посмотреть на нее? Или принести ее сюда? — с готовностью предложила девушка.

— Когда у меня будет время, ты сможешь принести ее. Спасибо, Мэри, и продолжай работать так же усердно. Пригласи, пожалуйста, сюда миссис Каррадерз. Мне нужно обсудить с ней вопрос о новой горничной.

— Конечно, сэр! — Мэри поднялась и направилась к двери. Но вдруг оглянулась: — Сэр, как вы считаете, мать Анны когда-нибудь вернется?

Лоуренс Лайл, вздохнув, покачал головой:

— Нет, Мэри, я в этом сомневаюсь. Очень-очень сомневаюсь.

Мэри спускалась по лестнице в кухню с виноватым видом. Она потеряла любимого жениха Шона, но все же испытывала колоссальное облегчение от мысли, что останется рядом с Анной.

* * *

Шли месяцы, но от Шона по-прежнему не было никаких вестей. Мэри ходила к зданию министерства и стояла в очереди среди таких же, как она, несчастных, чьи любимые так и не вернулись домой. Чиновник за конторкой, измученный общением с несчастными женщинами, нашел имя Шона в списках пропавших без вести.

— Мадам, мне очень жаль, но я практически ничего не могу добавить к тому, что вы уже знаете. Сержант Райан не числится ни среди живых, ни среди погибших.

— Означает ли это, что он жив и, возможно... — в отчаянии пожала плечами Мэри, — потерял память?

— Конечно, мадам, многие солдаты страдают амнезией. И все же, вполне вероятно, будь он жив, его обнаружили бы. Форма Ирландской гвардии сразу привлекает к себе внимание.

— Да, но... можем ли мы, я... и его семья, надеяться, что он вернется?

По выражению лица чиновника стало ясно, что ему задают такой вопрос множество раз в день.

— Пока... тело не найдено, всегда остается надежда. Но если сержанта Райана не найдут в ближайшие несколько недель, военное министерство будет извещено об этом и статус его дела будет изменен на «пропавший без вести, предположительно погибший».

— Понятно. Спасибо.

Не сказав больше ни слова, Мэри встала и вышла на улицу.

Через шесть месяцев она получила письмо из министерства:

Уважаемая мисс Бенедикт!
В ответ на ваш запрос о местонахождении сержанта Шона Майкла Райана вынужден с огромным сожалением сообщить, что во вражеской траншее в районе реки Сомма во Франции был найден мундир с его номером и удостоверением личности.

Несмотря на то что его останки в непосредственной близости от этого места так и не были обнаружены, мы вынуждены, основываясь на данных фактах, с сожалением констатировать, что сержант Райан пал на поле боя, сражаясь за свою страну.

Мы выражаем искренние соболезнования вам, а также его семье, которую мы проинформируем отдельно. Со своей стороны хочу отметить, что его мундир был обнаружен во вражеском окопе, и это подтверждает его воинские заслуги. Могу сообщить вам, что этот факт нашел отражение в официальных документах.

В настоящее время рассматривается вопрос о посмертном награждении сержанта Райана за храбрость.

Мы понимаем, что это вряд ли может компенсировать потерю любимого человека, но просим вас помнить: нам удалось закончить войну с наименьшими потерями и обрести мир благодаря мужеству таких солдат, как сержант Райан.

С уважением,

Эдвард Ранкин.

Мэри спустилась с Анной в кухню и попросила миссис Каррадерз присмотреть за девочкой часок, пока она прогуляется. Глаза экономки наполнились слезами, когда она с сочувствием смотрела в побледневшее лицо Мэри.

— Плохие новости?

Мэри кивнула:

— Я должна выйти на свежий воздух.

— Можешь отсутствовать, сколько тебе требуется. У нас с Анной все будет в порядке, правда? — нежно произнесла экономка, обращаясь к малышке. — Мне очень жаль, дорогая. — Она осторожно протянула руку и коснулась плеча Мэри. — Он был отличным парнем. Я знаю, как ты ждала его все эти долгие годы.

Мэри рассеянно кивнула и прошла в прихожую за пальто и обувью. Необычное проявление чувств миссис Каррадерз заставило ее прослезиться, и она не хотела, чтобы Анна это видела.

Мэри сидела в парке рядом с домом, глядя на играющих детей и пару, которая прогуливалась, держась за руки. В этой новой жизни, начавшейся после войны, люди снова устремились к счастью и получению удовольствия от простых вещей. Шон сражался за то, чтобы вернуть именно эту жизнь, но сам не дожил до конца войны.

Вечерело, парк опустел, а Мэри все продолжала сидеть на скамейке. В ее душе бушевали самые разные эмоции: печаль, страх, злость... Она плакала так сильно, как никогда в жизни.

Мэри двадцать раз подряд перечитала письмо, и перед ее мысленным взором возникали разные картины.

Вот Шон... такой большой: настоящий медведь, а не человек. Такой сильный и молодой...

А вот он мертв. Больше не дышит. Не принадлежит этому миру. Его нет. Нет больше его нежной улыбки, ворчания, смеха...

И нет любви.

Стемнело, но Мэри не двигалась с места.

Она задумалась о том, как случившееся повлияет на ее будущее. Они не были женаты, так что ей не приходится рассчитывать на пенсию. Жизнь, о которой она грезила много лет назад — мужчина, который был бы рядом, любил, заботился о ней и обеспечил крышу над головой ей и ее семье, — так и осталась мечтой.

Мэри снова осталась совершенно одна. Опять сирота, второй раз в жизни. Мэри не сомневалась, что, вернись она в Ирландию, родители Шона примут ее с распростертыми объятиями. Но какая ее ждет жизнь? Не собираясь искать замену их сыну, Мэри понимала, что любое проявление веселья лишний раз расстроит скорбящих родителей. И ее присутствие будет постоянно напоминать им о потере.

Мэри медленно вытерла лицо. Мартовский вечер становился все холоднее, и она почувствовала, что дрожит — от холода или от горя, она не знала. Она встала и с грустью осмотрелась вокруг, вспомнив, как сидела здесь вместе с Шоном.

— Прощай, дорогой! Сладких снов, и пусть Господь хранит тебя, — прошептала она и отправилась назад — в тот единственный дом, где ее ждали.

14

Анне было уже почти три года. Ее блестящие темные волосы отросли и оттеняли белоснежную кожу. Она уверенно топала по детской, уже почти не падая, и ее природной грацией были очарованы в доме все. Даже Лоуренс Лайл часто просил привести Анну в гостиную, где она — как научила ее Мэри — идеально делала книксен.

Каким-то непостижимым образом Анна чувствовала, что незнакомец, который время от времени зовет ее к себе, играет в ее жизни очень важную роль. Мэри часто казалось, что девочка как может пытается очаровать его, одаривая улыбками и распахивая ручки для объятий.

Несмотря на хорошее физическое развитие, Анна до сих пор плохо говорила, хотя могла произносить слоги и даже некоторые слова.

— Как развивается ее речь? — поинтересовался однажды Лоуренс Лайл, когда Анна сидела с ним в гостиной.

— Медленно, сэр. Но насколько я знаю, все дети разные.

Когда пришло время уходить, Анна обняла мистера Лайла за плечи.

— Скажи мне «до свидания», Анна, — попросил он.

— Д-до... свидания, — смогла произнести девочка.

Лоуренс Лайл приподнял бровь.

— Анна, ты молодец! Повтори еще раз.

— Д-до... с-свидания, — уже смелее повторила малышка.

— Гм... Мэри, мне кажется, Анна заикается.

— Честно говоря, нет, — разволновавшись, поспешила ответить Мэри. Хозяин озвучил ее собственные опасения. — Она просто учится произносить разные звуки.

— Что ж, ты хорошо разбираешься в маленьких детях, но, пожалуйста, внимательно наблюдай за ней.

— Да, сэр, конечно.

Однако в течение следующих месяцев, когда Анна стала произносить все больше слов, ее заикание стало слишком очевидным, и его уже невозможно было объяснить особенностями развития ребенка. Мэри переживала по этому поводу и попросила совета у миссис Каррадерз.

— Мне кажется, с этим ничего не поделать, — пожала плечами экономка. — Просто не давай ей слишком много говорить в присутствии хозяина. Ты ведь знаешь — титулованным особам не нравится, когда у их собственных детей другие замечают недостатки. А поскольку Анна практически его ребенок, я бы скрывала ее заикание, сколько могла.

Но Мэри не успокоилась и пошла в местную библиотеку, где нашла книгу, в которой описывалась проблема Анны. Мэри прочитала, что в ситуации, когда ребенок чувствует себя неуверенно, заикание только усиливается. И поскольку Мэри проводила с Анной больше времени, чем все остальные, она сама должна была говорить максимально четко, чтобы малышка слышала правильную речь и старалась подражать ей.

В кухне все смеялись над Мэри, когда она говорила с Анной медленно, тщательно выговаривая слова, и просила других делать то же самое.

— Если ты не успокоишься, малышка будет заикаться и с ирландским, и с лондонским акцентом, — хохотала миссис Каррадерз. — Я бы на твоем месте оставила ее в покое. Пусть природа возьмет свое.

Но Мэри не отступала, продолжая заниматься с девочкой. Помня слова экономки, она также учила Анну молчать в присутствии хозяина, надеясь, что красивый книксен и очарование девочки помогут скрыть проблему, пока она не научит Анну нескольким основным словам, необходимым для общения с Лоуренсом.

Мистер Лайл несколько раз спрашивал, почему девочка молчит, но Мэри словно не замечала этих вопросов.

— М-Мэри, п-почему мне нельзя отвечать ему? — шепотом спрашивала малышка, когда они спускались в гостиную или поднимались обратно в детскую.

— Всему свое время, девочка, всему свое время, — успокаивала ее Мэри.

Но Анна нашла свой способ общаться с опекуном.

Через несколько месяцев, после того как они полчаса пробыли наедине, Мэри постучала в дверь гостиной, желая забрать Анну.

— Войдите.

Мэри открыла дверь и увидела, что хозяин стоит у камина и не отрываясь смотрит на Анну, танцующую под музыку, которая лилась из граммофона.

— Посмотри, как она движется... Она такая изящная! — Он говорил шепотом, завороженно глядя на Анну. — Такое впечатление, что она подсознательно чувствует, как правильно двигаться.

— Да, она любит танцевать. — Мэри с гордостью наблюдала, как маленькая девочка, погруженная в свой собственный мир, порхает по комнате под музыку.

— Возможно, она не в состоянии общаться, как все остальные, с помощью слов. Но как она выражает себя языком тела! — восторгался Лоуренс.

— Что это за музыка, сэр? Она такая красивая! — поинтересовалась Мэри, наблюдая за девочкой, которая кружилась, наклонялась и вытягивала руки.

— Это «Умирающий лебедь». Я видел его однажды в Мариинском театре в Санкт-Петербурге в постановке Фокина. — Он вздохнул. — Необыкновенно красивый балетный номер.

Музыка закончилась, но виниловая пластинка продолжала крутиться, и в комнате слышался треск иглы граммофона. Лоуренс Лайл стряхнул с себя оцепенение.

— Вот такие дела, — произнес он. — Анна, ты прекрасно движешься. Хочешь брать уроки танцев?

Маленькая девочка с трудом разобрала смысл его слов, но кивнула.

Мэри взволнованно перевела взгляд с Анны на хозяина:

— Сэр, вам не кажется, что она слишком мала для подобных занятий?

— Совсем нет. В России начинают учиться именно в этом возрасте. И сейчас в Лондоне живет много русских эмигрантов. Я выясню, кого они могут рекомендовать в качестве учителя для Анны, и скажу тебе.

— Отлично, сэр.

— Я вас л-люблю, м-мистер Лайл, — внезапно произнесла Анна и одарила его широкой улыбкой.

Лоуренс Лайл был поражен неожиданным проявлением чувств подопечной. Мэри взяла девочку за руку и предусмотрительно, пока та не заговорила снова, повела ее к двери.

— Мэри, как ты считаешь, правильно ли, что Анна называет меня мистер Лайл? Это звучит... так официально.

— А что, сэр, у вас есть какие-то предложения? — поинтересовалась Мэри.

— Может быть, «дядя» будет более уместно при сложившихся обстоятельствах? В конце концов, я ведь ее опекун.

— Думаю, это отличная мысль, сэр.

Анна повернулась к нему:

— С-спокойной ночи, дядя, — произнесла она и вместе с Мэри вышла из комнаты.

Лоуренс Лайл сдержал слово, и пару недель спустя Мэри оказалась в ярко освещенной студии с зеркальными стенами в особняке Пезантри на Кингз-роуд в Челси. Педагог по танцам княгиня Астафьева не отличалась приветливостью и выглядела экзотично, под стать всей обстановке. Это была худая женщина с тюрбаном на голове, в цветастой шелковой юбке, которая волочилась по полу при ходьбе. Княгиня курила «Собрание» через мундштук.

Бледное лицо Анны исказилось от страха при виде этой странной женщины, и она еще крепче сжала руку Мэри.

— Мой дорогой друг Лоуренс говорит, что малышка умеет танцевать, — с акцентом произнесла княгиня.

— Да, мадам, — взволнованно ответила Мэри.

— Тогда мы проверим, как она будет двигаться под музыку. Сними пальто, детка, — скомандовала она и подала пианисту знак играть.

— Танцуй, как будто ты перед дядей, — шепнула Мэри и подтолкнула Анну к центру зала. Первые несколько секунд казалось, что девочка вот-вот расплачется, но мелодия захватила ее, она начала раскачиваться и кружиться под музыку, как делала всегда.

Через две минуты княгиня Астафьева громко стукнула тростью о деревянный пол студии, и пианист перестал играть.

— Я увидела достаточно. Лоуренс прав. Девочка органично движется под музыку. Я беру ее. Будешь приводить ее сюда каждую среду в три часа.

— Да, мадам. Вы скажете мне, что понадобится для занятий?

— Пока ничего. Только ее тело и босые ноги. Увидимся. — Кивнув Мэри, княгиня удалилась.

Мэри пришлось подкупом уговаривать Анну снова пойти в студию. Она сшила ей для занятий розовое платье с юбкой из тюля и пообещала после занятий пойти пить чай с булочками на Слоун-сквер.

Остальные слуги тоже были очень удивлены решением хозяина.

— Он хочет, чтобы она танцевала, прежде чем нормально пойдет и заговорит? — округлила глаза миссис Каррадерз. — Наверное, жизнь в России плохо повлияла на его голову. Он снова и снова включает граммофон с этой печальной музыкой. Что-то об умирающих лебедях.

Тем не менее, когда Мэри забирала Анну после первого урока, девочка улыбалась. За обещанным чаем с булочками она рассказала, что научилась очень забавно ставить ноги — как утка. И красиво держать руки над головой.

— Мэри, она совсем не з-злая.

— Ты уверена, что хочешь пойти снова? — поинтересовалась Мэри.

— Д-да, хочу.

Весной 1926 года Анна праздновала восьмой день рождения. Поскольку Лоуренс Лайл не знал, когда точно родилась девочка, он наугад выбрал дату в середине апреля. Мэри с гордостью наблюдала, как Анна разрезает купленный хозяином торт. Открывая подарок, девочка дрожала от радости — внутри оказались атласные розовые пуанты.

— С-спасибо, дядя. Они очень красивые. М-можно примерить? — спросила Анна.

— Конечно, после того как поешь. Мы ведь не хотим, чтобы шоколадные крошки испачкали их, правда? — напомнила девочке Мэри. Ее глаза блестели от радости.

— Мэри права. Может, чуть позже ты наденешь их и придешь в гостиную, чтобы станцевать для меня? — предложил Лоуренс.

— К-конечно, дядя, — улыбнулась Анна. — А ты потанцуешь со мной? — поддразнила его она.

— Сомневаюсь, — с усмешкой ответил он. Кивнув прислуге, собравшейся в столовой, он ушел, оставив всех лакомиться тортом.

Через час Анна в новых розовых пуантах исчезла за дверью гостиной. Мэри улыбалась. Не было никакого сомнения, что связь между Лоуренсом и Анной стала крепче. Когда хозяин уезжал по делам в Форин-офис и Анна знала, что он планирует вернуться, она с нетерпением ждала, стоя у окна в спальне. Лоуренс тоже радовался, если видел девочку, и угрюмое выражение исчезало с его лица, стоило ей броситься в его объятия.

В эти дни Мэри часто говорила в кухне о том, что хотя Лоуренс и не отец Анны, вряд ли кто-то другой смог бы лучше заботиться о ней. Мистер Лайл даже решил нанять для девочки гувернантку.

— Возможно, для Анны будет лучше учиться дома. Мы ведь не хотим, чтобы ее дразнили из-за заикания, — прокомментировал он свое решение.

И все же больше всего Анна любила балет. Она жила и дышала только им, с нетерпением ожидая очередного урока и каждый день усваивая новые па, которым ее учила княгиня Астафьева.

Когда Мэри упрекала Анну за то, что она невнимательна на уроках, девочка лишь широко улыбалась:

— М-мне не понадобится история, когда я в-вырасту, ведь я собираюсь стать самой лучшей б-балериной в мире! И ты, Мэри, придешь на мою премьеру, когда я буду танцевать Одетту и Одиллию в «Лебедином озере».

Мэри готова была поверить девочке. Она считала, что если бы все зависело только от целеустремленности, Анна обязательно добилась бы своего. К тому же княгиня Астафьева считала, что девочка талантлива.

Поднявшись наверх, чтобы набрать Анне ванну, Мэри увидела, что та кружится по комнате и ее лицо сияет от восторга.

— Ты з-знаешь, что я пойду на «Русские сезоны» Дягилева с дядей и княгиней? Они будут танцевать в «Ковент-Гарден». Алисия Маркова в партии Авроры в «Спящей красавице»!

Закончив кружиться, Анна прыгнула на руки Мэри.

— Ну, что с-скажешь?

— Я очень рада за тебя, дорогая! — улыбнулась Мэри.

— А еще дядя сказал, что завтра мы п-пойдем покупать мне новое платье! Я хочу бархатное с широкой лентой вокруг талии! — объявила девочка.

— Тогда нужно будет хорошенько поискать такое, — согласилась Мэри. — А теперь — марш в ванную.

Мэри не могла знать, что вечер, когда Анна вместе с мистером Лайлом впервые побывала на спектакле, стал поворотным в жизни всех обитателей дома.

Девочка вернулась домой после балета, сжимая программку в маленьких ручках, с широко распахнутыми от пережитых чувств глазами.

— Мисс М-Маркова такая красивая! — мечтательно повторяла она, пока Мэри укладывала ее в постель. — А ее партнер Антон Долин поднимал ее над головой легко, с-словно перышко. Княгиня Астафьева говорит, что знает мисс Маркову. Может, однажды и я смогу познакомиться с ней. Только представь! — добавила она и сунула программку под подушку. — С-спокойной ночи, Мэри.

— Спокойной ночи, дорогая. Сладких снов.

Несколько дней спустя миссис Каррадерз вошла в кухню в состоянии крайнего возбуждения.

— Там, в гостиной, хозяин. Он попросил меня подать чай. И он с... — экономка помедлила, чтобы произвести нужный эффект, — с женщиной.

Все присутствующие мгновенно обратились в слух.

— Кто она? Вы ее знаете? — поинтересовалась Нэнси.

— Нет. Я могу ошибаться, но у хозяина такое выражение глаз, что мне кажется... — Миссис Каррадерз пожала плечами. — Может, я тороплю события, но, по-моему, в жизни нашего закоренелого холостяка грядут перемены.

События следующих недель продемонстрировали, что интуиция не подвела миссис Каррадерз. Элизабет Делейнси стала постоянной гостьей в доме. Слуги делились друг с другом крупицами фактов, которые им удавалось получить. Выяснилось, что новая знакомая хозяина — вдова старого друга Лоуренса Лайла, его сокурсника по Итону. Ее муж, офицер британской армии, погиб в сражении на Сомме, как и Шон.

— Эта миссис Делейнси та еще штучка! — фыркнула горничная, спустившись с подносом из гостиной однажды днем. — Она заявила, что сконы черствые, и потребовала передать это повару.

— Кем она себя возомнила, чтобы делать такие замечания! — возмутилась миссис Каррадерз. — Вчера она сказала мне, что на зеркале в гостиной разводы и в следующий раз я должна лучше следить за работой прислуги.

— Она похожа на лошадь, — добавила Нэнси. — Такое вытянутое лицо и грустные глаза!

— Да уж, она не красавица, — согласилась миссис Каррадерз, — и роста такого же, как наш хозяин. Но меня беспокоит не внешность, а ее характер. Она без конца лезет в его дела, и, если поселится в этом доме, у нас будут проблемы, помяните мое слово.

— С тех пор как она появилась здесь, он ни разу не приглашал Анну в гостиную, — тихо заметила Мэри. — Честно говоря, они почти не виделись за прошедший месяц. Девочка постоянно интересуется, почему он больше не зовет ее к себе.

— Она холодная женщина и не потерпит конкуренции даже со стороны ребенка. А мы все знаем, как хозяин относится к Анне. Девочка для него — свет в окне, а этой ужасной леди такое положение дел не может нравиться! — Экономка погрозила пальцем в воздухе.

— Что, если он женится на ней? — испуганно поинтересовалась Мэри, озвучив вопрос, который волновал их всех.

— Тогда у нас точно будут проблемы, — повторила экономка мрачно, — в этом можно не сомневаться.

Три месяца спустя хозяин пригласил всех слуг в столовую. Элизабет Делейнси стояла рядом с мистером Лайлом, когда он с гордостью оповестил присутствующих о решении жениться, как только будут улажены все формальности. Тем вечером в кухне царило подавленное настроение. Все слуги понимали: их уютный мир скоро изменится. После свадьбы Элизабет Делейнси станет новой хозяйкой и возьмет на себя управление домом. И всем придется подчиняться ей.

— Т-тебе нравится миссис Д-Делейнси? — тихо поинтересовалась Анна, когда Мэри читала ей перед сном.

— Я ее почти не знаю, но если твой дядя считает, что она хорошая, значит, так и есть.

— Она сказала мне, что я странно г-говорю и выгляжу... — Анна замялась, вспоминая слово, — т-тощей. Что это з-значит, Мэри?

— Это значит, что ты очень хорошенькая, малышка, — успокоила девочку Мэри, укладывая ее спать.

— Она сказала, что я должна буду называть ее «тетя», когда они поженятся. — Анна улеглась на подушки. Большие темные глаза выдавали ее волнение. — Она ведь не станет моей м-матерью, Мэри? Мне кажется, моя мама — ты, хотя я знаю правду.

— Нет, дорогая, не забивай этим голову. Я всегда буду рядом и позабочусь о тебе. Спокойной ночи, сладких снов. — Мэри нежно поцеловала Анну в лоб.

Она выключила свет и уже собралась выйти из комнаты, когда в темноте раздался голос девочки:

— Мэри?

— Что такое, дорогая?

— Мне к-кажется, я ей не нравлюсь.

— Не говори глупости. Как ты можешь кому-то не нравиться? А теперь перестань волноваться и закрой глазки.

Венчание состоялось в церкви в Суссексе недалеко от дома родителей невесты. Мэри попросили привезти Анну, девочка сидела среди гостей, а роль подружек невесты исполняли племянницы Элизабет.

Обитатели Кэдоган-Хауса вздохнули с облегчением, когда молодожены отправились в путешествие на юг Франции. В тот день, когда они должны были вернуться, миссис Каррадерз распорядилась вымыть и отполировать все в доме — от нижнего этажа до самого чердака.

— Я не позволю этой женщине думать, что я не знаю, как привести в порядок ее новый дом, — бормотала она, обращаясь к слугам.

Когда Мэри наряжала Анну в лучшее платье, чтобы та могла поприветствовать дядю и тетю, ее сердце сжималось в предчувствии беды.

Мистер и миссис Лайл приехали к чаю. Все слуги выстроились в холле, чтобы поприветствовать молодоженов, и сдержанно аплодировали им. Новая хозяйка сказала несколько слов каждому. Анна вместе с Мэри стояла в конце, ожидая своей очереди, чтобы присесть перед Элизабет в изящном книксене. Но миссис Лайл просто кивнула девочке и прошла дальше в гостиную. Мистер Лайл проследовал за ней.

— Завтра она собирается поговорить с каждым лично, — позже сообщила экономка. — И с тобой тоже, Мэри. Да поможет нам всем Бог!

На следующее утро слуги один за другим заходили в гостиную для беседы с новой хозяйкой. Взволнованная, Мэри стояла за дверью.

— Следующий! — раздался голос, и девушка вошла в комнату.

— Доброе утро, Мэри, — произнесла Элизабет Лайл.

— Доброе утро, миссис Лайл. Позвольте мне лично поздравить вас с замужеством.

— Спасибо. — На тонких губах хозяйки не появилось и тени улыбки. — Я хочу сообщить тебе, что с этого момента все решения относительно воспитанницы мистера Лайла буду принимать я. Мистер Лайл очень занят на службе в Форин-офисе, и я считаю неприемлемым, чтобы его беспокоили вопросами, касающимися воспитания ребенка.

— Да, миссис Лайл.

— Я бы хотела, чтобы ты называла меня «мадам», Мэри. Я привыкла к такому обращению в своем доме.

— Да... мадам.

Элизабет Лайл подошла к столу, где лежали бухгалтерские книги с отчетами о ежемесячных расходах.

— Я также займусь вот этим. — Она кивнула в сторону бумаг. — Вместо миссис Каррадерз. Я изучила их и пришла к выводу, что финансовые дела велись очень небрежно. Надо немедленно положить этому конец. Ты меня понимаешь?

— Да, мадам.

— Например... — Миссис Лайл водрузила на нос очки в роговой оправе, висевшие на цепочке у нее на шее, и заглянула в книгу. — Здесь говорится, что расходы на содержание Анны составляют более ста шиллингов в месяц. Ты можешь объяснить мне, на что идут эти деньги?

— Что ж, мадам... Анна дважды в неделю берет уроки танцев, это стоит сорок шиллингов в месяц. Также каждое утро с ней занимается гувернантка. Это еще пятьдесят шиллингов. Затем расходы на одежду и...

— Достаточно, — резко прервала ее миссис Лайл. — Я прекрасно вижу, что ребенку во всем потакают и расходы, о которых ты говоришь, совершенно не оправданные. Я обсужу это сегодня вечером с мистером Лайлом. Девочке восемь лет, правильно?

— Да, мадам.

— Тогда я считаю, что ей не нужно брать уроки танцев дважды в неделю. — Миссис Лайл приподняла брови и тяжело вздохнула, давая понять, что она крайне недовольна. — Ты можешь идти, Мэри.

— Да, мадам.

— Н-но, Мэри, почему я не могу ходить на занятия по два раза в неделю? Одного ведь недостаточно! — По глазам Анны было видно, что она болезненно восприняла эту новость.

— Дорогая, возможно, позже все станет по-прежнему. Но сейчас дядя не может позволить себе такие расходы.

— Но его т-только что назначили на новую должность! И в кухне все твердят о большом бриллиантовом ожерелье, которое он купил тете. Если он делает такие покупки, то почему не может п-потратить десять шиллингов в неделю? — От переживаний Анна стала еще сильнее заикаться и в итоге расплакалась.

— Не надо, дорогая, не плачь. — Мэри обняла девочку. — Монахини всегда учили меня радоваться тому, что имеешь. У тебя по крайней мере будет один урок.

— Н-но этого недостаточно! Недостаточно!

— Что ж, придется больше заниматься дома. Пожалуйста, постарайся не расстраиваться так сильно.

Но Анна была безутешна.

После свадьбы Лоуренс Лайл практически все время отсутствовал. В те редкие моменты, когда он бывал дома, Анна с нетерпением ждала, что он позовет ее в гостиную, и оказывалась крайне разочарована, когда этого не происходило. Наблюдая за девочкой в такие минуты, Мэри чувствовала, что ее сердце разрывается.

— Он меня б-больше не любит. Я ему не нужна. Он любит тетю и делает все, что она ему говорит.

В кухне все были согласны с Анной.

— Она крутит им так, как ей вздумается, — вздыхала миссис Каррадерз. — Я даже не подозревала, что хозяин может быть настолько жестоким, — добавила она. — Бедная девочка! Он почти перестал разговаривать с ней. Мне кажется, он даже не смотрит на нее.

— Наверное, боится за это получить от хозяйки подзатыльник, — заметила Нэнси. — Мне кажется, он боится ее не меньше, чем мы. Она никогда не бывает довольной и все время находит, к чему придраться в моей работе. Я уже думаю о том, чтобы уйти, если это не прекратится. В наши дни женщинам повсюду предлагают работу, и она неплохо оплачивается.

— Я тоже об этом размышляю, — кивнула миссис Каррадерз. — Моя подруга Элси говорит, что в доме на другой стороне площади ищут экономку. Я могу попробовать устроиться туда.

Мэри с тоской прислушивалась к их разговорам. Она знала, что никогда даже помыслить не сможет об уходе.

Прислуга продолжала жить в состоянии постоянного напряжения, зная, что миссис Лайл угодить невозможно, что бы они ни делали и как бы усердно ни старались.

Сначала ушла горничная, потом повар. Дворецкий Смит решил, что ему пора на пенсию. Мэри с Анной старались как можно реже попадаться на глаза хозяйке, занимаясь своими делами тихо и незаметно. Но иногда девочку вызывали в гостиную. Мэри было запрещено заходить вместе с ней, и она взволнованно топталась за дверью, ожидая, пока появится Анна. Чаще всего девочка выходила в слезах. Элизабет Лайл неизменно находила повод придраться к ней: от заикания до развязанного банта в волосах и грязных следов на лестнице — во всем Анна оказывалась виноватой.

— Она н-ненавидит меня, н-ненавидит! — Однажды ночью Анна разрыдалась на плече у Мэри.

— Это не так, дорогая. Просто это ее стиль общения. Со всеми нами.

— Она не очень-то хорошо себя ведет, правда, Мэри?

Мэри не могла не согласиться.

15

Осенью 1927 года, когда Анне было девять лет, Лоуренс Лайл получил новое назначение в Бангкок на постоянную должность британского консула. Элизабет Лайл должна была отправиться к нему через три месяца.

— Что ж, нужно искать положительные моменты в происходящем. По крайней мере нам осталось мучиться с ней всего несколько недель, — сказала миссис Каррадерз. — Если нам повезет, хозяева будут отсутствовать долгие годы.

— А может, она умрет от какой-нибудь редкой болезни и больше никогда не вернется, — усмехнулась Нэнси.

Лоуренс Лайл попрощался с Анной сухо и коротко — жена стояла рядом и внимательно следила за каждым его движением.

Лоуренс обнял супругу:

— Итак, дорогая, увидимся в Бангкоке.

— Да, — кивнула она. — И ни о чем не волнуйся. Не сомневайся, я отдам все необходимые распоряжения и в доме в твое отсутствие все будет в порядке.

Через два дня Мэри попросили спуститься в гостиную.

— Мэри... — Элизабет Лайл изобразила некое подобие улыбки. — Я пригласила тебя, чтобы сообщить: мы больше не нуждаемся в твоих услугах. Я уезжаю к мужу в Бангкок и решила отдать Анну в пансион. Мы с мистером Лайлом пробудем за границей по меньшей мере пять лет, поэтому дом придется закрыть. Держать здесь прислугу в наше отсутствие — лишняя трата денег. Я понимаю, ты занималась воспитанием Анны в течение девяти лет, вам будет тяжело расставаться. Поэтому в качестве компенсации ты получишь месячную оплату. Я отвезу Анну в новую школу в конце недели, а ты должна будешь в этот же день покинуть дом. Я сообщу ей о своем решении завтра. Но думаю, тебе не следует пока говорить ей об увольнении. Нам не нужно, чтобы у девочки началась истерика.

Мэри почувствовала, что у нее зазвенело в ушах.

— Но, мадам, вы ведь позволите мне попрощаться с ней? Я не могу допустить, чтобы она подумала, что я бросаю ее. Пожалуйста, миссис Лайл, то есть... мадам, — умоляла она.

— С Анной все будет в порядке. В конце концов, ты не ее мать. Она будет вместе с девочками своего возраста и социального уровня, — многозначительно добавила хозяйка. — Я уверена, она справится.

— А как она будет проводить каникулы?

— Как многие сироты или те, чьи родители живут за границей, она будет оставаться в пансионе.

— Вы хотите сказать, что школа станет ее новым домом? — Мэри пришла в ужас.

— Если тебе угодно это называть так, то да.

— Можно мне по крайней мере писать ей?

— Учитывая обстоятельства, я запрещаю это. Считаю, что письма от тебя будут расстраивать и волновать девочку.

— Тогда... — Мэри чувствовала, что не должна плакать. — Могу я спросить, куда вы увозите ее?

— Я считаю, тебе лучше этого не знать. Тогда не будет соблазна вступить с ней в контакт. Я позаботилась обо всем, что понадобится ей в новой школе. Тебе остается только пришить метки к одежде и упаковать ее вещи и заодно свои. — Элизабет Лайл встала. — Мэри, ты должна понимать: ребенок, о котором заботимся мы с мистером Лайлом, не может жить среди слуг и воспитываться ими. Девочка должна усвоить хорошие манеры и правила поведения, чтобы стать настоящей леди.

— Да, мадам. — Мэри с трудом дались эти слова.

— Ты можешь идти.

Подойдя к двери, Мэри остановилась.

— А как же уроки танцев? В новой школе преподают балет? Она такая талантливая. Все говорят... И мистер Лайл очень хотел...

— Как супруга мистера Лайла и действующий опекун Анны, пока мой муж находится за границей, я считаю, что лучше разбираюсь в потребностях девочки и желаниях вашего хозяина, — перебила ее Элизабет.

Мэри понимала, что бессмысленно говорить что-либо еще в такой ситуации. Поэтому она повернулась и вышла из комнаты.

Следующие несколько дней прошли в атмосфере всеобщей скорби. Мэри не могла ни словом, ни действием предупредить Анну о своем уходе из Кэдоган-Хауса. Пришивая метки с именем девочки на форму и собирая вещи, которые Анна должна была взять с собой в пансион, она старалась успокоить свою подопечную.

— Я н-не хочу ехать в школу, Мэри. Н-не хочу оставлять тебя и остальных слуг и м-мои уроки танцев.

— Я знаю, дорогая, но дядя и тетя считают, что так будет лучше. И тебе обязательно понравится общаться с другими девочками.

— Зачем они мне, к-когда у меня есть ты и другие мои друзья в этом доме? Я боюсь, Мэри. Пожалуйста, скажи тете, чтобы не заставляла меня ехать туда. Обещаю, я буду хорошо себя вести, — умоляла Анна. — Пожалуйста, попроси ее, чтобы она разрешила мне остаться.

Мэри обняла девочку, а та уткнулась к ней в плечо и горько расплакалась.

— Ты ведь с-скажешь княгине, что я приду на занятия в каникулы? Передай ей, что я постараюсь сама заниматься в школе и не подведу ее.

— Конечно, передам, дорогая.

— И время п-пройдет быстро, правда? Каникулы начнутся очень скоро, и я вернусь с-сюда к тебе.

Мэри старалась сдержать слезы, видя, как девочка, осознавая неизбежность отъезда, старается сама себя успокоить.

— Да, дорогая, очень скоро.

— И ты б-будешь ждать меня здесь, да, Мэри? Чем ты займешься, когда я уеду? — недоумевала Анна. — Тебе, наверное, б-будет ужасно скучно.

— Что ж, может, я возьму себе небольшой отпуск.

— Тогда ты д-должна обязательно вернуться к тому моменту, когда я приеду домой на каникулы, ладно?

— Хорошо, дорогая, обещаю.

В девять утра того дня, когда девочка уезжала в пансион, в дверь Мэри постучали.

— Войдите.

На пороге появилась Анна в новой школьной форме, купленной на вырост. Казалось, худенькая девочка утонула в платье, а ее лицо в форме сердечка было бледным и несчастным.

— Тетя сказала, я д-должна попрощаться с тобой здесь. Она говорит, что не хочет сцен внизу.

Мэри кивнула, подошла к девочке и, сжав ее в объятиях, сказала:

— Веди себя так, чтобы я могла гордиться тобой. Хорошо, дорогая?

— Мэри, я постараюсь, но я очень б-боюсь! — За последнюю неделю Анна стала заикаться гораздо сильнее.

— Я уверена: пройдет всего пара дней и ты будешь в восторге от школы.

— Нет, не б-буду. Я знаю, что там ужасно, — пробормотала девочка, уткнувшись в плечо Мэри. — Пиши мне каждый д-день, ладно?

— Конечно. А теперь... — Мэри осторожно оторвала девочку от себя, посмотрела на нее и улыбнулась. — Теперь тебе пора идти.

Анна кивнула:

— Я знаю. Д-до свидания, Мэри.

— До свидания, дорогая.

Мэри наблюдала за Анной, которая отвернулась от нее и медленно направилась к двери. Остановившись на пороге, девочка помедлила и обернулась:

— Когда меня спросят про маму, я расскажу о тебе. Ты не возражаешь?

— О, Анна! — Мэри больше не могла сдерживать эмоции. — Если ты этого хочешь, я думаю, это будет просто потрясающе!

Анна молча кивнула, ее огромные глаза потемнели от боли.

— И помни, — добавила Мэри, — когда-нибудь ты станешь великой балериной. Не оставляй свою мечту, хорошо?

— Хорошо. — Анна слабо улыбнулась. — Ни за что не оставлю, я обещаю.

Мэри молча смотрела из окна, как Анна вслед за Элизабет Лайл села в автомобиль и он, тронувшись с места, постепенно скрылся из виду. Через два часа она уже упаковала свои вещи и была готова к отъезду. Элизабет Лайл дала Мэри окончательный расчет, и с помощью миссис Каррадерз она сняла комнату в пансионе на Бэрон-Корт всего в нескольких милях от особняка. Ей нужно было время, чтобы собраться с мыслями и решить, что делать дальше.

Мэри была не в состоянии пережить еще несколько расставаний, поэтому оставила на кухонном столе записки для Нэнси и миссис Каррадерз. Взяв чемодан, она открыла заднюю дверь и вышла навстречу неизвестности.

Аврора

Итак, злая мачеха вышвырнула на улицу бедную добрую Мэри. Возможно, она — Золушка в моей истории, простите меня за такую вольную трактовку сказочного образа.

А Анна — маленькая сирота, которой при всех привилегиях в доме очень не хватало любви, в итоге оказалась в пансионе, где должна была сама заботиться о себе.

Обо всем этом Грания узнала из писем Мэри к Бриджет, ее несостоявшейся свекрови. Их Грания не отрываясь читала всю ночь. Позже я поняла, что гордость не позволила Мэри и дальше писать родителям погибшего жениха.

Я знаю, что, прочитав все письма, Грания направилась к матери и попросила рассказать, что же случилось с Мэри дальше. Чтобы не нарушать плавность повествования — видишь, читатель, я все больше совершенствуюсь в писательском ремесле! — я не буду утомлять вас описанием дороги на ферму и подсчетом выпитых чашек чаю за продолжением истории.

Чаепитие было неотъемлемой частью нашей жизни на ферме в Дануорли. Сейчас я почти не пью чай, потому что мне от него становится плохо, впрочем, как и от многого другого.

Я снова отвлеклась. Теперь, как в любой хорошей сказке, бедная принцесса должна обрести счастье — встретить своего принца.

Меня всегда занимало, что происходит после слов «они жили долго и счастливо».

Например, принцесса Аврора из «Спящей красавицы» просыпается через сто лет. Потрясающе! Вы можете такое представить? Формально ей сто шестнадцать лет, а принцу всего восемнадцать. Вот это разница в возрасте! И она еще не знает, что мир за сто лет очень сильно изменился.

Честно говоря, я не стала бы спорить на крупную сумму, что их отношения продлятся долго.

Конечно, вы можете ответить, что это обычное дело для сказок. Но разве испытания, ожидающие принцессу Аврору после пробуждения в новом мире, отличаются от тех, с которыми столкнется Мэри? А если случится так, что она встретит своего принца? Ведь война, особенно такая жестокая, как ей довелось пережить, влечет за собой серьезные изменения и оставляет в душе незаживающие раны.

Что ж, поживем — увидим...

16

Самым тяжелым в новой жизни Мэри было то, что у нее появилось очень много времени на размышления. До сих пор каждый день, который она помнила из двадцати девяти лет жизни, был заполнен заботами о других. Она постоянно выполняла чьи-то поручения. Теперь же ей некого было ублажать, кроме самой себя. Время принадлежало ей одной и казалось бесконечным.

Еще Мэри вдруг осознала, что всю жизнь провела в окружении людей. Она привыкла, что в каждом доме, где она обитала, обязательно имелась общая комната, поэтому часы одиночества в тесной квартирке угнетали ее. Стоило Мэри присесть у тусклого пламени газового камина, и ее тут же одолевали мысли о тех, кого она потеряла: родителях, женихе и маленькой девочке, которую она любила как родную дочь. Возможно, другим бы понравилось просыпаться не от звука колокольчика или резкого стука в дверь, но для Мэри мысль о том, что она никому не нужна, стала очень неприятным открытием.

У нее не было проблем с деньгами. За пятнадцать лет службы у Лайлов ей удалось собрать неплохую сумму, которой с лихвой хватило бы на пять лет беззаботного существования. Она даже вполне могла позволить себе жить в гораздо более комфортных условиях.

Целыми днями Мэри просиживала в Кенсингтон-Гарденс, где наблюдала за знакомыми нянями и их воспитанниками. Как в прежние времена, так и сейчас, они не разговаривали с ней. В ее жизни не осталось никаких привязанностей. Она смотрела на проходивших мимо людей, которые спешили туда, где их ждали.

В самые тяжелые минуты Мэри казалось, что на свете нет ни одного человека, кого волновало бы, есть ли она еще на белом свете. Она чувствовала себя лишней, никому не нужной. Даже Анне, которой она подарила столько любви. Она знала, что девочка в итоге адаптируется и ее жизнь пойдет своим чередом, ведь именно этим сильна юность.

Чтобы убить время и чем-то занять одинокие вечера, Мэри решила полностью обновить гардероб. Она купила швейную машинку «Зингер» и в тусклом свете газовой лампы работала за маленьким столиком у окна, которое выходило на Колет-Гарденс. Когда она шила, то ни о чем не думала, ее успокаивал процесс создания новой вещи практически из ничего. Когда правая рука уставала крутить колесо машины, Мэри делала перерыв и наблюдала за происходящим на улице. Очень часто она видела мужчину, который стоял, прислонившись к фонарному столбу прямо под ее окном. Он выглядел молодо, не старше ее, и проводил на этом месте много времени, глядя в пустоту.

Постепенно Мэри начала ждать его появления — обычно он приходил в шесть часов вечера — и наблюдала за тем, как он стоит у столба, не подозревая, что на него смотрят. Иногда он уходил только перед рассветом.

Присутствие этого мужчины успокаивало Мэри. Он казался ей таким же одиноким, как она сама.

— Бедняга, — шептала она, поджаривая оладьи на газовой плите. — У него проблемы с головой.

Ночи становились длиннее, приближалась зима, а молодой человек по-прежнему приходил к фонарному столбу. Мэри одевалась все теплее — благо она нашла уже много вещей, а незнакомец внизу, казалось, не обращал внимания на усиливающиеся холода.

Однажды в ноябре, возвращаясь домой после встречи с Нэнси за чаем, Мэри прошла мимо, но потом остановилась и оглянулась, чтобы лучше рассмотреть его. Это был высокий молодой человек с приятным лицом. В свете фонаря ей удалось разглядеть бледную кожу, нос с горбинкой, гордый подбородок. Он исхудал до крайнего истощения, но Мэри видела, что если он наберет вес, то станет вполне симпатичным. Она поднялась по ступеням, вставила ключ в замок входной двери и, оказавшись в комнате, тут же подошла к окну, недоумевая, как он может столько времени стоять неподвижно на холоде. Дрожа, Мэри зажгла газ в камине и завернулась в шаль. У нее вдруг возникла идея.

Через неделю она спустилась по лестнице и подошла к молодому человеку, стоявшему на привычном месте возле фонарного столба.

— Вот, возьми. Это согреет тебя, пока ты подпираешь столб. — Мэри протянула ему сверток и ждала ответной реакции. Очень долго незнакомец не замечал ее присутствия и того, что она держала в руках. Она уже собиралась уйти, решив, что он безнадежен, как вдруг он повернул голову и, посмотрев на нее, слабо улыбнулся.

— Это шерстяное пальто. Чтобы ты не замерз, стоя здесь. — Мэри еще раз попыталась заговорить с ним.

— Д-д-для меня? — Его голос звучал так хрипло и напряженно, как будто он очень редко разговаривал.

— Да, — подтвердила Мэри. — Я живу здесь. — Она указала на освещенное окно над ними. — И часто наблюдаю за тобой. Не хочу, чтобы ты умер от пневмонии у меня на пороге, поэтому сшила для тебя вот это.

Потрясенный, он посмотрел на сверток, а потом снова на Мэри:

— Т-ты сделала это для м-меня?

— Да. А теперь, пожалуйста, возьми его. Оно тяжелое, и я буду рада, если ты наденешь его.

— Н-но... У меня с собой нет денег. Я не могу заплатить.

— Это подарок. Меня очень расстраивает, что ты здесь дрожишь от холода, пока я сижу дома в уюте и тепле. Считай, что я оказываю услугу самой себе. Бери, — настаивала она.

— Я... Ты такая д-добрая, мисс...

— Мэри. Меня зовут Мэри.

Дрожащими руками он взял у нее пальто и примерил.

— С-сидит отлично. Как тебе удалось?

— Ну, ты ведь стоял здесь каждый вечер, пока я его шила.

— Это лучший п-подарок, который мне когда-либо д-делали.

Мэри заметила, что хотя молодой человек дрожал от холода, в его речи слышался правильный лондонский акцент, как у Лоуренса Лайла — ее бывшего хозяина.

— Что ж, теперь я смогу спокойно спать, зная, что тебе тепло. Спокойной ночи, сэр.

— С-спокойной ночи, Мэри. И... — Он взглянул на нее, и его глаза выражали такую благодарность, что Мэри чуть не расплакалась. — Спасибо.

— Не за что, — ответила она и торопливо поднялась по ступеням к двери.

Прошло еще две недели, и Мэри уже склонялась к мысли, что единственный шанс избежать одиночества для нее — это вернуться в Ирландию к родителям Шона и навсегда остаться старой девой. Именно в таком настроении она отправилась на Пиккадилли-Серкус выпить чая с Нэнси.

— Глазам своим не верю! Ты шикарно выглядишь! — заметила Нэнси, когда они заказали чай и тосты с маслом. — Откуда у тебя новое пальто? Я видела такое же в журналах, но оно стоит целое состояние. Ты где-то разжилась деньгами?

— Я тоже видела его в журналах и решила сшить себе.

— Ты сама его сшила?

— Да.

— Я знаю, что ты всегда умела держать в руках иголку, но это пальто выглядит так, словно куплено в магазине! — с удовольствием отметила Нэнси. — Ты можешь сшить мне такое же?

— Думаю, что да. Только скажи, какого цвета.

— Может, ярко-красное? Мне пойдет? — Нэнси поправила светлые кудряшки.

— Думаю, будет отлично, — согласилась Мэри. — Только я возьму с тебя деньги за материал.

— Конечно, и за потраченное время. Сколько?

Мэри задумалась.

— Около десяти шиллингов за материал и еще несколько за работу.

— Отлично! — Нэнси захлопала в ладоши. — Сэм пригласил меня на свидание в следующий четверг. И мне кажется, он собирается сделать мне предложение. Ты сможешь сшить пальто за неделю?

— За неделю? Почему бы и нет, — немного поразмыслив, ответила Мэри.

— О, Мэри, спасибо! Ты просто чудо!

Красное пальто — Мэри потом будет часто вспоминать его — ознаменовало поворотный момент в ее жизни. Нэнси похвасталась им перед подругами, и вскоре у двери девушки уже выстроилась очередь желающих иметь такое же. Даже Шейла — соседка Мэри, которая работала в одном из дорогих универмагов недалеко от Пиккадилли, на улице обратила внимание на ее пальто и заказала себе такое же. Как-то вечером она зашла на примерку, и потом они долго сидели и разговаривали за чашкой чаю.

— Мэри, ты должна открыть ателье. У тебя настоящий талант!

— Спасибо. Но разве правильно делать деньги на том, от чего получаешь удовольствие?

— Конечно, почему нет? Множество моих подруг готовы будут заплатить тебе за модные вещи. Мы ведь все знаем, как дорого они стоят в магазинах.

— Да.

Мэри выглянула из окна и увидела молодого человека, который снова стоял у фонарного столба, кутаясь в черное шерстяное пальто.

— Ты не знаешь, кто это?

Шейла подошла к окну и посмотрела вниз.

— Хозяин моей квартиры рассказывал, что здесь перед войной жила девушка этого парня. Она училась на медсестру в больнице Святого Фомы. Ее насмерть затоптала взбесившаяся лошадь у реки Соммы, а он вернулся с контузией, бедняжка. — Шейла вздохнула. — Если бы у меня был выбор, я бы предпочла ее судьбу. По крайней мере она больше не страдает. А вот он переживает весь этот ужас день за днем.

— У него есть дом?

— Он вроде бы из очень состоятельной семьи. И живет с крестной поблизости, в Кенсингтоне. Она взяла его к себе, когда родители отказались от него. Бедный, какое будущее его ждет?

— Даже не представляю, — вздохнула Мэри, чувствуя себя виноватой из-за того, что испытывала жалость к себе последние несколько недель. — Должно быть, он приходит сюда в поисках успокоения. А наша жизнь такова, что мы должны получать его там, где можем найти.

Прошло уже три с половиной месяца, с тех пор как Мэри переехала на улицу Колет-Гарденс. Ее дни теперь были заняты клиентами и работой над заказами. Она шила пальто, блузки, юбки, платья и уже подумывала нанять помощника и переехать в большую квартиру, где одну комнату можно было бы выделить для работы. Но несмотря на то что Мэри теперь была занята, ее ручка часто зависала над листом бумаги — ей хотелось написать письмо любимой Анне. Рассказать о том, что она покинула ее не по своей воле, что продолжает любить больше жизни и вспоминает каждый день. Но Мэри знала: ради самой девочки ей стоит хранить молчание.

Время больше не утекало сквозь пальцы, словно вода, но сердце Мэри онемело и закрылось, потому что рядом не было никого, кому она могла бы дарить любовь. И все же, как только она начинала жалеть себя, ей достаточно было выглянуть в окно и увидеть несчастного молодого человека у фонарного столба, чтобы успокоиться.

Приближалось Рождество, и клиентам хотелось, чтобы их наряды были готовы заранее, так что у Мэри даже не было времени задуматься, как она проведет праздничные дни без Анны. Нэнси пригласила Мэри на Рождество в Кэдоган-Хаус.

— Это последнее Рождество в Большом Доме для слуг, — сказала она. — Нас предупредили, что через месяц, в январе, когда дом закроют, мы все будем уволены. Я уверена, эта чванливая корова выгнала бы нас на улицу перед Рождеством, если бы могла, но, к счастью, не все дела завершены.

— Она уже уехала в Бангкок? — поинтересовалась Мэри.

— Да, в прошлом месяце. Какой же праздник мы устроили в кухне! Как бы там ни было, мы с Сэмом нашли отличную работу в районе Белгравия. Его взяли дворецким, а меня экономкой. И я не буду жалеть о том, что больше никогда не переступлю порог кухни Кэдоган-Хауса. Мне только очень жаль бедную девочку. Она ведь надеется приехать на Рождество домой. В такой ситуации начинаешь задумываться: как женщины могут быть настолько жестоки? Правда, Мэри? А мужчины настолько слепы, что влюбляются в них, — добавила Нэнси.

В сочельник Мэри работала всю ночь, стараясь не подвести заказчиков. В четыре часа следующего дня, когда все клиенты разошлись, она без сил опустилась в кресло у огня. Ее разбудил осторожный стук в дверь.

— Да?

— Это Шейла, твоя соседка. К тебе посетительница.

Мэри поднялась с кресла и подошла к двери. Увидев бледную взволнованную гостью, стоящую рядом с Шейлой, она не могла поверить своим глазам.

— Мэри! — Анна бросилась ей на шею и обняла так крепко, что едва не задушила.

— Святые угодники! Анна, что ты здесь делаешь? Как ты меня нашла?

— Так ты ее знаешь? — улыбнулась Шейла. — Она сидела у тебя под дверью, как беспризорница.

— Конечно же, знаю! Это моя Анна! Да, дорогая? — Глаза Мэри наполнились слезами, когда она посмотрела на обожаемое лицо воспитанницы.

— Что ж, тогда я оставляю ее здесь. Похоже, ты получила подарок на Рождество, Мэри, — сказала Шейла.

— Так и есть.

Мэри с улыбкой закрыла дверь, подвела Анну к стулу и усадила.

— А теперь рассказывай, что ты здесь делаешь? Я считала, что ты сейчас в пансионе.

— Я и б-была... То есть... — Анна решительно сжала губы. — Я убежала и б-больше никогда и ни за что не вернусь туда.

— Постой, Анна, дорогая, не говори глупостей. Это ведь несерьезно?

— Серьезно, я не шучу. И если ты попробуешь заставить меня вернуться, я снова убегу. Д-директриса ужасная, д-девчонки противные. Они заставляют меня б-бегать и играть в лакросс, а это вредно для моих коленей. И вообще игра отвратительная. О, Мэри! — Анна обхватила голову руками. — Мне б-было так плохо! Я ждала Рождества, надеялась увидеть тебя и всех остальных в Кэдоган-Хаусе. И тут меня вызывает директриса и г-говорит, что я не поеду домой. Тетя отправилась в Бангкок к дяде, а дом закрывают. Мэри, пожалуйста, не заставляй меня возвращаться в эту ужасную школу. П-прошу тебя!

В этот момент последние силы оставили Анну, и она разрыдалась.

Мэри усадила девочку на колени, и Анна, уткнувшись ей в грудь, рассказала ужасную историю своего одиночества и горя.

Когда девочка успокоилась, Мэри мягко обратилась к ней:

— Анна, мы должны как можно скорее сообщить директрисе, что с тобой все в порядке. Я не удивлюсь, если тебя уже разыскивает половина полицейских всей страны.

— Я убежала т-только сегодня утром, — призналась Анна, — а миссис Г-Грикс, директриса, уехала на Рождество к сестре в Джерси. Она оставила меня с сестрой-хозяйкой, которая пьет столько джина, что постоянно видит двух девушек вместо меня одной.

Мэри не смогла удержаться — слова Анны вызвали у нее улыбку.

— Что ж, значит, мы должны поставить в известность сестру-хозяйку. Мы ведь не хотим никому доставлять беспокойства, правда? Что бы мы ни чувствовали, Анна, так нельзя себя вести.

— Если ты обещаешь не г-говорить, где я нахожусь. Они наверняка приедут за мной, а я не хочу возвращаться. Я скорее умру.

Мэри видела, что девочка очень устала и нет никакого смысла спорить с ней этим вечером.

— Я только скажу, что ты в безопасности в Кэдоган-Хаусе и мы свяжемся с ней после Рождества. Согласна?

С этим предложением Анна смирилась и кивнула, хотя и с неохотой.

— А теперь, мне кажется, тебе не помешает принять ванну. Это не совсем то, к чему ты привыкла дома, но по крайней мере ты вымоешься.

Мэри отвела Анну по коридору в общую ванную комнату и наполнила ванну водой. Отмывая девочку, она поинтересовалась, как ей удалось добраться до Лондона, а потом найти дорогу к ней.

— Это было несложно, — объяснила Анна. — Я знала, где станция, потому что мы как-то ездили в Лондон в собор Святого Павла. Я убежала из школы и пошла пешком. Потом села в поезд и добралась до большого вокзала, который называется Ватерлоо. Я села на автобус до Слоун-сквер и прошла до особняка. А там миссис Каррадерз усадила меня в такси и назвала твой адрес.

— Но, Анна, тебе ведь сказали, что в доме никого нет. Что бы ты делала, окажись он закрыт? — Мэри помогла девочке выбраться из ванны и завернула ее в полотенце.

— Я не п-подумала об этом, — призналась она. — Но знаю, что щеколда на кухонном окне сломана, так что я могла бы легко открыть его и забраться внутрь. Но миссис Каррадерз оказалась дома и рассказала, как найти т-тебя.

Мэри была обеспокоена поступком Анны, но все равно смотрела на нее с обожанием. Маленькая девочка, которая уехала четыре месяца назад, выросла и продемонстрировала находчивость и силу духа, о которых Мэри прежде даже не подозревала.

— А теперь, — сказала она, возвращаясь с Анной по коридору в свою комнату, — я положу тебя в кровать, а сама спущусь вниз и спрошу у хозяина, можно ли воспользоваться его телефоном. Я позвоню миссис Каррадерз в Кэдоган-Хаус и попрошу немедленно сообщить в школу, что с тобой все в порядке! — Мэри заметила, как Анна разволновалась. — Нет, мы не скажем ей, что ты здесь, со мной. Кроме того... — Мэри старалась успокоить не только девочку, но и себя. — Мы пойдем туда завтра на рождественский ужин.

Лицо Анны заметно прояснилось.

— Правда? Как з-здорово! Я так соскучилась по всем.

Она тут же упала на подушку, и ее глаза начали закрываться.

— Спи, дорогая. Завтра утром, когда мы проснемся, наступит Рождество.

17

В особняке все срочно готовили небольшие подарки для Анны. На следующий день девочку с радостью и любовью приветствовали шесть оставшихся на месте слуг. Миссис Каррадерз, по своему обыкновению, приготовила для всех рождественский ужин. После того как Анна открыла подарки, они сели за стол в кухне, чтобы отведать гуся с разными гарнирами. В конце ужина Нэнси поднялась из-за стола и с гордостью продемонстрировала кольцо с блестящим камнем на безымянном пальце левой руки.

— Я хочу сообщить, что мы с Сэмом решили пожениться.

Эта новость стала поводом поднять бокалы. Сэма отправили в подвал за бутылкой портвейна, которым решили отметить помолвку. После того как все вопросы о предстоящей свадьбе были заданы, сияющая Нэнси предложила перейти в гостиную и поиграть в шарады.

— Д-да, давайте, — захлопала в ладоши Анна. — Я люблю шарады. Пойдемте!

Они поднимались по лестнице, когда Мэри спросила:

— Вы действительно считаете, что мы можем играть в шарады в хозяйской гостиной?

— А кто нас остановит? — фыркнула миссис Каррадерз, выпившая изрядное количество джина и портвейна. — Кроме того, с нами молодая хозяйка. Она нас и пригласила, так ведь, Анна?

В восемь вечера уставшая и довольная компания спустилась в кухню.

Миссис Каррадерз повернулась к Мэри:

— Вы с Анной останетесь на ночь?

— Я даже не задумывалась об этом, — честно ответила Мэри.

— Почему бы тебе не уложить девочку в ее прежней комнате? А потом приходи в кухню, поговорим. А я пока заварю чай покрепче.

Мэри согласилась и отвела уставшую Анну наверх, в ее спальню.

— О, сегодня был т-такой замечательный день! Это лучшее Рождество в моей жизни! — вздыхала радостная Анна, пока Мэри укладывала ее.

— Я очень рада за тебя, дорогая. Все прошло намного лучше, чем я предполагала. Спокойной ночи, сладких тебе снов.

— Спокойной ночи. Мэри?

— Да, дорогая?

— Ты, и Нэнси, и Сэм, и миссис Каррадерз... Вы ведь моя семья, правда?

— Хотелось бы так думать, дорогая. Я бы не возражала, — мягко ответила Мэри, выходя из комнаты.

— Ну и что мы будем делать с нашей юной мисс, которая спит наверху? — поинтересовалась экономка, когда Мэри устроилась за кухонным столом и попробовала чай.

— Не имею представления, — вздохнула она.

— Мы обязаны отправить телеграмму мистеру и миссис Лайл о том, что Анна вернулась в Кэдоган-Хаус.

— Да, конечно, — согласилась Мэри. — Но я обещала Анне, что ей не придется возвращаться в ту школу. Боюсь, если мы отправим ее обратно, она снова убежит.

— Ты права, — кивнула миссис Каррадерз. — Что, если мы свяжемся с хозяином и расскажем ему, как плохо Анне в школе? Возможно, он предложит что-нибудь.

— Но как сделать это в обход хозяйки? — недоумевала Мэри.

— Будем надеяться, что нам повезет и мы сумеем поговорить с мистером Лайлом. Ты можешь отправить телеграмму ему лично?

— Даже если миссис Лайл не перехватит ее, она так или иначе все узнает и будет настаивать, чтобы Анна как можно скорее вернулась в пансион.

— Что ж, признаюсь, я не представляю, как решить эту проблему, — вздохнула экономка. — Несчастную девочку покинул тот самый человек, который обещал защищать ее. И мне ужасно неприятно быть свидетелем этих событий.

— Мне тоже. Но я не могу подвести ее. — Мэри сделала еще глоток чаю и медленно выдохнула. — Анна рассказывала, что девочки обижают ее, а учителя делают вид, будто ничего не замечают. Все в курсе, что она сирота, и еще ее дразнят из-за заикания. Как ей помочь? — недоумевала Мэри.

— Сейчас, дорогая, я не могу ответить на твой вопрос. Но я тоже люблю Анну и меньше всего хочу, чтобы она страдала. Знаешь что, давай хорошенько выспимся, а завтра утром на свежую голову подумаем, что делать.

— Я готова на все, чтобы защитить ее. Вы ведь это знаете?

— Да, Мэри, знаю.

Мэри так и не смогла заснуть той ночью. Она расхаживала по комнате, стараясь придумать лучший способ оградить Анну от страданий. Если бы только она могла забрать ее с собой... Но девочка, что бы ей ни говорили ее инстинкты и чувства, не принадлежала ей.

Или все-таки?..

В шесть утра следующим утром Мэри уже была в кухне. К ней присоединилась зевающая миссис Каррадерз. Они заварили чай и снова уселась за стол.

— Я тут подумала...

— Я и не сомневалась, что ты всю ночь будешь ломать голову. Я тоже не спала, но так ничего и не смогла придумать.

— Возможно, я могу кое-что предложить, но мне необходимо уточнить у вас некоторые детали.

Сорок минут спустя они пили уже по третьей чашке чаю.

Ладони миссис Каррадерз вспотели от напряжения.

— Мэри, надеюсь, ты понимаешь, насколько это рискованно. И я просто обязана тебя предупредить: это преступление. Если что-то пойдет не так, ты окажешься в тюрьме.

— Я знаю, миссис Ка, но это единственный способ защитить Анну. И я вынуждена довериться вам. Надеюсь, вы никогда никому не расскажете, что были в курсе моих планов.

— Дорогая, ты ведь знаешь, что можешь рассчитывать на меня. Я люблю малышку не меньше, чем ты.

— Еще один вопрос... Когда хозяин впервые привез Анну домой, он упоминал о ее свидетельстве о рождении?

— Нет, ни разу, — сказала экономка.

— А было у него с собой хоть что-нибудь, доказывающее, кто она и откуда?

— Помнится, я что-то говорила тогда про чемодан, который мистер Лайл привез с собой. Он сказал, его передала мать девочки, а мы должны хранить его, пока она не приедет за ребенком.

— И где этот чемодан сейчас?

— Думаю, по-прежнему на чердаке. Ее мать ведь так и не появилась. — Миссис Каррадерз пожала плечами.

— Как вы считаете, я могу проверить, на месте ли он? — поинтересовалась Мэри.

— Если он поможет нам хоть что-то узнать о ее прошлом, я не вижу в этом ничего плохого. Могу попросить Сэма подняться на чердак и поискать чемодан.

— Если вам не сложно, миссис Ка. А пока, как мы договаривались, вы не могли бы поискать образцы почерка и подписи миссис Лайл? Все, что вам удастся найти. И лист бумаги с ее инициалами, чтобы я могла написать письмо.

— Мэри, ты очень серьезно настроена, не так ли? Что ж, — вздохнула миссис Каррадерз, — пойду принесу ее драгоценную бухгалтерскую книгу. Ту, которую она забрала, чтобы вести лично, потому что я делала это небрежно.

Ближе к вечеру Мэри с Анной вернулись домой. Когда девочка уснула, Мэри села к столу и на обрезках бумаги принялась писать черновик письма, стараясь имитировать почерк миссис Лайл. Она благодарила Бога за то, что в детстве провела немало часов за копированием текста из Священного Писания. Изучая бухгалтерскую книгу, Мэри заметила, что еще до отъезда в Бангкок миссис Лайл оплатила пребывание Мэри в пансионе в следующей четверти.

Наконец она почувствовала себя уверенно и, взяв перьевую ручку, которую миссис Каррадерз принесла со стола Элизабет Лайл, начала писать.

* * *

Тремя днями позже, вернувшись из Джерси, где она проводила каникулы у сестры, Дорин Грикс, директриса пансиона, в котором училась Анна, села за стол и принялась разбирать почту.

Кэдоган-Хаус,

Кэдоган-плейс,

Лондон, СВ 1

26 декабря 1928 года

Уважаемая миссис Грикс!

В связи со смертью одного из родственников я была вынуждена перенести отъезд в Бангкок и планирую уехать после Рождества. Неожиданно на пороге моего дома я увидела Анну, опекуном которой я являюсь. Девочка тяжело переживает разлуку с нами, поэтому мы приняли решение взять ее с собой в Бангкок. Она будет учиться там. Я понимаю, что, поскольку оплата за следующую четверть уже внесена, эта сумма останется у вас, и не буду поднимать данный вопрос. Всю корреспонденцию для меня можете отправлять на мой лондонский адрес на имя Дж. Каррадерз, моей экономки, которая будет пересылать мне письма в Бангкок.

Искренне ваша,

Элизабет Лайл.

Дорин Грикс ничуть не расстроило это письмо. Анна Лайл казалась ей странной девочкой, которая так и не смогла вписаться в школьную жизнь. Кроме того, за ней нужно было присматривать во время каникул.

Посчитав вопрос закрытым, директриса убрала письмо в ящик письменного стола.

Несколько дней спустя, когда все слуги из Кэдоган-Хауса, кроме миссис Каррадерз, уже перешли на новые места, Мэри оставила Анну с Шейлой и отправилась побеседовать в пансион. Девочке она сказала, что едет в Кент на встречу с миссис Грикс и собирается сообщить ей, что Анна туда больше не вернется.

Мэри нашла миссис Каррадерз наверху, где та укладывала в сундуки постельные принадлежности.

— Я пришла попрощаться, — сказала Мэри.

Вытерев пот со лба, экономка поднялась на ноги.

— Значит, ты все же решилась сделать это?

Мэри кивнула:

— Да, я не вижу другого выхода.

— Да... Надеюсь, ты осознаешь, какой это риск. Анна знает, что никогда не сможет вернуться сюда?

— Нет, не знает, — волнуясь, ответила Мэри. — Вы считаете, я совершаю ошибку?

— Мэри, в жизни иногда бывают моменты, когда мы должны прислушаться к голосу сердца. И... В общем, я очень сожалею, что однажды в юности не сделала этого. — Миссис Каррадерз посмотрела в окно, и ее лицо внезапно исказилось от печальных воспоминаний. — У меня был мужчина, ну, ты понимаешь... И я родила ребенка. Его отец исчез, мне нужно было работать, и поэтому я отдала малыша в приемную семью. Теперь я каждый день сожалею об этом.

— О, миссис Ка, мне очень жаль. Я не знала...

— Нет, конечно. Ты не могла знать, ведь я никогда не рассказывала об этом, — быстро произнесла она. — Но я вижу, ты любишь Анну, как будто она и в самом деле твоя дочь. Считаю, что ты действуешь в ее интересах. Но вряд ли так лучше для тебя. Если обман раскроется...

Мэри мужественно кивнула:

— Понимаю.

— Ты ведь знаешь, что я никогда не выдам тебя, правда, дорогая?

— Да, знаю.

— И ты должна понимать, что мы не сможем видеться, если ты осуществишь задуманное. Иначе я окажусь сообщницей в деле о краже ребенка, а я не горю желанием провести последние годы жизни в тюрьме.

— Да, — сказала Мэри, — я все понимаю. — И, поддавшись порыву, крепко обняла миссис Каррадерз.

— Не нужно благодарить меня, а то я расплачусь. Тебе, наверное, уже пора идти.

— Да.

— Удачи! — крикнула миссис Каррадерз, когда Мэри подошла к двери.

Девушка кивнула и вышла из дома, недоумевая, почему на ее долю выпало так много тяжелых расставаний.

Миссис Каррадерз вернулась в дом и уже собралась заваривать чай, как вдруг ее взгляд упал на небольшой коричневый чемодан, который стоял в прихожей у задней двери. Она вышла на улицу, но увидела, что дорожка пуста — Мэри не было.

— Что ж, слишком поздно, — пробормотала экономка и, подняв чемодан, понесла его обратно на чердак.

Через два часа Мэри уже была на станции Танбридж-Уэллс. Она вышла из поезда и спросила, где находится ближайшее почтовое отделение, — оно оказалось очень близко. Мэри вошла и терпеливо встала в очередь, хотя сердце неистово колотилось. Подойдя наконец к стойке, она обратилась к служащей почты, стараясь изо всех сил имитировать лондонский акцент:

— Я хочу отправить телеграмму в Бангкок. Вот адрес и текст.

— Хорошо, мисс, — ответила девушка, сверяясь с расценками. — Это будет стоить шесть шиллингов и шесть пенсов.

— Спасибо. — Мэри отсчитала требуемую сумму и передала ее девушке. — А когда ее получат в Бангкоке?

— Самое позднее сегодня вечером. Мы отправляем все телеграммы к концу рабочего дня.

— Когда может прийти ответ?

Девушка удивленно посмотрела на Мэри:

— Когда получатель решит его отправить. Приходите завтра днем. Возможно, для вас уже что-то будет.

Мэри кивнула:

— Спасибо.

Она провела ночь в маленькой гостинице в центре города. В стоимость входил завтрак, но Мэри не рискнула выходить из номера. Есть ей не хотелось, и, кроме того, она старалась, чтобы ее видело как можно меньше людей. Все эти долгие часы она размышляла над тем, что сделала, иногда сомневаясь, может ли человек в здравом уме решиться на такое.

В той телеграмме она убила ребенка, которого так любила. Или по меньшей мере лишила девочку возможности и дальше жить в богатой семье.

Но интуиция подсказывала Мэри, что у Анны практически нет шансов вернуть внимание опекуна, когда-то поклявшегося защищать ее. Кроме того, Лайлы могли вернуться в Англию только через пять лет. И если бы Мэри не решилась действовать, Анна провела бы эти годы — лучшие годы детства — брошенной и забытой всеми, в школе, которую она ненавидела. И все предпринятые Мэри усилия, как и риск быть пойманной и наказанной, стоили того, чтобы помочь девочке. Когда на следующий день Мэри шла к почте, сердце так и колотилось у нее в груди. Она понимала: весь ее план основывался на предположении, что внезапное исчезновение Анны из жизни Лайлов станет для них скорее облегчением, чем горем.

Элизабет Лайл с телеграммой в руке вошла в кабинет мужа. Перед дверью она придала лицу соответствующее моменту выражение потрясения и горя.

— Дорогой, я... — Она подошла к мужу. — К сожалению, у меня очень печальные новости.

Лоуренс Лайл, совершенно измученный очередной жаркой тропической ночью, взял телеграмму, которую Элизабет протягивала ему. Молча прочитав текст, он уронил голову на руки.

— Я знаю, дорогой, знаю... — Стараясь успокоить мужа, Элизабет положила руку ему на плечо. — Это ужасная трагедия!

— Моя Анна! Бедная малышка! — От горя и чувства вины он разрыдался. — Я должен немедленно вернуться домой. Заняться организацией похорон...

Элизабет молча обняла плачущего мужа.

— Я предал ее, Элизабет. Я обещал ее матери, что позабочусь о ней. Какой же ошибкой было оставить ее в Англии! Мы должны были взять ее с собой.

— Мой дорогой, я всегда подозревала, что у Анны очень слабое здоровье. Такая бледная, худенькая девочка, и она так заикалась! И как назло в школе была эпидемия гриппа, оказавшегося для нее смертельным! Но, учитывая ее состояние, вполне вероятно, что она могла погибнуть от любой тропической болезни, если бы мы привезли ее сюда.

— По крайней мере она была бы с теми, кто любит ее. А не в одиночестве в Богом забытой школе, — простонал Лоуренс.

— Дорогой, уверяю тебя, я никогда бы не оставила твою подопечную в этом пансионе, если бы не была уверена, что о ней будут хорошо заботиться, — с упреком произнесла Элизабет. — Директриса в телеграмме пишет, что ей очень нравилась Анна.

— Элизабет, прости меня, — поспешно сказал Лоуренс. — Я вовсе не имел в виду, что в происшедшем может быть твоя вина. Нет, — покачал головой он, — во всем виноват я. И теперь Анна мертва. Боюсь, я не перенесу этого. Мне нужно отплыть в Англию как можно скорее. Самое малое, что я теперь могу сделать, — это организовать ее погребение и присутствовать на нем. Быть с ней после смерти, раз я покинул ее в жизни.

— Послушай, дорогой, ты не должен казнить себя. Никто на твоем месте не сделал бы так много для этой девочки.

Ты увез ее от опасности, дал дом, заботу и любовь и целых десять лет относился к ней, как к родной дочери. — Элизабет встала на колени рядом с креслом мужа и взяла его за руки. — Лоуренс, ты должен понимать, что не можешь поехать на похороны Анны. Их невозможно отложить на шесть недель, а быстрее ты до Англии не доберешься. Девочка заслуживает того, чтобы ее душа как можно скорее упокоилась с миром по христианскому обряду. Директриса готова взять на себя организацию похорон. И ради Анны мы должны принять ее помощь.

В конце концов Лоуренс кивнул с грустью:

— Ты, конечно же, права.

— Не беспокойся, я отправлю ответ сама, — нежно произнесла Элизабет. — Может, у тебя есть какие-то пожелания, где лучше похоронить Анну. Я бы написала об этом. Директриса предлагает кладбище рядом с местной церковью. Если только у нас не будет других соображений на этот счет.

Лоуренс со вздохом выглянул в окно.

— Я ведь даже не знаю, какого она вероисповедания. В свое время я не подумал спросить об этом. Я очень многого тогда не узнал... так что пусть будет так, как предлагает эта женщина, — в оцепенении произнес он.

— Я немедленно отвечу ей, поблагодарю за доброту и попрошу сделать все необходимое.

— Спасибо, дорогая.

— И, Лоуренс, я должна тебе еще кое-что сказать. — Элизабет помедлила немного, принимая решение. — Я хотела сообщить тебе чуть позже, но, возможно, при сложившихся обстоятельствах это поможет облегчить... — Она поднялась на ноги. — Мой дорогой, через семь месяцев у нас будет свой ребенок.

Лоуренс уставился на жену — он только что горевал, а теперь пришла пора радоваться. Он всем сердцем желал, чтобы это произошло.

— Боже, какая замечательная новость! Ты уверена?

— Конечно.

Он встал и обнял ее:

— Прости, пожалуйста. Меня переполняют эмоции. Столько всего нужно осознать!

— Понимаю, дорогой. Но я надеялась, что это сможет облегчить горечь утраты.

— Да, да, — бормотал Лоуренс, поглаживая жену по волосам. — Может, если у нас родится девочка, мы назовем ее Анной в память о ребенке, которого только что потеряли?

— Конечно, дорогой. — Элизабет натянуто улыбнулась. — Если ты этого хочешь.

Служащая почты протянула Мэри телеграмму. С дрожащими руками она вышла на улицу и села на ближайшую скамейку, чтобы прочитать текст. От этого ответа зависело все.

Дорогая миссис Грикс тчк

Мы крайне огорчены известием о скоропостижной кончине Анны тчк К сожалению запт мы не имеем возможности вернуться в Англию и очень благодарны вам за помощь в организации похорон тчк Мы принимаем ваше предложение и просим проинформировать нас о расходах тчк Мы признательны вам за доброту и внимание в отношении Анны тчк Элизабет Лайл тчк

Мэри тихонько вскрикнула от облегчения. Хотя она и сомневалась, что Лоуренс и Элизабет решатся сесть на борт корабля и отправиться в Англию, такую возможность все же нельзя было исключать. Мэри достала карандаш и набросала ответ на обратной стороне телеграммы. Оставалось еще несколько нерешенных вопросов, с которыми следовало разобраться. Из книг о Шерлоке Холмсе, которые всегда с удовольствием читала, Мэри знала, что при подобных обстоятельствах очень важно уделить внимание мелочам. Через десять минут она уже была на почте и протягивала ответ девушке за стойкой.

— Я вернусь за ответом через несколько дней, — сказала она, пересчитав деньги, и протянула необходимую сумму.

— Если это удобно, мы можем доставить телеграмму к вам домой, — предложила девушка.

— Я... переезжаю и не могу сейчас точно назвать адрес, — быстро нашлась Мэри. — Кроме того, мне не сложно прийти самой.

— Как хотите. — Девушка пожала плечами и переключилась на следующего посетителя.

Мэри вышла из здания и собралась с духом, готовясь к новой жизни со своей любимой Анной.

Элизабет Лайл принесла ответ на телеграмму в кабинет мужа.

— Миссис Грикс организует все, что необходимо. Она пишет, что ей не нужны деньги на похороны, раз мы оплатили следующую четверть. Оставшуюся сумму она перешлет нам. Похороны состоятся в течение недели, после чего она сообщит точное место погребения, чтобы мы могли прийти на могилу после возвращения в Англию. Свидетельство о смерти Анны она отправит в Кэдоган-Хаус.

— Свидетельство о смерти... Бедная девочка, я... — Лоуренс заметил, что его жена пошатнулась, и бросился к ней. — Моя дорогая, я понимаю, как тебе тяжело. Особенно в твоем положении. — Он усадил жену на стул и взял ее за руки. — Чему быть, того не миновать, и, как ты правильно заметила, я сделал для нее все возможное. Мне нужно жить дальше и не огорчать тебя постоянными разговорами об Анне. И... — он показал на живот жены, — думать о жизни, а не о смерти.

18

— Анна, дорогая, — обратилась Мэри к девочке, когда они вдвоем поджаривали лепешки в газовом камине, — я виделась с директрисой и сказала ей, что ты не вернешься в школу.

Лицо девочки засветилось от радости.

— О, Мэри! Это просто з-замечательно! — воскликнула она и тут же нахмурилась. — А ты сообщила об этом дяде и тете?

— Да, они не возражают. — Мэри набрала полную грудь воздуха. Она ненавидела себя за ложь, но Анна никогда не должна была узнать о том, что она сделала.

— Вот видишь! Я же говорила, что дядя не будет настаивать, когда поймет, насколько мне там плохо. И когда мы с-сможем вернуться в Кэдоган-Хаус? — Анна откусила кусок лепешки с маслом, которую Мэри протянула ей.

— Дорогая, здесь вот какое дело. Ты ведь знаешь, что дядя и тетя закрывают дом на время пребывания в Бангкоке. Они любят тебя, но все же считают расточительством оставлять маленькую девочку одну в таком большом доме. Ты меня понимаешь?

— Да, конечно. И г-где же я теперь буду жить?

— Они предлагают тебе остаться здесь, со мной, если ты не возражаешь.

Анна обвела взглядом маленькую комнату. По ее глазам сразу стало ясно, что она привыкла жить в лучших условиях.

— Ты хочешь сказать, я останусь з-здесь навсегда?

— Знаешь, Шейла — моя подруга и соседка — выходит замуж в следующем месяце и освобождает квартиру. Ее хозяин предложил нам переехать, если мы пожелаем. Там две спальни, гостиная, кухня и отдельная ванная комната. Мне кажется, стоит взглянуть на нее.

— Хорошо, — согласилась Анна. — Это значит, что мы не б-бросим этого страдальца, который стоит у столба на улице.

Мэри взглянула на девочку:

— Так ты его заметила?

— Да. — Анна кивнула. — Я г-говорила с ним. Он показался мне несчастным и брошенным. Стоит все время совсем один.

— Ты с ним разговаривала?

— Да, — снова кивнула девочка, с удовольствием пережевывая лепешку.

— И он тебе ответил?

— Сказал, что становится все холоднее. — Анна вытерла масло с губ. — У него есть дом?

— Да, дорогая.

— Значит, он не сирота, как я?

— Нет.

— А когда я пойду в школу? — Анна вернулась к теме разговора.

— Думаю, мы сделаем так, как было раньше. Ты будешь учиться дома. Это разумно, если ты хочешь снова заниматься балетом. — Мэри знала, чем ее соблазнить. — Тебе придется пропускать вторую половину дня, и неизвестно, как к этому отнесутся в школе. Но конечно, решать тебе.

— Можно мне в-вернуться к княгине Астафьевой? — спросила Анна. — Она отличный преподаватель.

— К сожалению, княгине сейчас нездоровится, но я навела справки и нашла отличного учителя всего в пяти минутах ходьбы от нашего дома. Его зовут Николай Легат, и он был партнером Анны Павловой, — с воодушевлением произнесла Мэри.

— Самой Анны Павловой! — У девочки округлились глаза от этой новости. — С-самой великой балерины на свете!

— Да. Так что, я думаю, в ближайшие дни мы сходим к нему в студию и выясним, возьмет ли он тебя. Что ты об этом думаешь?

— О, Мэри! — Анна захлопала в ладоши. — Две недели назад я даже представить не могла, что когда-нибудь буду танцевать снова! — Она бросилась к Мэри и обняла ее. — А ты, словно ангел-хранитель, появилась и спасла меня.

— Дорогая, ты ведь знала, что я никогда не дам тебя в обиду.

— Ты не писала мне в школу. — Анна закусила губу. — И я думала, что ты оставила меня.

— Понимаешь, все считали, что будет лучше не беспокоить тебя, пока ты окончательно не освоишься.

Анна внимательно посмотрела на нее:

— Ты хочешь с-сказать, что это тетя не разрешила писать мне?

— Да, но только ради твоего же блага.

— Мэри, ты так добра ко всем, но мы ведь обе знаем, что тетя ненавидела меня. — Анна поцеловала ее в щеку. — И кем бы ты мне ни приходилась, я считаю, что ни у кого в мире нет матери лучше, чем ты.

Глаза Мэри наполнились слезами, когда она подумала, сказала бы Анна эти слова, знай она правду о том, что произошло.

— Хорошо, дорогая, успокойся. Но если ты останешься со мной на ближайшие несколько лет, будет лучше, если ты возьмешь мою фамилию.

— Поскольку у меня, похоже, нет никакой фамилии, было бы здорово, если бы нас звали одинаково, — согласилась Анна.

— Ты ведь знаешь, что монахини назвали меня Бенедикт, так что у меня тоже нет настоящей фамилии. Мы обе могли бы начать с чистого листа и придумать себе фамилию, — улыбнулась Мэри.

— Мы и в самом деле можем это сделать?

— Почему бы и нет?

— Как здорово! Можно, я п-придумаю?

— Конечно. Главное, не бери фамилию какой-нибудь русской балерины, которую никто не сможет произнести.

Как всегда, когда Анна думала, она сунула в рот указательный палец и принялась его грызть.

— З-знаю!

— Да, дорогая?

— Я вспомнила мою любимую музыку — «Умирающего лебедя». И меня зовут Анна, как Анну Павлову. Поэтому мне бы хотелось, чтобы наша фамилия была Суон*.

— Суон... — Мэри прислушалась к тому, как звучит слово, и повернулась к Анне. — Мне нравится.

---

* От *англ.* Swan — лебедь.

* * *

Через день Анна Суон пришла в студию Николая Легата. Ее привела мать, Мэри Суон. Анну тут же приняли, и она начала посещать уроки балета три раза в неделю.

Через месяц Мэри и Анна переехали в бывшую квартиру Шейлы в соседнем доме, Мэри принялась приводить в порядок и обустраивать новое жилье. Она сшила красивые шторы с цветочным узором для спальни девочки и потратилась на темно-синий ситец для окон в гостиной, где планировала работать. Повесив шторы, Мэри отошла немного, чтобы оценить работу, и вспомнила о новом доме в Дануорли, где могла бы быть хозяйкой уже многие годы. Но та мечта так и не осуществилась, так что теперь она старательно вила гнездо в этой тесной квартирке, которая стала для нее неким подобием дома.

— Ты просто волшебница, — заявила Анна, когда Мэри с гордостью продемонстрировала ей готовую спальню. — И я люблю тебя. Мы можем п-пригласить к нам на чай Нэнси и миссис Каррадерз? Я бы хотела, чтобы они увидели наш новый дом.

— Извини, Анна, но они обе уехали из Кэдоган-Хауса, а куда... Я не имею представления, — спокойно ответила Мэри.

— Мне кажется, это очень невежливо, не сообщить нам новый адрес, правда? Они ведь были нашими д-друзьями!

— Я уверена, они свяжутся с нами, как только смогут, дорогая, — ответила Мэри, снова испытывая чувство вины.

У Анны и Мэри началась спокойная, размеренная жизнь. Мэри внимательно следила, чтобы девочка занималась за маленьким письменным столом в углу гостиной. В местной библиотеке она брала книги по истории и географии и настаивала, чтобы Анна как можно больше читала. Мэри понимала: такой способ обучения вряд ли подходит Анне, но ничего лучше она не могла себе позволить. Кроме того, она знала, что мысленно девочка находится совсем в другом месте.

Трижды в неделю Мэри водила Анну в балетный класс в другой конец Колет-Гарденс и нервно оглядывалась по сторонам каждый раз, когда входила в студию и выходила из нее. Теперь ей предстояло делать это до конца жизни. Мэри понимала, что это цена, которую она должна заплатить за свой поступок.

Когда мысль забрать Анну к себе впервые пришла в голову Мэри, она предположила, что, возможно, лучшим выходом будет увезти девочку за границу. Но, поразмыслив, поняла: это невозможно. У Анны не было свидетельства о рождении, паспорта и вообще ни одной официальной бумаги, удостоверяющей личность, так что они оказались запертыми в пределах Англии. Мэри также раздумывала, не уехать ли из Лондона, но ей нужно было как-то зарабатывать. Кроме того, она считала, что в маленьком городке или деревне они будут более заметны. А в таком большом городе, как Лондон, было больше шансов сохранить анонимность. Анна провела большую часть детства за стенами Кэдоган-Хауса, и ее почти никто не видел, — это позволяло надеяться, что девочку не узнают.

Тем не менее Мэри старалась держаться подальше от Челси — их прежнего района, успокаивая себя тем, что, когда Анна вырастет, в ней уже невозможно будет различить черты той маленькой девочки, чья скоропостижная смерть стала трагедией для всей семьи.

Что же касалось будущего... Мэри не могла даже думать об этом. Она сделала то, что считала правильным, чтобы защитить ребенка, которого любила. Потеря Шона и крушение всех надежд и мечтаний научили Мэри жить одним днем и использовать все возможности, которые он дает.

Мэри с Анной были вместе уже три с половиной месяца, когда однажды мягким весенним вечером девочка вернулась домой с гостем. Мэри подняла взгляд от швейной машинки и удивилась: рядом с Анной, чрезвычайно стесняясь, стоял молодой человек, которого она каждый день видела у фонарного столба.

— Мэри, это Джереми. Он мой друг, так ведь, Джереми?

Молодой человек взволнованно взглянул на Анну и кивнул.

— Я сказала ему, что он обязательно д-должен прийти к нам и познакомиться с тобой. И обещала, что ты не будешь против. Ты ведь не возражаешь, правда?

— Почему я... нет, конечно. — Мэри смутилась, когда увидела испуг в глазах Джереми, обращенных на нее. — Джереми, проходи и располагайся, а я заварю чай.

— С-спасибо.

Мэри вышла в кухню и принялась собирать поднос с чаем, прислушиваясь к щебетанию Анны в соседней комнате. Высокий голос девочки сменялся глухим и неразборчивым говором гостя.

— А вот и чай, — произнесла Мэри, опуская поднос на стол. — Джереми, тебе с молоком или с сахаром?

— И с тем и с д-другим, — сказал он и после длинной паузы добавил: — С-спасибо большое.

Мэри налила чай в чашку и протянула ее гостю. Джереми взял ее — его руки дрожали, и чашка застучала по блюдцу. Она осторожно взяла и то и другое у него из рук и поставила рядом на стол.

— Правда, здорово? — заметила Анна. — Г-гораздо лучше, чем на улице. — Она показала на фонарный столб за окном. — А еще я сказала Джереми, что моя мама тоже одинока. И я подумала, что вы могли бы подружиться.

Джереми кивнул и бросил взгляд на Анну. Мэри увидела проблеск эмоций в его глазах и поняла, что этому странному грустному незнакомцу очень нравится его юная подруга.

— Спасибо, Анна! Какая ты заботливая, что подумала обо мне. Как ты считаешь, Джереми?

— Д-да.

Мэри сосредоточенно наполнила чашку чаем и молча села, недоумевая, как занять гостя. Спрашивать, чем он занимается, было глупо — она ведь знала, что он практически не отходит от фонарного столба под ее окном.

— С-спасибо з-за пальто, — сказал Джереми, с заметным усилием выговаривая слова. — Мне в нем т-тепло.

— Слышишь? — тут же спросила Анна. — Иногда он говорит так же, как я! — И она нежно похлопала Джереми по руке.

— Я очень рада, что вы нашли общий язык.

— Анна с-сказала мне, что любит т-танцевать, — произнес Джереми. — И без ума от «Лебединого озера» Чайковского.

— Да, — с готовностью подтвердила девочка. — И Мэри говорит, что, как только у нас будет достаточно денег, мы купим граммофон. Такой же, как у нас был в Кэдоган-Хаусе. Тогда мы поставим на него пластинку, и ты сможешь п-прийти и послушать, Джереми.

— Спасибо, Анна! — Джереми осторожно взял чашку дрожащими руками и поднес ко рту. Выпив чай одним глотком, он почувствовал облегчение от того, что не пролил ни капли. Затем он со стуком вернул чашку обратно на блюдце. — С-спасибо за чай, Мэри. Н-не буду вам больше мешать.

— Но Джереми нам совсем не мешает, правда, Мэри? — сказала Анна, когда молодой человек встал.

— Нет, совсем нет! — Мэри проводила гостя до двери. — Ты можешь приходить к нам на чай, когда захочешь.

— С-спасибо, Мэри! — Джереми улыбнулся с такой благодарностью, что она инстинктивно протянула руку и прикоснулась к его тонкому запястью.

— Не сомневаюсь, что мы скоро снова увидимся.

Пару дней спустя Анна опять появилась в квартире с Джереми, который нес что-то завернутое в одеяло.

— Джереми говорит, у него для нас подарок! Мне так хочется посмотреть, что это такое! — Анна с нетерпением суетилась вокруг молодого человека, который поинтересовался у Мэри, куда можно поставить сверток.

— Вон туда. — Мэри показала на буфет.

Опустив ношу, он с гордым видом развернул одеяло. Внутри оказался граммофон и стопка пластинок.

— Это д-для вас с Анной.

— О, Джереми! — Анна в восторге всплеснула руками. — Какой чудесный подарок, правда, Мэри?

— Да, конечно. Но мы ведь вернем его тебе, Джереми? — с ударением на слове «вернем» произнесла Мэри.

— Н-нет-нет, это вам. Навсегда.

— Но такие вещи стоят целое состояние. Мы не можем...

— М-можете. У меня есть д-деньги. Анна, какую пластинку поставить?

Пока Анна с Джереми обсуждали, что они хотят слушать: «Спящую красавицу» или «Лебединое озеро», Мэри заметила решительный блеск в его глазах. Даже сейчас было заметно, каким этот молодой человек был до того, как его контузило на войне.

Анна ставила пластинку, и тут Джереми внезапно повернулся к Мэри и улыбнулся ей:

— В обмен на п-пальто.

И этот вопрос больше не поднимался.

После этого визита Джереми Лангдон стал постоянным гостем в квартире Мэри. Каждый день Анна встречала его у столба и приводила на чай. Мэри шила, а Джереми с Анной слушали музыку. Девочка кружилась по комнате, и в конце представления Джереми громко аплодировал. Когда Анна опускалась перед ним в изящном книксене, Мэри понимала, что она пытается вернуть то время, когда танцевала перед Лоуренсом Лайлом в гостиной Кэдоган-Хауса.

— Мэри, девочка очень хорошо танцует, — сказал однажды Джереми, когда она провожала его.

— Ты считаешь? Она очень целеустремленная, как мне кажется.

— И т-талантливая, — кивнул он. — До войны я видел лучших т-танцовщиц. Она может стать такой, как они. Д-до свидания, Мэри.

— А где ты сегодня будешь ужинать? — вдруг спросила Мэри. — Ты выглядишь так, как будто уже давно нормально не ел. У меня в духовке мясо, которого хватит на всех.

— Джереми, пожалуйста, останься! — уговаривала его Анна.

— В-вы очень добры, но я не хочу м-мешать.

— Джереми совсем не мешает, правда, Мэри?

— Нет. Джереми, мы всегда тебе рады, — улыбнулась она.

19

Джереми стал проводить все больше времени в квартире Мэри и Анны, и вскоре фонарный столб лишился старого друга. Каждый раз он приносил что-нибудь с собой: шоколадку для Анны или свежую рыбу, которую Мэри готовила на ужин. По мере того как Джереми обретал уверенность в себе, его речь становилась все более гладкой. Благодаря мягкой поддержке со стороны женщины и ребенка, общение давалось ему все легче. Шли недели, и Мэри стала замечать, что его тонкие черты уже не кажутся такими заостренными — возможно, этому способствовали большие порции, которые Мэри накладывала в его тарелку на ужин, а руки Джереми все увереннее управлялись с ножом и вилкой. Иногда Мэри замечала у него проблески чувства юмора и чувствовала, что он не просто хорошо образован, но и обладает незаурядным умом. Доброта, мягкость и внимательность Джереми, особенно по отношению к Анне, с каждым днем все больше располагали Мэри к нему. А когда Джереми немного восстановил здоровье и из его бездонных зеленых глаз исчезло затравленное выражение, Мэри поняла, что он очень привлекателен внешне.

Однажды вечером, укладывая Анну спать, Мэри размышляла о том, что с появлением в их жизни Джереми девочка тоже расцвела.

— Мэри, я так счастлива, — вздохнула она, откинувшись на подушку.

— Я очень этому рада, дорогая.

— Да... — пробормотала Анна. — Ты, я и Джереми — мы как будто настоящая с-семья, правда?

— Да, наверное. А теперь закрывай глазки и постарайся уснуть.

Мэри вышла из спальни девочки и, вернувшись к швейной машинке, поняла, что не может сосредоточиться. Она выглянула из окна — у фонарного столба никого не было. Теперь, выйдя от них, Джереми практически никогда не останавливался там. Мэри по-прежнему знала о нем очень мало. И не было никакой гарантии, что однажды он не исчезнет из их жизни навсегда. От мысли, что Анна снова потеряет человека, к которому так привязалась, у Мэри закружилась голова.

Но ведь и она сама...

У Мэри заколотилось сердце, когда она осознала, что не только Анна не сможет прожить без их нового друга. В Джереми было нечто, заставлявшее вспомнить о последней встрече с Шоном. Ей так же хотелось защитить Джереми, как своего жениха. И он так же притягивал ее...

Мэри мысленно одернула себя. Нужно немедленно положить конец этому вздору. Она — сирота из Ирландии, так и оставшаяся незамужней, в прошлом — прислуга в богатом доме. А Джереми Лангдон — настоящий джентльмен. Он просто их друг, человек, переживший страшную трагедию, которому она сочувствует. Так все и должно оставаться.

* * *

Несколько дней спустя в дверь постучали. Мэри очень удивилась — Анна была в балетном классе, и клиентов она не ждала — и, подойдя к двери, открыла ее.

— Джереми, — изумленно произнесла она. Обычно его приводила Анна, сам он еще ни разу не заходил. — Я... С тобой все в порядке?

— Н-нет.

Он был бледный как мертвец. По выражению его глаз Мэри поняла: что-то случилось.

— Заходи. Анна еще не вернулась. Но мы можем выпить чая, пока будем ее ждать.

— Я хочу п-поговорить с тобой. Без Анны.

— Хорошо, ты пока располагайся тут, а я заварю чай.

— Н-нет! Я хочу п-поговорить, а не п-пить чай.

Мэри заметила, что Джереми заикается гораздо сильнее, чем обычно в последнее время. Она проводила гостя в гостиную и усадила в его любимое кресло.

— Джереми, ты уверен, что ничего не хочешь? — спросила Мэри и, взяв стул, устроилась напротив него.

— Моя к-крестная умерла вчера вечером.

— О, Джереми, дорогой, мне так жаль.

— Я... — Джереми приложил трясущуюся руку ко лбу. Слезы хлынули у него из глаз. — П-прости, — сказал он. — Единственный человек, к-который... — он поперхнулся, — з-заботился обо мне. Любил меня. К-как же мне теперь быть?

В отчаянии он втянул голову в плечи. Мэри была не в состоянии видеть его страдания и сделала единственное, что могла, — наклонилась к нему и обняла.

— Вот так, — шептала она, баюкая его, словно ребенка, и поглаживая его мягкие волосы. — Поплачь, в этом нет ничего дурного.

Джереми продолжал всхлипывать, и Мэри крепче обняла его.

— Джереми, я рядом с тобой, и Анна тоже. Ты дорог нам обеим.

Он перевел на Мэри взгляд, полный боли.

— Д-дорог вам? Я, п-полная развалина? Но почему?

— Потому что ты хороший, добрый человек. И не виноват в том, что случилось с тобой на фронте. Это ведь не изменило твоей души, верно?

Джереми так низко опустил голову, что Мэри пришлось сесть на пол, чтобы увидеть его лицо. Он прижался к ее плечу.

— Мои родители т-так не считают. Им п-противно видеть, во что я превратился. Они стыдятся меня и х-хотят спрятать от чужих глаз.

— Пресвятая Богородица! — Мэри в ужасе содрогнулась. — Мне так жаль, что тебе пришлось пережить такое. Но я уверена: ты ничуть не изменился и по-прежнему такой же, каким был всегда. И еще, Джереми, ты всегда должен помнить вот что: война — жуткое испытание для вас, мужчин. Мы ведь даже не подозреваем, что вам пришлось пережить ради нашей свободы.

— Т-ты так думаешь?

— Я это знаю! — Мэри почувствовала, что ее плечо намокло от слез Джереми. — У меня был... один человек, он воевал долгие годы. И погиб в самом конце войны, так и не дождавшись победы.

После этих слов Джереми поднял голову и посмотрел Мэри прямо в глаза.

— Ты п-потеряла любимого?

— Жениха. И вместе с ним — все мечты о жизни, которую мы хотели построить вместе.

— Мэри, я считаю, что т-ты — ангел. То, к-как ты заботишься об Анне и обо мне... Слушаешь наши жалобы, а оказывается — сама пережила такую п-потерю. Ты тоже п-пострадала от этой чертовой войны, Мэри! — Джереми убрал ее ладони со своих плеч и задержал в руках. — Я уже какое-то время размышляю над этим. И я п-понял, что люблю т-тебя. Я тебя люблю. — Джереми пришлось приложить колоссальные усилия, чтобы повторить эту фразу, не заикаясь.

Возникла пауза, Мэри смотрела в глаза Джереми. Здравый смысл, присущий ей от природы, и прагматизм заставили сомневаться в его словах. Он переживал очень тяжелый момент и нуждался в поддержке. Не стоило сейчас полностью верить ему.

— Джереми, тебе сейчас плохо. Ты сам не понимаешь, что говоришь. Ты ведь пережил сильное потрясение и...

— Н-нет, дело не в этом. Ты такая к-красивая и добрая. Я п-полюбил тебя в тот момент, когда ты протянула мне пальто. С тех пор я приходил к столбу не для того, чтобы вспоминать свою любимую, которая погибла. Я хотел увидеть тебя.

— Джереми, пожалуйста, перестань! — в отчаянии произнесла Мэри.

— Это п-правда. Я наблюдал за Анной, знал, что она твоя д-дочь, говорил с ней, чтобы п-получить шанс поближе познакомиться с тобой. И сегодня, когда я п-потерял единственного человека, который заботился обо мне, я не мог не с-сказать о своих чувствах. Жизнь так коротка!

Мэри смотрела в его глаза, полные слез, в изумлении не только оттого, что Джереми признался в любви — в любви к ней! Он смог произнести все это на одном дыхании!

— Что ж, Джереми, мне очень приятно! Но, честно говоря, мне кажется, ты еще не окончательно оправился от потрясения.

— Мэри, — произнес Джереми. Слезы уже высохли, и его взгляд смягчился. — Я п-понимаю, мы оба — и ты, и я — знаем, что такое боль. И я никогда не стал бы играть твоими чувствами. И сам не стал бы заблуждаться. Вероятно, ты п-просто ничего не чувствуешь по отношению ко мне.

Потупив взгляд, Мэри сидела у ног Джереми. Он по-прежнему держал ее за руки.

— Я понимаю, — кивнул он. — Как можно п-полюбить такого, как я?

Мэри снова посмотрела ему в глаза.

— Нет, ты не прав. Просто я уже испытывала это чувство раньше и потеряла любимого человека. — Мэри глубоко вздохнула. — Ты дорог мне. Честно говоря, ты мне небезразличен. И если ты вдруг исчезнешь из моей жизни, боюсь, я буду скучать.

— Да, мы оба потеряли любимых. Это нас объединяет. Но разве мы с тобой еще и не близки по духу?

— Ох, Джереми, ты ведь ничего не знаешь обо мне. — Мэри с грустью покачала головой. — Я сделала столько всего...

— М-мэри, я убивал людей! Что бы ты ни сообщила, после всего пережитого меня ничто не испугает. И что бы там ни было, дорогая, я хочу разделить это с тобой. Давай расскажем друг другу все. Ведь именно в этом и заключается любовь, не так ли? В доверии.

— Но, Джереми, дорогой, — прошептала Мэри, — я сирота без роду без племени. А ты джентльмен, и тебе нужна леди. Я никогда не смогу ею стать, даже ради тебя.

— Ты считаешь, что д-для меня это важно? Моя мать настоящая леди, но когда я вернулся д-домой с фронта, она отправила меня... — Джереми нелегко было произнести следующее слово, — в п-приют. Меня, ее собственного сына! — Он сглотнул слезы. — Война все изменила, мне ничего не нужно знать о тебе, кроме того, что ты самый д-добрый человек из всех, кого я встречал. У тебя замечательное сердце.

— О, Джереми... — Мэри вытерла глаза.

Джереми наклонился, поднял ее с пола и заключил в объятия. И Мэри не смогла найти слов, чтобы описать, что она почувствовала в этот момент после стольких лет одиночества. А его запах! Запах мужчины — такой знакомый и в то же время неизвестный.

— Мэри... — Он приподнял ее подбородок и нежно поцеловал в губы. — Я никогда не п-причиню тебе боль. Поверь мне. Я вижу страх в твоих глазах. Я так часто видел его раньше.

Он принялся покрывать легкими поцелуями ее лоб, глаза, щеки. Мэри больше не могла мыслить здраво и уступила ему. Поцелуи и ласки Джереми пробудили в ней чувства, которых она не надеялась когда-либо испытать. Несмотря на очевидные проблемы со здоровьем Джереми, Мэри чувствовала в нем мужественность и силу.

Через двадцать минут она взглянула на часы, стоящие на каминной полке, и приложила руку ко рту.

— О Боже! Анна ждет меня! — Она спрыгнула с колен Джереми и поправила прическу у зеркала.

— Можно я п-пойду за ней с тобой?

Мэри, повернувшись, улыбнулась ему:

— Конечно, если тебе хочется.

Когда Мэри и Джереми повернули за угол, они увидели Анну, которая с недовольным видом сидела на ступеньках балетной школы. Но как только она увидела их, выражение ее лица тут же изменилось.

— Привет! Вы оба опоздали! — улыбнулась она.

— Да, дорогая, извини. Просто Джереми зашел ко мне. У него плохие новости.

— Это правда.

Анна в недоумении посмотрела на них.

— Вы выглядите очень счастливыми для людей, у которых п-плохие новости.

Джереми незаметно улыбнулся Мэри, когда они повернули в сторону дома. Анна с довольным видом шла перед ними, пританцовывая.

— Все хорошо! Я знаю, в чем дело. Я уже д-давно ждала, когда это случится. — Она внезапно остановилась и обернулась к ним. — Вы ведь любите друг друга, да?

— Ну, я... — Мэри залилась ярким румянцем.

Джереми крепко сжал ее руку.

— Да. Ты не п-против?

— Конечно, нет. Думаю, я самая **счастливая д-девочка** в мире. Это значит, что, если вы поженитесь, **у меня** будут мать и отец. И мы станем настоящей семьей! — **В порыве чувств** Анна обняла их обоих. — **Потому что я очень-очень сильно** вас люблю.

20

После смерти крестной к Джереми **перешел большой дом** в Западном Кенсингтоне, приличная **сумма на банковском** счете, которая гарантировала небольшой **доход** на всю оставшуюся жизнь, и маленький черный **«форд». Через неделю** после похорон крестной он пригласил **Мэри и Анну** посмотреть дом.

Счастливая девочка бегала из одной **комнаты** в другую, крича:

— Он почти такой же, как Кэдоган-Хаус, т-только немного меньше.

Мэри тревожно повела плечами, **услышав это** сравнение. Хотя она безоговорочно доверяла **Джереми, любой** разговор о прошлом, особенно с представителем **того же** социального слоя, что и ее бывшие хозяева, **мог быть опасным.**

Анна сбежала по лестнице в холл **и, остановившись,** оглянулась на Мэри и Джереми, которые **неторопливо** спускались вслед за ней.

— Джереми, ты п-пригласишь **нас переехать** к тебе? Для тебя одного здесь слишком много **места. По-моему,** неправильно, что мы с Мэри живем в маленькой **квартирке,** когда у тебя есть такой большой дом.

— Анна! — Заявление девочки **заставило Мэри** покраснеть. — Джереми просто показывает **нам дом.** Не нужно задавать ему таких вопросов.

— Извини, но я подумала...

— Ты п-правильно подумала, Анна, — улыбнулся Джереми. — Детская логика. Итак, Мэри, ты хотела бы п-переехать сюда жить?

— Умоляю тебя!

Это уже было слишком. Мэри сбежала вниз по лестнице, пересекла холл и выскочила на улицу. Она не останавливалась, пока не оказалась в собственной гостиной, где наконец почувствовала себя в безопасности.

Через десять минут Джереми уже стучал в квартиру, и Мэри впустила его. Слезы струились по ее лицу.

— Где Анна? — спросила она.

— Я п-попросил экономку, миссис Хокинз, напоить ее чаем. Мне показалось, нам с тобой нужно п-поговорить. Можно мне войти?

Мэри кивнула, рыдая, и, повернувшись, пошла в гостиную.

— Джереми, не знаю, чего ты от меня хочешь, но в любом случае я не в состоянии тебе это дать. Я даже не представляю, кто я! Я не леди, как уже говорила. Даже твоя экономка сразу поняла это. Мне следует прислуживать тебе, а не быть твоей возлюбленной.

Мэри упала в кресло. Джереми, достав носовой платок, протянул его ей.

— Мэри, уже несколько месяцев я п-провожу рядом с тобой каждый день. В тебе есть все, что требуется настоящей леди. А что касается твоего происхождения... На фронте я п-понял, что характер человека никак не связан с его положением. Если ты переживаешь, то я всегда готов тебя выслушать. Как я говорил, испугать меня невозможно! — Он встал на колени перед Мэри и убрал с ее щеки прядь волос. — И я верю, что любовь помогает все понять и простить. Расскажи мне все, — убеждал он.

Мэри глубоко вздохнула. Она понимала, что ее признание может перечеркнуть их будущее. Но чтобы у них был шанс, нужно было сделать то, о чем просил Джереми. Она обратилась к Всевышнему за помощью и наконец кивнула:

— Я расскажу тебе.

* * *

Двадцать минут спустя Мэри еще продолжала рассказ:

— Дело в том, что я согрешила против Бога. Я объявила Анну мертвой и фактически украла ее. Я украла ребенка. О Боже, прости меня...

Крепко обнимая любимую, Джереми слушал ее исповедь.

— Мэри, пожалуйста, не казни себя больше. Да, ты поступила плохо, но ради благой цели. Ты сделала это из любви к Анне, желая сделать ее счастливой и оградить от бед.

— Не знаю, действительно ли сделала это только ради Анны. — Терзаясь этой мыслью, Мэри посмотрела на Джереми. — Или ради себя самой тоже, ведь я не могла жить без нее.

— Судя по твоему рассказу, мне хочется думать, что ты действовала не из эгоистичных соображений.

— Ты в самом деле так считаешь?

— Да. — Джереми взял ее за руки и крепко их сжал. — Считаю. Мэри, на войне бывали схожие ситуации, как ни странно проводить такую параллель. Родителям сообщали, что их сын погиб мгновенно, хотя на самом деле он кричал в агонии. И возможно, — Джереми отвернулся, — умирал в течение нескольких дней. А приказы командира взвода, каждый день посылавшего людей в атаку, зная, что они идут навстречу смерти? — Джереми снова посмотрел на нее. — Ты сделала все возможное, чтобы защитить ту, кого любишь, и не должна стыдиться этого. Никогда! И теперь, когда ты мне все рассказала, я люблю тебя еще сильнее.

— Правда?

— Да, ты очень добрая, смелая и сильная.

— Нет, Джереми, это не так. Я ужасно боюсь, что все откроется и у меня заберут Анну. Я оглядываюсь каждый раз, когда выхожу из дома.

— Ты спасла сироту. Такую же, как ты сама, и этим нужно гордиться. И еще... — Джереми улыбнулся ей. — Возможно, я сумею помочь вам с Анной. В том случае, если ты выйдешь за меня замуж.

— Ты хочешь этого даже после того, что я тебе рассказала? — Мэри была потрясена.

— Больше чем когда-либо, клянусь тебе.

21

Три месяца спустя Мэри Суон — сирота, ничего не знающая о своих родителях, стала миссис Джереми Лангдон и хозяйкой большого дома в Кенсингтоне. На венчании присутствовала лишь одна гостья: десятилетняя Анна Суон.

В течение следующего года произошли три события, которые заставили Мэри поверить, что Всевышний и в самом деле защищает ее. Она забеременела, и это вызвало непередаваемый восторг у ее близких. Затем Джереми выяснил по своим каналам, о которых Мэри не хотела ничего знать, что Лоуренс Лайл девять месяцев назад скончался в Бангкоке от малярии. По слухам, вскоре после смерти мужа у Элизабет Лайл случился выкидыш, но она и на этот раз решила не терять времени и нашла очередного подходящего мужа. Джереми сообщили, что новый супруг Элизабет получил назначение в Шанхай и она уехала с ним.

— Мэри, ты п-понимаешь, что это значит? Теперь ты свободна. Лоуренс Лайл не сможет выяснить п-правду, а Элизабет Лайл, насколько я понял, вряд ли эта история когда-либо заинтересует.

Мэри перекрестилась — она испытала облегчение, узнав о смерти бывшего хозяина, хотя теперь и корила себя за это.

— Какие печальные новости. Но, Джереми, не буду лгать — в какой-то степени я счастлива. И все же имей в виду — я вряд ли когда-нибудь смогу жить спокойно.

— П-понимаю, дорогая, и обещаю, что он ушел туда, откуда ему уже не достать тебя. И это значит, что я могу выяснить, как нам начать процедуру официального удочерения Анны.

— Но у нее нет ни свидетельства о рождении, ни даже фамилии.

— Положись на меня, дорогая. — Джереми отмахнулся от доводов Мэри, как будто они были совсем несущественными. — Сейчас я инвалид, но министерство внутренних дел еще не отдало все долги капитану Джереми Лангдону. А один парень даже обязан мне жизнью! — Он похлопал Мэри по руке и нежно прикоснулся к животу, округлости которого были уже весьма впечатляющими.

За шесть недель до предполагаемого появления на свет их собственного малыша Мэри и Джереми подписали все необходимые документы, и Анна официально стала их дочерью.

— Дорогая, теперь никто не сможет добраться до нее. И забрать у меня кого-нибудь из вас, — нежно прошептал он ей на ухо.

Со слезами на глазах Мэри наблюдала за Анной, которая кружилась вокруг кухонного стола с сертификатом об удочерении в руках.

— Анна Лангдон, — с чувством произнесла она и бросилась обнимать своих новоиспеченных родителей. — Я задыхаюсь от счастья!

Ребенок родился с опозданием в десять дней, что заставило Мэри очень сильно волноваться, но в остальном все было в порядке. Мэри лежала в уютной спальне с новорожденной у груди, а любимый муж и приемная дочь ворковали над ними. Мэри желала одного — остановить время. Она готова была умереть в это мгновение, потому что никогда еще не была так счастлива. Малышка — пухленькая розовощекая девочка, которую назвали Софией в честь любимой святой Мэри, — оказалась очень спокойной и жизнерадостной. Мэри любила наблюдать, как Джереми нежно качает дочь на руках.

Она заметила, что муж, обращаясь к ней, почти перестал заикаться. По прошествии времени его стали реже мучить ночные кошмары, от которых он просыпался с криком, мокрый от пота. Мэри прочитала все, что только можно, о контузиях и знала: их последствия необратимы. Но все же состояние больного могло оставаться удовлетворительным, если создать ему комфортные условия для спокойной жизни. Джереми редко покидал дом — обычно только для того, чтобы, прогулявшись по Кенсингтон-Гарденс, купить «Таймс». И все же, если они с Мэри вдруг оказывались на шумной лондонской улице, он вздрагивал при каждом сигнале гудка. И потом в течение некоторого времени после такой прогулки сильнее заикался и у него начинали дрожать руки. Мэри было хорошо с ним, она радовалась, что в семье царит спокойствие и все довольны.

В какой-то момент Джереми начал рисовать, и оказалось, он очень неплохой художник. Мэри мрачнела, когда видела темные зловещие траншеи на его картинах. Но она понимала, насколько ему важно выразить боль, страх потерь и смерть, которые он словно заново переживал каждый день своей послевоенной жизни.

Пока Джереми рисовал, Мэри занималась с подросшей Софией. В солнечные дни она ходила с девочками в парк. Иногда они ездили на Пиккадилли, чтобы Анна выбрала себе что-то из одежды. Теперь Мэри могла купить Анне все, что бы та ни выбрала, не задумываясь о цене, — и это до сих пор удивляло ее. Она была богатой женщиной, женой состоятельного джентльмена.

В спокойной гавани их уютного дома годы шли один за другим: София научилась ползать, затем ходить и бегать по дому. Стремление Анны стать балериной становилось все сильнее. Софии исполнилось четыре, когда однажды вечером в кухню к Мэри, готовившей ужин, вошла Анна. В свои пятнадцать лет она уже начала приобретать черты взрослой девушки.

— Мама, ты слышала, что Нинет де Валуа открыла новую балетную школу? — спросила Анна.

— Нет.

— Можно мне съездить туда? Я хочу попасть на просмотр и узнать, возьмет ли она меня в свой класс. Тогда, возможно, когда-нибудь она пригласит меня в труппу, и я буду танцевать в «Сэдлерс-Уэллс». Ты м-можешь себе представить? — Вздохнув от удовольствия при этой мысли, Анна изящно опустилась на стул.

— Но мне казалось, ты мечтаешь попасть в «Русский балет» Дягилева?

— Так и было, но оказаться в первой британской балетной компании — это намного лучше! — Анна сбросила туфельку и вытянула вперед ногу, демонстрируя высокий подъем. — Мама, п-пожалуйста, можно я попробую?

— Думаю, тебе стоит поговорить с отцом и спросить его мнение, — предложила Мэри.

— Если все п-получится, я буду танцевать целыми днями, и времени на английский и математику уже не останется. И сколько можно учиться? Я умею читать, п-писать и считать, а ведь для балерины этого вполне достаточно. В самом деле! И я могу назвать тебе даты сражения при Гастингсе, Трафальгарской битвы и...

— Анна, иди и поговори с отцом, — повторила Мэри.

Как Мэри и предполагала, Джереми не смог противостоять уговорам дочери. Было решено, что она сходит на просмотр к Нинет де Валуа и попробует получить место в балетной школе «Сэдлерс-Уэллс».

— Сомневаюсь, что наша дорогая девочка согласится на что-нибудь другое, не попробовав свои силы здесь, — сказал Джереми, втайне гордясь Анной.

Три дня спустя Анна вместе с Мэри отправилась на автобусе в Ислингтон, где располагалась балетная школа

«Сэдлерс-Уэллс». Мэри еще не доводилось бывать за кулисами театра, поэтому, когда их провели через лабиринт переходов в небольшой зал с фортепиано и балетным станком, она испытала одновременно волнение и восторг от того, что оказалась в совершенно другом мире. Анне задали несколько вопросов о том, где она раньше училась, а потом мисс Мортон, педагог по танцам, проверила ее сначала у станка, а затем в центре зала. Успехи Анны за последние несколько лет были настолько очевидны, что Мэри не смогла скрыть восхищения. Девочка от природы обладала изяществом и великолепной осанкой, а зарождающаяся женственность сделала ее движения еще более совершенными.

После просмотра мисс Мортон некоторое время придирчивым взглядом изучала Анну.

— Ты танцуешь и выглядишь как русская. Ты из России?

Анна с беспокойством посмотрела в сторону Мэри, но та еле заметно пожала плечами и покачала головой:

— Нет, я англичанка.

— Но раньше она училась у княгини Астафьевой, а в последнее время занималась у Николая Легата. — Мэри разволновалась, не зная, хорошо это или плохо.

— Что ж, это заметно по тому, как ты движешься. Надеюсь, Анна, ты знаешь, что, хотя в «Сэдлерс-Уэллс» тоже чувствуется русское влияние, мы являемся первой британской балетной компанией. Поэтому мисс де Валуа старается создать наш собственный стиль. Тебе еще нужно многому научиться, но я вижу, что ты талантлива. Можешь начать занятия с понедельника?

Темные глаза Анны загорелись радостью.

— Вы хотите сказать, я принята?

— Да. Я дам твоей матери список вещей, которые потребуются для занятий. Пуанты нужно будет купить у Фредерика Фрида. Ждем тебя рано утром в понедельник.

Этим вечером у них был отличный повод для праздника. Анна пребывала на седьмом небе от счастья, и ее настроение передалось всей семье.

— Вот теперь, София, ты точно увидишь меня на сцене в роли Одетты и Одиллии, — радостно повторяла Анна, кружась по кухне вместе с маленькой сестрой.

— Дорогая, ее ничто не остановит, — заметил Джереми, лежа рядом с Мэри в постели тем вечером. — Давай будем надеяться, что ей удастся осуществить свою мечту.

В течение следующих пяти лет целеустремленность Анны, ее преданность танцу и природная одаренность стали приносить плоды. Она впервые вышла на сцену в партии молодого Хозяина Трегинниса в только что открывшемся на Роузбери-авеню театре «Сэдлерс-Уэллс». Одетая в бархатный костюм с кружевным воротником, в коротком парике, она появлялась, едва поднимался занавес, и оставалась одна на сцене в самом конце. Мэри, Джереми и девятилетняя София громко аплодировали и криками приветствовали танцоров, вышедших на поклоны. Эта партия, конечно, не имела ничего общего с мечтой Анны о белоснежной воздушной пачке, но ее участие в спектакле означало, что Нинет де Валуа — королева балетной компании — следит за успехами девушки. Вскоре последовали и другие небольшие партии: один из четырех молодых лебедей во втором акте «Лебединого озера» и креолка в «Рио-Гранде».

В январе 1939 года, вскоре после дня рождения — Анне исполнился двадцать один год, — она дебютировала в партии Одетты — Одиллии в балете «Лебединое озеро». Театр «Сэдлерс-Уэллс» был полон. Впервые главную партию в балете британской труппы исполняла англичанка, а не русские балерины, приехавшие на гастроли или находящиеся в эмиграции. Среди почитателей балета уже начали ходить разговоры об Анне и ее таланте. Мэри в новом вечернем платье и с прической, сделанной в парикмахерской, вместе с Джереми и Софией смотрела балет из ложи. Первые звуки увертюры Чайковского заставили зрительный зал стихнуть. Мэри задержала дыхание, посылая Богу молитву, чтобы день, о котором Анна так долго мечтала, оправдал ее ожидания.

Но Мэри не стоило в этом сомневаться. Когда со всех сторон на восходящую звезду балета посыпались цветы, она крепко сжала руку Джереми. По ее лицу катились слезы. Гримерную Анны после спектакля заполнили восторженные поклонники, и Мэри было непросто пробиться к дочери, чтобы поздравить ее. Анна, по-прежнему в балетной пачке, с кажущимися огромными от яркого сценического грима глазами, мимо поклонников прошла к родным и бросилась на шею матери.

— Дорогая, я так тобой горжусь! Ты сказала, что добьешься этого, и только посмотрите... У тебя все получилось! — воскликнула Мэри.

— Мама, все это благодаря тебе! — Глаза Анны блестели от слез. — Спасибо, — прошептала она, — спасибо за все.

Оглядываясь назад в те дни, когда стало понятно, что Анна добилась поставленной цели, Мэри испытывала смешанные чувства. Теперь она понимала, что именно в тот момент начала терять дочь. Мир, в котором оказалась Анна, полный ярких артистических натур с их экзотическими нарядами, странными привычками и сексуальными пристрастиями, был очень далек от мира Мэри. Когда Анну объявили королевой британского балета, многие слетелись погреться в лучах ее славы, и спокойная жизнь в родительском доме осталась для нее в прошлом.

Мэри обычно ждала возвращения дочери домой после спектакля, готовая выслушать, как все прошло, и предложить уставшей девушке какао и печенье. Теперь же шаги Анны на лестнице раздавались не раньше трех утра. На следующий день она рассказывала, что ужинала после спектакля с друзьями в ресторане «Савой» или танцевала в модном ночном клубе не с кем-нибудь, а с младшими членами королевской семьи!

Мэри больше не могла контролировать жизнь дочери. И поскольку Анна теперь неплохо зарабатывала, она даже не могла высказать свое мнение об откровенных, часто лишенных корсета платьях, которые та носила, или чересчур яркой красной помаде на ее губах. По количеству букетов, которые доставляли к ним в дом, Мэри догадывалась, как много у Анны поклонников. Но был ли среди них кто-то один, особенный, Мэри не знала. Любые вопросы на эту тему оставались без ответа.

Мэри часто жаловалась Джереми, что Анна ведет чрезмерно активную — особенно это касалось количества мужчин рядом с ней — социальную жизнь, детали которой им неизвестны. Он неизменно старался мягко утешить ее:

— Моя дорогая, Анна — молодая и очень к-красивая женщина. И к тому же звезда балета. Она может делать то, что считает нужным.

— Все это, конечно, так, — однажды вечером раздраженно сказала Мэри, — но мне не нравится запах сигарет, который чувствуется у нас в спальне под утро. И я знаю, что она прикладывается к спиртному.

— Мэри, сигареты и немного джина вряд ли считаются преступлением. Особенно для молодой девушки, которая должна каждый вечер полностью выложиться на сцене. Анна постоянно живет в напряжении!

Мэри повернулась к Джереми и уставилась на него — ее возмущало то, что он каждый раз оказывался на стороне дочери.

— Я просто беспокоюсь за нее, вот и все. А еще все эти люди, которые окружают ее!

— Дорогая, я п-понимаю тебя. Но она уже большая девочка, и ты должна отпустить ее.

Напряжение в отношениях между Мэри и Анной достигло предела через несколько недель, когда девушка, не предупредив заранее, привела домой после спектакля компанию друзей. Пластинка Коула Портера на граммофоне и вспышки смеха, доносившиеся из гостиной, не давали Мэри и

Джереми уснуть до рассвета. На следующий день, собираясь поговорить с Анной и установить определенные границы, Мэри постучала в дверь спальни дочери и вошла. Анна крепко спала. Рядом с ней в кровати был молодой человек. Задыхаясь от ужаса, Мэри вышла из комнаты, захлопнув дверь.

Десять минут спустя в кухню в халате спустилась Анна. Она невинно улыбнулась матери, которая со стуком составляла в раковину тарелки после завтрака.

— Прости, если я помешала вам спать прошлой ночью. Мне нужно было спросить, но было поздно и я п-подумала...

— Речь не об этом! Что... кто был... — Мэри не могла заставить себя произнести нужные слова.

— Ты имеешь в виду Майкла? — Анна достала сигареты из кармана халата и, закурив, изящно присела на край стола. — Он мой п-партнер в спектакле, мама. И мы... любовники. — Она затянулась. — Ты ведь не в-возражаешь? В конце концов, мне ведь уже двадцать один.

— Возражаю? Конечно! Возможно, ты живешь в мире, где такое поведение и считается нормальным, но у тебя есть десятилетняя сестра! И пока ты в моем доме, соблюдай элементарные правила приличия! Анна, о чем ты только думала? София могла в любой момент войти в твою комнату и увидеть... его!

— Прости, мама. — Анна пожала плечами. — Просто мир изменился, и в наши дни никто не имеет ничего против се...

— Не смей произносить это слово! — содрогнулась Мэри. — Как ты можешь так себя вести! Стыдись! Мне ужасно неприятно, что я воспитала тебя такой. И не объяснила, что подобное поведение — грех!

— Мам, у тебя такие старомодные взгляды! Ты как истовая католичка...

— Не смей так разговаривать со мной, моя девочка! Мне все равно, что ты суперзвезда на сцене, в этом доме ты будешь подчиняться нашим правилам! И я не потерплю здесь... — Мэри указала пальцем на потолок, — игры такого рода!

Анна продолжала спокойно курить. Мэри увидела, что пепел от сигареты падает на пол, а дочь даже не пытается стряхнуть его. Наконец девушка кивнула:

— Хорошо, мама, я все поняла. Если ты не одобряешь то, как я живу, значит, пришло время мне искать собственный дом. Я ведь уже большая девочка и зарабатываю сама.

Не говоря больше ни слова, Анна вышла из кухни, хлопнув дверью.

На следующий день она собрала чемоданы и уехала.

Джереми пытался успокоить жену, объясняя ей, что поведение Анны — вполне нормальное для молодой девушки в современном мире. Она ведь не только стремилась быть взрослой, но и была чрезвычайно избалована вниманием публики. Несмотря на то что в словах Джереми был смысл, Мэри никак не могла примириться с неожиданным отъездом Анны.

В последующие недели Анна не предпринимала попыток связаться с матерью. Отныне о дочери Мэри узнавала из газетных статей и колонок светских сплетен, в которых имя Анны стало периодически появляться. Ее фотографировали со звездами сцены и экрана на роскошных приемах или под руку с представителями аристократических фамилий. Стеснительная маленькая девочка, ради спасения которой Мэри пожертвовала многим, превратилась в особу, которую она не понимала и не знала. И все же... Мэри готова была признать, что в характере дочери всегда имелся железный стержень. Она добивалась всего, чего желала. И доказательством служило то, что сейчас она была лучшей в своей профессии. Но легкость, с которой Анна вычеркнула из жизни мать, отца и сестру, свидетельствовала о бессердечии, которого до сих пор никто не замечал.

Над Европой снова начали собираться грозовые облака войны, и у Мэри возникло достаточно собственных проблем. У Джереми, который внешне сейчас ничем не напоминал того инвалида, которого она впервые увидела, снова начались кошмары. Заикание и дрожание рук тоже усилились. Каждое утро он читал «Таймс» и бледнел. Мэри заметила, что аппетит мужа ухудшился и он ушел в себя. Сколько бы она ни повторяла, что его больше не призовут в армию, он все сильнее боялся этого.

— Мэри, ты не п-понимаешь. Сначала, возможно, и не призовут, но когда потребуется п-пушечное мясо, заберут кого угодно и бросят на растерзание фрицам. Поверь мне, я знаю. Даже мужчин старше меня призывали в критические моменты.

— Джереми, дорогой, в твоих медицинских бумагах зафиксирована твоя контузия. Никто не станет призывать тебя.

— Мэри, меня четыре раза возвращали назад в т-траншеи. А я был в гораздо худшем состоянии, чем сейчас. — В отчаянии он качал головой. — Ты не понимаешь, что такое война. И п-пожалуйста, даже не пытайся понять.

— Но все говорят, что на этот раз будет иначе. Дорогой, траншеи остались в прошлом, — раз за разом повторяла она. — Эта война, если она все-таки начнется, будет вестись с помощью нового оружия, которое разработали за минувшие годы. Никто в здравом уме не захочет терять целое поколение мужчин, как было тогда. Пойми, Джереми, все изменилось.

После таких слов Джереми обычно вставал — на его лице отражались гнев, отчаяние и страх — и выходил из комнаты.

Когда новости стали совсем пессимистичными и каждый день приходили подтверждения, что войны не избежать, Мэри начала переживать за мужа. Он больше не ужинал с ними в кухне, предпочитая оставаться в кабинете.

— Что случилось с папой? — спрашивала София, когда Мэри укладывала ее спать.

— Ничего, дорогая. Просто сейчас он плохо себя чувствует, — успокаивала ее мать.

— Начнется война? Поэтому папа так волнуется? — интересовалась девочка, глядя на Джереми огромными зелеными глазами, так похожими на глаза ее отца.

— Возможно, но чему быть, того не миновать. Тебе не стоит волноваться. Мы с папой пережили прошлую войну, так что переживем и эту.

— Мама, но сейчас все по-другому. Анна ушла от нас, а папа ведет себя так... — София вздохнула, — словно его нет рядом. Очень многое изменилось. Мама, я боюсь! Мне все это не нравится.

В такие моменты Мэри обнимала дочь, гладила по голове, как когда-то много лет назад Анну, и шептала слова утешения, в которые София не верила.

Наступило лето, и в городе стали заметны признаки подготовки к приближающейся войне. Мэри казалось, что вся страна замерла, затаив дыхание перед неизбежным. Джереми впал в ступор. Он даже покинул их общую спальню и теперь ночевал в гардеробной, объясняя это тем, что его кошмары мешают Мэри спать. Мэри умоляла мужа связаться с полком, где он служил раньше, чтобы развеять все страхи.

— Дорогой, тебя ведь демобилизовали по состоянию здоровья. Нет никаких шансов, что тебя призовут. Пожалуйста, Джереми, напиши письмо и перестань волноваться. По крайней мере, получив точный ответ, ты почувствуешь себя лучше.

Но Джереми продолжал сидеть в кресле в кабинете, уставившись в пустоту и словно не слыша ее.

Когда в первых числах сентября было объявлено о начале войны, Мэри даже испытала облегчение — определенность всегда лучше неизвестного. Десять дней спустя, когда она, лежа в постели, читала книгу, раздался стук в дверь.

— М-можно в-войти? — спросил Джереми.

— Конечно, почему нет? Это ведь твоя спальня!

Мэри смотрела на мужа, который направлялся к ней шаркающей походкой. Он очень похудел, а лицо было таким же изможденным и напряженным, как при их первой встрече. Он сел на кровать рядом с ней и взял ее за руки.

— Мэри, я хочу с-сказать, что люблю тебя. Ты, Анна и София наполнили мою жизнь с-смыслом.

— То же самое я могу сказать о тебе, — нежно ответила Мэри.

— П-прости, что последние несколько недель со мной было тяжело. Обещаю, больше я не п-причиню беспокойства.

— Дорогой, я понимаю и надеюсь, что теперь, когда война началась, тебе станет в какой-то степени легче.

— Да. — Он произнес это тихим шепотом, а потом наклонился и обнял Мэри. — Моя д-дорогая, я люблю тебя. Никогда не забывай об этом, хорошо?

— Конечно.

— Оставайся такой же сильной, смелой и д-доброй, какой была всегда. — Он отпустил Мэри, поцеловал ее в губы и улыбнулся. — Ты не в-возражаешь, если сегодня я буду спать здесь, с тобой? Не хочу оставаться один.

— Любимый, — нежно ответила Мэри, — это твоя постель, а я — твоя жена.

Джереми лег рядом. Мэри обняла его и принялась гладить по голове, пока он не начал дышать размеренно и спокойно. Она долго не могла заснуть и все смотрела на мужа. И уже только под утро, не сомневаясь, что Джереми крепко спит, она тоже провалилась в сон.

22

На следующее утро, пока Джереми еще спал, Мэри спустилась вниз, чтобы приготовить завтрак для Софии. В восемь пятнадцать утра они вышли из дома и пешком отправились в школу, где училась девочка, находившуюся недалеко от Бромптон-роуд.

— Хорошего тебе дня, дорогая! Я приду за тобой как обычно.

Мэри проводила взглядом дочь. Утро было ярким и солнечным, Мэри направлялась в сторону магазинов, где обычно покупала мясо и овощи, и настроение у нее было гораздо лучше, чем в последние дни. Ведь вчера вечером Джереми казался вполне спокойным. И хотя новая война наверняка принесет много бед, Мэри чувствовала, что, пока они вместе, все будет в порядке. Она задержалась у мясника чуть дольше обычного, прислушиваясь к его беседе с покупательницами. Они обсуждали, введут ли распределение продуктов по карточкам и когда начнутся налеты немецких самолетов на Лондон. Что бы ни ждало их впереди, думала Мэри по дороге домой, они с Джереми вместе переживут все напасти.

Вернувшись домой, Мэри не заметила никаких следов присутствия мужа, но в этом не было ничего необычного. Часто по утрам Джереми выходил купить газету и возвращался назад через парк.

Мэри занялась обычными делами, думая о том, что многие сочли бы это странным: она сама выполняет грязную работу по дому, хотя может позволить себе иметь прислугу. Сразу после свадьбы она уволила экономку. Мэри казалось, что та смотрит на нее покровительственно. Теперь у нее работала только приходящая горничная, которая помогала содержать большой дом в порядке. Сама Мэри получала удовольствие от работы и радовалась, что ее муж и ребенок благодаря ей живут в чистоте и порядке, в доме, где правильно ведется хозяйство.

К полудню, когда она приготовила легкий ленч для себя и Джереми, входная дверь так и не скрипнула. Мэри предположила, что муж вконец обессилел и до сих пор в спальне, где она оставила его утром.

— Джереми? Джереми? — звала она, переходя из комнаты в комнату на нижнем этаже. Но кабинет, как гостиная, библиотека и столовая, оказался пуст. Мэри уже готова была запаниковать. Четкое соблюдение заведенного порядка было одним из способов, помогавших Джереми бороться с болезнью. Предчувствуя неладное, Мэри поднялась по лестнице, распахнула дверь в спальню, но кровать оказалась пуста.

— Дорогой, где ты? Ты здесь? — звала она, направляясь в сторону гардеробной. Она постучала в дверь, и, не услышав ответа, распахнула ее.

Мэри потребовалось некоторое время, чтобы осознать увиденное. Прямо перед ее носом болтались два до блеска начищенных мужских ботинка. Она подняла голову и увидела тело, висевшее на веревке, которая была прикручена к лампе на потолке.

Приехавший врач констатировал смерть Джереми и вызвал полицейских, чтобы снять тело. Джереми положили на кровать. Мэри села рядом и без остановки гладила его холодную руку. В ступоре от шока, она не могла поверить в то, что случилось.

— Мадам, у вас есть какие-то предположения, почему мистер Лангдон совершил самоубийство? — поинтересовался полицейский.

Продолжая держать руку мужа, Мэри кивнула:

— Возможно.

— Простите, что вынужден задавать вопросы в такой тяжелый для вас момент, мадам, но я был бы вам очень благодарен, если бы вы пролили свет на причины случившегося. Тогда мы не стали бы больше беспокоить вас.

— Он... — У Мэри пересохло во рту, и она откашлялась. — Он боялся, что его снова призовут в армию. А он был контужен.

— Для подобных опасений были основания?

— В прошлый раз его комиссовали по состоянию здоровья. Я постоянно твердила ему, что не нужно бояться призыва! — Мэри в отчаянии покачала головой. — Но он мне не верил.

— Понятно. Если вас это утешит, мадам, мой дядя вел себя так же. Что бы мы ему ни говорили и ни делали, он все равно испытывал страх. Вы не должны себя винить.

— Да. Но я все равно... все равно...

Внизу позвонили в дверь.

— Мадам, это, вероятно, прибыла карета «скорой помощи», чтобы забрать тело вашего мужа. Я спущусь вниз и открою дверь. А пока, пожалуйста, посмотрите — может, вы хотите оставить себе что-то из его вещей.

Мэри кивнула. Она проводила полицейского взглядом, а потом медленно опустила голову на грудь Джереми.

— Ох, дорогой, почему ты решил покинуть нас с Софией? Почему не верил, что мы поможем тебе пережить все это? Дорогой, я любила тебя всей душой. Разве ты этого не знал? Разве не чувствовал?

Мэри, замолчав, покачала головой от безысходности — она понимала, что муж никогда больше не ответит ей. Выполняя просьбу полицейского, она сняла часы с руки Джереми и проверила его карманы — не осталось ли в них чего-нибудь. В левом кармане она нащупала лист бумаги — это был конверт. Мэри выпрямилась и увидела в левом углу надпись «На службе Его Величества». Конверт был похож на тот, коричневый, который получил Шон, когда его призвали на службу в Ирландскую гвардию.

Пенсионный отдел британской армии
5 октября 1939 года
Уважаемый мистер Лангдон!
Сообщаем Вам, что Ваша военная пенсия с января 1940 года будет повышена с 5 фунтов 15 шиллингов в месяц до 6 фунтов 2 шиллингов.
С уважением...

Подпись, заверенную печатью, внизу страницы разобрать было невозможно.

На похоронах Джереми присутствовали только жена и дочь. Мэри ничего не знала о местонахождении родителей мужа. Гораздо более болезненным стало отсутствие

Анны, которой она написала письмо, рассказав о случившемся.

Мэри пережила тот ужасный октябрь только благодаря Софии, которую нужно было поддержать. У Мэри не оставалось времени думать о себе, и она считала, что это даже хорошо. В противном случае она сама могла бы последовать за мужем — так тяжело переживала потерю. Кроме того, Мэри понимала: в будущем ей предстоит заняться выяснением некоторых моментов. К примеру, Джереми давал ей каждую неделю деньги на домашние расходы. Сейчас она тратила сбережения, оставшиеся со времен ее работы прислугой. Их могло хватить еще на некоторое время, к тому же Мэри готова была шить на заказ, и все же она не знала, может ли унаследовать дом и вообще — упомянута ли в завещании мужа.

Ответы на эти вопросы она получила неделю спустя, когда раздался звонок в дверь и лысеющий джентльмен, одетый во все черное, обратился к ней:

— Миссис Лангдон, я полагаю?

— А кто ее спрашивает? — с подозрением поинтересовалась Мэри.

— Сидни Челлис из адвокатской конторы «Челлис и Латимер». Меня послали к вам лорд и леди Лангдон, родители вашего покойного мужа. Нам нужно обсудить несколько деловых вопросов. Разрешите войти?

Мэри устало кивнула. Провожая адвоката в гостиную, она вдруг осознала, что Джереми никогда не упоминал, что он сын лорда. Он вообще ничего не говорил о своей семье.

— Садитесь, пожалуйста. Могу я предложить вам чай? — поинтересовалась она.

— Это не обязательно. То, что я должен передать вам, не займет много времени. — Адвокат вынул из портфеля какие-то бумаги и положил их на колено.

Нервничая, Мэри устроилась напротив него.

— Я сделала... что-то противозаконное?

— Нет, миссис Лангдон, у вас нет причин беспокоиться. По крайней мере насколько я в курсе ваших дел. — Приподняв брови, он посмотрел на нее поверх очков. — Не сомневаюсь, вы знаете, что в завещании мистер Лангдон оставил вам этот дом, военную пенсию и личные сбережения?

— Нет, мистер Челлис, я еще не успела это выяснить. Я слишком тяжело переживала потерю, — честно призналась Мэри.

— Он оформил завещание в нашей конторе. Мы оказываем адвокатские услуги семье Лангдон уже более шестидесяти лет. И все же есть маленькая проблема.

— Какая же?

— Этот дом изначально был подарен крестной матери мистера Лангдона ее дедом. Он принадлежит их семье с момента постройки, то есть в течение двухсот лет. В дополнительном распоряжении к завещанию его крестной говорится, что ваш муж имел право жить в нем всю жизнь. Но после смерти дом должен быть возвращен в семью Лангдон.

— Понятно, — спокойно произнесла Мэри.

— Итак, у вас с мистером Лангдоном родился ребенок. Девочка по имени... — мистер Челлис сверился с бумагами, — София Мэй. Это так?

— Да.

— И сейчас ей десять лет?

— Именно так.

— Здесь вот какая проблема... — Адвокат снял очки и вытер их о пиджак. — Скажем просто, София — девочка. И после замужества сменит фамилию. И если, предположим, она разведется с мужем или умрет, нам будет сложно добиться того, чтобы дом по-прежнему принадлежал семье Лангдон. Вы следите за моей мыслью?

— Да, мистер Челлис, к моему сожалению.

— Должен сказать, что с точки зрения закона, если бы вы решили оспорить это дополнительное распоряжение, суд мог бы удовлетворить ваш иск. Все же вы вдова мистера

Лангдона, и у вас есть дочь. Тем не менее на это могут потребоваться немалые средства и... — Мистер Челлис передернул плечами. — И это может оказаться очень унизительным. Лорд и леди Лангдон готовы предложить вам кое-что. Если вы откажетесь от прав на дом, они готовы выплатить вам солидную сумму в качестве компенсации. Кроме того, если вы не будете наследовать личные сбережения вашего покойного мужа, крупную сумму получит и ваша дочь София.

— Понятно. — Мэри пыталась осмыслить слова адвоката. — Я правильно понимаю, мистер Челлис, что лорд и леди Лангдон желают вычеркнуть меня и мою дочь из своей жизни, как они когда-то поступили с сыном?

— Я бы не стал это преподносить так, миссис Лангдон. Очень прискорбно, что лорд и леди Лангдон и их сын отдалились друг от друга, но я, как их адвокат, не имею полномочий это комментировать. За отказ от дома вам предлагают одну тысячу пятьсот фунтов. Кроме того, пять тысяч фунтов будет перечислено на имя Софии.

Мэри слушала молча. Она совершенно не представляла, сколько может стоить дом или какова сумма личных сбережений Джереми, и поэтому не могла судить, насколько справедлива предложенная ей сумма. Кроме того, ей вообще был неприятен весь этот разговор.

— Я оформил это предложение на бумаге, чтобы вы могли обдумать его. Наверху страницы мой адрес и телефон. Когда вы примете решение, пожалуйста, свяжитесь со мной напрямую.

— А как же лорд и леди Лангдон? Разве они не хотят увидеть внучку? — произнесла Мэри, словно размышляя вслух. — Ведь София — их плоть и кровь.

— Миссис Лангдон, я уже сказал, что пришел просто передать вам послание. И уверяю вас, мне ничего не говорили о желании познакомиться с Софией.

— Нет, конечно. — Мэри подняла глаза и пристально посмотрела на адвоката. — Эти господа не могут опуститься до общения с ребенком ирландской няньки.

Мистер Челлис в замешательстве отвел взгляд и занялся перекладыванием бумаг в портфеле.

— Как уже сказал, прошу вас связаться со мной и сообщить о своем решении. Тогда я смогу уладить необходимые формальности. — Он поднялся и кивнул Мэри. — Спасибо, что уделили мне время, и я очень надеюсь, что мы сможем решить этот вопрос к взаимному удовлетворению.

Мэри молча проводила его до двери.

— До свидания, мистер Челлис. Я свяжусь с вами, когда найду время обдумать ваше предложение.

Через несколько дней Мэри начала наводить справки о таинственной семье ее покойного мужа. Выяснилось, что Джереми был вторым сыном лорда и леди Лангдон. Их поместье располагалось на пятистах акрах земли в графстве Суррей. Оно славилось охотничьими угодьями и также коллекцией ценных полотен Гольбейна. Мэри также узнала, сколько может стоить особняк, который она пока еще называла своим домом, если выставить его на продажу.

Хотя все это давалось Мэри болезненно, она думала только о благополучии Софии и о том, что по праву принадлежало ей как дочери Джереми. Несколько лет назад она отвергла бы любое предложение, но с возрастом Мэри стала мудрее и прекрасно понимала, по каким законам живет мир. Ей претил любой шантаж, но она осознавала, что ради дочери стоит смириться.

Мэри также понимала, что ее прошлые поступки не позволяют даже думать о том, чтобы подать иск на родителей Джереми. Кто знает, чем все закончится, если о деле начнут писать газеты? Что, если кто-то из прежних знакомых узнает ее и догадается о ее связи с Анной? А потом сопоставит факты и...

Контора мистера Челлиса находилась на Чансери-лейн. Мэри представилась секретарю и села, ожидая приглашения в кабинет и собираясь с духом, чтобы не позволить нервам и эмоциям взять над собой верх.

— Миссис Лангдон, — приветствовал ее адвокат с порога кабинета, — пожалуйста, проходите и присаживайтесь.

— Спасибо. — Проследовав за ним, Мэри опустилась на край неудобного кожаного кресла. — Мистер Челлис, я обдумала ваше предложение. — Она собралась с силами, чтобы произнести следующую фразу. — И я готова принять его, если компенсация за дом будет увеличена вдвое.

Мистер Челлис и бровью не повел — как Мэри и предполагала, такой вариант развития событий предусматривался.

— Мне необходимо проконсультироваться с лордом и леди Лангдон, но, полагаю, они могут согласиться на какую-то сумму в этих пределах. Само собой разумеется, что вы подпишете официальные бумаги, в которых откажетесь от прав на завещание вашего мужа. И от всех прав, которые София в будущем могла бы предъявить на поместье, принадлежащее семье Лангдон.

— Я все поняла. — Мэри встала, не желая продлевать процесс сделки с дьяволом дольше, чем было необходимо. — Я буду ждать от вас известий. Всего доброго, мистер Челлис.

Два месяца спустя Мэри стояла в холле своего дома и в последний раз окидывала взглядом стены, в которых была так счастлива. Машина за ней и дочерью могла приехать в любой момент, а два дорожных сундука с одеждой и еще один, полный памятных вещей, должны были перевезти на место назначения отдельно. Мэри присела на нижнюю ступеньку лестницы, чувствуя, что у нее совсем не осталось сил. Ее успокаивала мысль о том, что, даже имея возможность остаться в доме, она вряд ли бы ею воспользовалась. Каждый ее взгляд и каждый вздох здесь напоминали о Джереми, ушедшем навсегда.

Она увидела Софию, спускающуюся к ней по лестнице, и протянула руки ей навстречу. Крепко обняв дочь, Мэри принялась гладить ее по волосам.

— Все готово?

— Да, мама, — кивнула София. — Мне страшно.

— Знаю, дорогая. Но все к лучшему. Ту войну я прожила в Лондоне, а сейчас, говорят, бомбардировки будут гораздо страшнее.

— Да, мама, но...

Раздался стук в дверь.

— Дорогая, машина уже приехала. — Мэри разжала объятия и, улыбнувшись дочери, взяла ее за руку. Вдвоем они вышли на улицу, молча попрощавшись с той жизнью, которая оставалась за дверьми особняка. Мэри подвела дочь к автомобилю, и они заняли в нем места.

Пришло время вернуться домой.

Аврора

О Боже! Я понимаю, что авторам не следует проливать слезы над собственными произведениями, но история Мэри и Джереми кажется мне невыносимо печальной. Их чувства по отношению друг к другу были очень сильными, но даже любовь не помогла им справиться с тяжелыми обстоятельствами. Постепенно я начинаю понимать, что любовь не всегда способна залечить раны, полученные человеком в прошлом. Если бы только Джереми открыл тот конверт и увидел, что это лишь сообщение о повышении военной пенсии, а не повестка на призывной пункт...

Если бы только...

Мне кажется, так можно сказать о многих событиях жизни... Особенно моей.

И все же, если бы Джереми открыл конверт, дальнейшее повествование вышло бы совсем иным или вообще не имело бы смысла его продолжать. Я начинаю осознавать, что страдания дают нам силу и мудрость — сама я совершенно точно изменилась — и являются такой же неотъемлемой частью жизни, как счастье. Во всем должно быть естественное равновесие, и как узнать, что ты счастлив, если никогда не грустил? Или как почувствовать себя здоровым, если никогда не болел?

Недавно я задумалась над таким понятием, как «время». В совместной жизни Мэри и Джереми было время настоящего счастья. Возможно, такие моменты — это максимум, на что каждый из нас может надеяться. Но как всегда происходит в сказках, зло существует наравне с добром. И людям помогает выжить вера в то, что хорошие времена обязательно вернутся. Но когда надежда исчезает полностью, как произошло с Мэри после ухода из жизни Джереми, чего еще остается ждать?

Признаюсь честно, сейчас я стремлюсь не растерять последние крупицы надежды. Но их становится все меньше.

И все же там, где есть жизнь…

Ладно, хватит обо мне. Сейчас я собираюсь вернуться в наше время. Итак, Кэтлин рассказала Грании историю ее прабабушки. А я впервые оказалась на ферме в Дануорли…

23

Дануорли, Западный Корк, Ирландия

— Я так понимаю, «домой» — это значит в Ирландию? — Грания сидела за кухонным столом в доме родителей и крутила в руках чашку с чаем. Она решила привести Аврору на ферму и заодно расспросить мать о том, что ей еще известно о жизни Мэри.

— Да, Мэри вернулась вместе с Софией и купила очень милый домик в Клонакилти.

— Она больше не вышла замуж?

— Нет. — Кэтлин покачала головой. — Как мне рассказывала мать, она так и не смогла оправиться после трагедии, которую пережила в Лондоне.

— Но ее связь с Райанами не прервалась?

— Нет. Вот ведь ирония судьбы, — продолжила рассказ Кэтлин. — Мэри так и не вышла замуж за Шона, зато ее дочь София и Шеймус Дунан, сын Колин — младшей сестры Шона, поженились, и у них родилась я.

— Боже мой, мама! — Грания слушала ее в изумлении. — Получается, Бриджет и Майкл Райан — твои прабабушка и прадедушка? И если бы Шон не погиб, он был бы твоим двоюродным дедушкой.

— Да, когда Колин вышла замуж за Оуэна, моего дедушку, они переехали в новый дом, который когда-то строился для Шона и Мэри. Потом дом перешел их сыну Шеймусу, который женился на моей маме Софии. А когда умер мой папа, мы с твоим отцом взяли на себя управление фермой, — объяснила Кэтлин.

— Получается, у твоей матери Софии была английская кровь и не обычная, а благородная? — уточнила Грания. — Твой второй дедушка — это Джереми Лангдон?

— Да. И это значит, что вы с Шейном тоже унаследовали его гены. — Кэтлин подмигнула дочери. — Так что ты не простая ирландская крестьянка, какой считала себя все это время. Но по Софии этого нельзя было сказать. Моя мама была очень похожа на Мэри: такая же добрая, домашняя, никакого жеманства или кокетства. В этом она очень отличалась от Анны — своей сводной сестры.

Грания заметила, что у матери изменился тембр голоса и ее лицо помрачнело.

— Ты знала ее? — удивилась девушка. — Я думала, они с Мэри отдалились друг от друга.

Кэтлин тяжело опустилась на стул.

— Грания, детка, эта история еще не закончена. Ты разве не догадалась?

— Нет. — Грания покачала головой. — А должна была?

— Я думала, такое возможно. Ведь ты живешь в Дануорли-Хаусе, а там достаточно подсказок. Так вот...

В этот момент через заднюю дверь в кухню ворвалась Аврора, державшая на руках новорожденного щенка колли.

— О, Грания! Миссис Райан! — Глаза девочки сияли от счастья, когда она смотрела на щенка. — Эта собачка — просто чудо! Шейн разрешил мне придумать ей кличку! Я решила назвать ее Лили, как мою маму. Вы не возражаете?

Грания заметила, как изменилось лицо Кэтлин, но решила не придавать этому значения.

— Мне кажется, идеально подходит!

— Отлично. — Аврора поцеловала только что названного щенка в голову. — Может... Я хочу сказать, мы...

— Аврора, сначала мы должны спросить разрешения у твоего отца. — Грания догадалась, чего желает девочка. — Кроме того, Лили еще рано забирать у матери.

— Можно, я каждый день буду навещать ее? — взмолилась Аврора. — Пожалуйста, миссис Райан?

— Я...

Грания заметила, что Кэтлин постепенно начала оттаивать в обществе привлекательной и веселой маленькой девочки, ее лицо смягчилось.

— Что ж, не вижу причин тебе отказать.

— Спасибо! — Подбежав к Кэтлин, Аврора поцеловала ее в щеку и удовлетворенно вздохнула. — Мне нравится у вас. Здесь так, как должно быть в настоящем... — Аврора помедлила, подыскивая нужное слово, — доме.

— Спасибо большое, Аврора. — Последний бастион Кэтлин пал. — А где вы планируете сегодня пить чай?

— Мы еще об этом не думали, да, Аврора? — спросила Грания.

— Тогда, может, останетесь с нами?

— Ура! Это значит, что я смогу еще немного побыть с Лили! Пойду назад к Шейну. Он обещал показать мне стадо.

Грания и Кэтлин посмотрели вслед Авроре.

— Как бы ты ни относилась к Лайлам, согласись, что она — чудесная девочка? — осторожно спросила Грания.

— Ты права. — Кэтлин стукнула по столу и, поднявшись, решила почистить картошку. — Бедняжка, она тут вообще ни при чем. Как ее кошмары? — поинтересовалась она и, достав нож из ящика, принялась за работу.

— Мне кажется, лучше. По крайней мере она перестала ходить по ночам. Мама... — Грании хотелось вернуться к предыдущей теме разговора. — До того, как вошла Аврора, ты спросила меня, неужели я не догадалась...

На этот раз их беседу прервал отец.

— Кэтлин, сделай мне чай, я до смерти хочу пить, — сказал Джон, входя в кухню.

— Прими пока душ наверху, а я все приготовлю. — Кэтлин сморщила нос. — От тебя пахнет коровником, а ты знаешь, что я не переношу этот запах.

— Хорошо, — сказал Джон и, несмотря на протесты жены, поцеловал ее в макушку. — Я вернусь к чаю, благоухая розами.

Тем вечером Грании так и не представилась возможность поговорить с матерью о прошлом. Но она с удовольствием наблюдала за Авророй, которая, сидя за столом с семьей Райан, забросала всех вопросами о жизни на ферме.

— Если у меня не получится стать балериной, я хотела бы быть фермером, — заявила девочка, когда они с Гранией поднимались к дому по тропинке в скалах. — Я обожаю животных.

— А у тебя когда-нибудь были животные?

— Нет, мама их не любила. Говорила, от них воняет.

— Думаю, в этом есть доля правды, — согласилась Грания.

— То же самое можно сказать о людях, — спокойно констатировала Аврора, когда они вошли в кухню и Грания зажгла свет.

— Вы правы, мадам. Вам наверх. Уже поздно.

Уложив Аврору спать, Грания никак не могла успокоиться и все бродила по дому, продолжая размышлять о Мэри — своей прабабке — и о том, какой незаурядной женщиной, судя по рассказам, она была. Грания до сих пор не поняла, где тут связь с Лайлами и о чем, по словам матери, ей нужно было догадаться, но что-то в глубине сознания не давало ей покоя. Какая-то деталь, которая никуда не вписывалась, но могла бы связать все воедино. Это «что-то» было не в гостиной, не в библиотеке и не в кабинете Александра. Грания открыла дверь в столовую, вспомнив, как однажды вечером ужинала здесь с хозяином дома.

И там, прямо над камином, она нашла ответ. Портрет, написанный маслом, на котором была изображена балерина в белой пачке с короной из лебяжьего пуха на темных волосах. Руки скрещены, голова опущена на колени, лица не видно. Внизу картины Грания прочитала надпись «Анна Лангдон, «Умирающий лебедь»».

— Анна Лангдон... — Грания произнесла имя вслух.

Вот она — связь, которую она не могла найти. Вот почему ее мать сказала, что Аврора унаследовала талант бабушки.

Через час Грания поднялась по лестнице. Ей так и не удалось найти подтверждение своей догадке, поскольку лицо балерины на картине было скрыто. Но если это та же темноглазая женщина, что изображена на черно-белых фотографиях, расставленных по всему дому, значит, Грания все поняла правильно.

Следующим утром за завтраком Грания осторожно поинтересовалась у Авроры:

— Ты видела когда-нибудь бабушку?

Девочка покачала головой:

— Мама говорила, она умерла до моего рождения. Бабушка родила маму, когда ей было уже много лет.

— Ты помнишь, как ее звали?

— Конечно. — Аврору слегка задел этот вопрос. — Ее звали Анна, и она была балериной. И я когда-нибудь тоже буду.

Они пришли на ферму днем, и счастливая Аврора убежала на скалы пересчитывать овец с Шейном, а Грания снова принялась расспрашивать мать.

— Мама, а как вышло, что Анна Лангдон и Себастьян Лайл, младший брат Лоуренса, встретились и поженились? Я ведь права? Знаменитая балерина Анна Лангдон стала Анной Лайл? Она мать Лили и бабушка Авроры?

— Да, — кивнула Кэтлин. — Все было именно так. Только не жди от меня подробностей, я тогда была еще совсем маленькой. Я встречалась с ней, но не знаю ничего о том, как завязались их отношения. А моя мама и тетя Анна продолжали тепло относиться друг к другу, так что она не стала бы обсуждать это со мной.

— Но почему Анна поехала в Ирландию вслед за матерью и сестрой? Она ведь была настолько знаменита!

— Нельзя забывать, что она переселилась сюда, когда ей было уже далеко за тридцать. Ведь балерины, как и красавицы, когда-нибудь выходят в тираж, — прагматично заметила Кэтлин.

— Мама, а ты ее помнишь?

— О да, конечно! — Вечно занятые **руки** Кэтлин замерли над тестом, которое она раскатывала. — **Такой** девочке, как я, выросшей в захолустье, тетя Анна **казалась звездой** экрана. Когда мы впервые встретились, она **была в шубке** из натурального меха. Помню, она обняла меня, **и мое лицо** погрузилось в пушистый мех. Она сняла шубку и пила **чай в нашей** гостиной. Я никогда не видела такой хрупкой **фигуры.** А ее каблуки показались мне тогда высотой с гору. **А потом она** зажгла черную сигарету. — Кэтлин вздохнула. — **Разве я могу** забыть все это?

— Значит, она была красива?

— В ней чувствовалась... **природная сила.** Неудивительно, что как только старик Лайл увидел **ее, он тут** же безумно влюбился.

— А сколько ему было лет?

— Шестьдесят или около того. **Вдовец, который** и в первый раз поздно женился. Его первая **жена, Адель,** была на тридцать лет моложе. И умерла, дав **жизнь...** тому мальчику.

— У Себастьяна уже был сын?

— Да. — Кэтлин содрогнулась. — **Его звали** Джеральд.

— Значит, Анна и Себастьян **поженились?**

— Именно так.

— Но чего ожидала Анна от брака **со стариком?** После той жизни, которую она вела до этого? — **недоумевала** Грания.

— Кто знает? Может, все дело в **деньгах. Моя** мама говорила, что Анна ужасная транжира и **предпочитает** жить в роскоши. Что касается Себастьяна, **он, наверное,** решил, что Анна — подарок, которого он ждал **всю жизнь.** Они поженились через три месяца после первой **встречи.**

— Он ведь был братом Лоуренса, **опекуна Анны...** — задумчиво произнесла Грания. — **Себастьян** знал о том, кто она такая?

— Да, конечно, — продолжала **рассказ** Кэтлин. — Им обоим показалось очень забавным, **что все** эти годы Анна официально считалась мертвой.

— А как же Мэри? У нее не возникло **проблем** из-за того, что Анна приехала в Ирландию?

— Когда Анна возникла на пороге дома в Ирландии, Мэри решила рассказать ей всю правду о том, что совершила в прошлом, желая спасти ее. А с Себастьяном Анна познакомилась немного позже, — добавила Кэтлин. — Мэри тогда поступила правильно: кто знает, что произошло бы с девочкой, если бы она не вмешалась? Анна тоже осознавала, что у нее не было бы никаких шансов стать балериной, если бы Мэри не сообщила Лоуренсу Лайлу о ее смерти и не забрала ее к себе.

— И Мэри простила дочь за то, что та не общалась с ней все эти годы?

— Понимаешь, после всего, что им довелось пережить в Лондоне, они были прочно связаны друг с другом. Ты ведь уже слышала, что Мэри любила Анну как родную дочь. Она простила бы ей что угодно. Совсем иначе возвращение сестры восприняла София, моя мать. Она называла Анну не иначе, как «блудная дочь».

— Может, она ревниво воспринимала эту их связь? — предположила Грания.

— Вполне возможно. Но главное — они воссоединились до смерти Мэри. После всего, что Мэри сделала для Анны в годы ее детства, она заслуживала этого. И знаешь, каждую неделю на могиле Мэри во дворе церкви в Дануорли обязательно появлялись свежие цветы — это прекратилось только после смерти самой Анны. Она выбрала такой способ попросить прощения у женщины, которую всегда называла матерью, и сказать ей о своей любви.

От мысли об этом у Грании внезапно перехватило горло, она даже почувствовала некоторую симпатию по отношению к Анне.

— И Себастьян решил не предпринимать никаких действий против Мэри за то, что много лет назад она украла Анну у его брата?

— Анна как-то ему все объяснила, и этого было достаточно. Кроме того, Лоуренса Лайла уже много лет не было в живых, а какой смысл ворошить прошлое? Себастьян считал, что Мэри сберегла для него ту, кого он любил больше жизни, а все прочее его не волновало. Грания, клянусь тебе: я никогда не видела, чтобы мужчина был так ослеплен любовью к женщине.

Девушка пыталась осмыслить все услышанное.

— А потом появилась Лили?

— Да, родилась Лили. Прости нас, Господи, — пробормотала Кэтлин.

— И они втроем жили долго и счастливо в Дануорли-Хаусе?

— Если бы, — фыркнула Кэтлин. — Неужели ты думаешь, что Анна Лангдон была бы счастлива в роли матери новорожденной дочери и трехлетнего пасынка, запертая в разваливающемся доме на краю света? — Кэтлин покачала головой. — Нет. Для малышки взяли няню, и через несколько месяцев тетя Анна уехала. Обычно она говорила, что отправляется участвовать в какой-нибудь балетной постановке, и исчезала надолго. Моя мама не сомневалась: в ее жизни были и другие мужчины.

— Выходит, Лили фактически росла без матери, а старик Себастьян был рогоносцем?

— Можно и так сказать. Как же он был несчастен! Он часто приходил к нам с Лили, садился у стола и спрашивал у моей матери, нет ли новостей от Анны. Мне тогда было всего пять лет, но я до сих пор помню его лицо... Оно выражало крайнюю степень отчаяния. Несчастный, обманутый — такое впечатление, что она околдовала его. А когда тетя Анна вдруг появлялась откуда ни возьмись, иногда даже после нескольких месяцев отсутствия, он всегда прощал ее.

— А как же Лили? Какое детство у нее было? Пожилой отец и постоянно отсутствующая мать...

Кэтлин внезапно замкнулась.

— Все, на сегодня достаточно! Не хочу больше говорить об этом. Грания, а какие у тебя планы на ближайшее будущее? — Теперь настала ее очередь задавать вопросы. — Отец Авроры скоро вернется, и твои услуги больше не понадобятся.

— Ты не хочешь говорить о прошлом, а я не собираюсь обсуждать будущее. — Разговор зашел в тупик, и Грания встала. — Поднимусь к себе, пока Аврора с Шейном не вернулись. Мне нужно взять кое-что с собой в Дануорли-Хаус.

— Как знаешь, — произнесла Кэтлин в спину уходящей дочери. Чувствуя, что воспоминания о прошлом отняли у нее все силы, она вздохнула. Ставить точку в этом повествовании было еще рано, но она и так рассказала достаточно. Кроме того, Кэтлин чувствовала, что не в состоянии продолжать. Возможно, она никогда не сделает этого.

— А вот и я, дорогая! — Джон вошел в кухню и обнял жену. — Где мой чай?

Аврора

Чувствую, что я снова должна вмешаться... Все шло хорошо, пока я не поняла, что на месте читателя я бы уже окончательно запуталась. Это сложная история. Так что для вашего удобства я решила составить семейное древо.

Готово! У меня ушло на него времени больше, чем на три предыдущие главы. Надеюсь, оно поможет вам разобраться в моей истории. Боюсь только, вы найдете в моем семейном древе слишком много случайных совпадений. Но на самом деле это совсем не так. Мы — семьи Райанов и Лайлов — жили по соседству в маленькой, одиноко стоящей деревне фактически на краю земли на протяжении нескольких сотен лет. Поэтому мне не кажется удивительным, что наши жизни и сложившиеся из них истории оказались в итоге так тесно переплетены.

Признаюсь честно: мне было нелегко составить семейное древо. И я знаю, что скоро под моим именем появится вторая дата, и я сама перестану принадлежать настоящему и стану частью прошлого. Я также поняла, что мы, люди, живем так, словно мы бессмертны, и принимаем решения, как будто собираемся жить вечно, не задумываясь о том неизбежном, что в итоге ждет всех нас. Конечно, ведь иначе нам не выжить.

Я думаю, настала пора покинуть Ирландию, и из прошлого переместиться в будущее, в Америку — страну надежды, где мечты становятся реальностью и нет ничего невозможного.

Читатель, такая страна мне по душе!

Живущие в ней люди верят в волшебство, как и я. Они — молодая нация, которой еще предстоит научиться мудрости и цинизму, приходящим с опытом.

Итак, давайте узнаем, как поживает Мэтт...

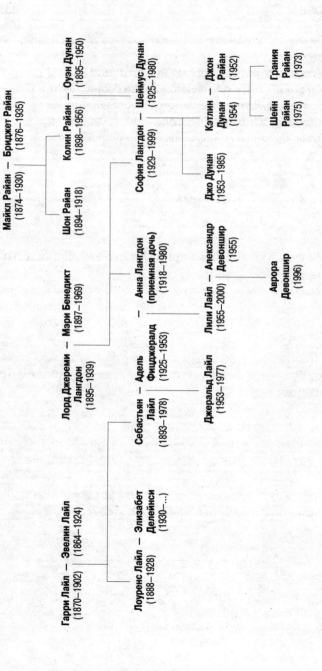

24

Мэтт бесцельно переключал телеканалы. Даже если в обычное время что-то могло привлечь его внимание, сегодня он был не в состоянии сконцентрироваться. У Мэтта раскалывалась голова, он плохо спал по ночам. С момента отъезда Грании прошло уже семь недель, а их последний разговор состоялся почти четыре недели назад. Он начал уставать от постоянных заверений Чарли: «Она вернется, когда успокоится». С каждым днем становилось все более очевидно: Грания скорее всего никогда не вернется и их совместную жизнь можно считать законченной.

Многие друзья, узнав о случившемся, убеждали его жить дальше, ведь в его возрасте многие еще даже не начинали серьезных отношений. К тому же они с Гранией не были женаты. Это она настояла, чтобы они просто жили вместе, пытаясь таким образом доказать его семье и знакомым, что она не претендует на чужие деньги. Для Грании это было важнее, чем просто надеть кольцо на палец.

По сути, его друзья были правы. Мэтт и Грания арендовали лофт, в котором жили вместе, и так и не успели обзавестись совместным имуществом. Так что Мэтт мог бы просто расторгнуть договор аренды лофта — это ему в любом случае пришлось бы сделать, поскольку сумма аренды для него одного была слишком высока, — потом снять другую квартиру и оставить всю эту историю в прошлом.

Но Мэтт начинал осознавать, что не сможет так же просто забыть о своих чувствах.

Возвращаясь мыслями в прошлое, он часто вспоминал первую встречу с Гранией. Как-то в компании приятелей он пришел на открытие небольшой галереи в Сохо. Один из них был знаком с хозяином галереи, и они планировали только показаться там и сразу же отправиться за город поужинать. Все его друзья приехали с девушками — безукоризненными красотками в дизайнерских джинсах и прическами из салона.

В галерее было полно народа, и Мэтт с любопытством принялся рассматривать образцы современного искусства — странные аляповатые картины, при взгляде на которые возникала мысль, что их нарисовал младенец, были не в его вкусе. Потом он заметил в другом зале небольшую скульптуру на постаменте. Мэтт подошел поближе, чтобы рассмотреть ее, и увидел очень красивого лебедя. Ему тут же захотелось прикоснуться к изящной длинной шее птицы и ощутить на крыльях пух, мягкость которого так хорошо удалось передать скульптору. Мэтту очень понравилась эта работа. Взглянув на цену, он понял, что вполне может позволить себе купить ее. Он принялся осматриваться по сторонам в поисках человека, который мог бы объяснить, как оформить покупку. Заметив, что владелец галереи беседует с его приятелем Элом, он подошел к его столу и достал кредитную карточку.

— Сэр, у вас отличный вкус. Это одна из любимых моих работ. Мне кажется, ее создатель далеко пойдет. — Владелец галереи указал на девушку в другом конце зала. — Видите ее? Хотите познакомиться?

Взгляд Мэтта упал на невысокую девушку в джинсах и красной рубашке в клетку. Ее волнистые светлые волосы были небрежно разбросаны по плечам. Владелец галереи окликнул девушку по имени, и та обернулась. Мэтт увидел большие глаза цвета бирюзы, вздернутый нос с россыпью веснушек и бледно-розовые губы. Она была без макияжа и выглядела как ребенок. Ее естественная прелесть резко контрастировала с тщательно продуманными образами спутниц друзей Мэтта.

Владелец галереи сделал знак, и девушка направилась к ним. Мэтт оценил ее стройную фигуру, узкие бедра и длинные ноги. Ее нельзя было назвать красавицей, но она казалась очень милой, а ее глаза блестели. Он отреагировал инстинктивно и, глядя на нее, никак не мог понять, чего ему хочется больше: обнять и оберегать ото всех или раздеть и заняться с ней любовью?

— Грания, это Мэтт Коннелли. Он только что купил твоего лебедя.

— Добрый вечер, мистер Коннелли. — Она улыбнулась ему, сморщив от удовольствия хорошенький носик. — Я очень рада. Теперь у меня есть деньги на питание на несколько недель вперед.

Вспоминая прошлое, Мэтт думал, что его, видимо, привлек ее ирландский акцент — гораздо более приятный и сексуальный по сравнению с резким произношением ньюйоркцев.

Уже через пятнадцать минут он пригласил Гранию поужинать с ним. Она отказалась, объяснив, что уже договорилась пойти в ресторан с владельцем галереи и другими художниками, принимавшими участие в выставке. И все же ему удалось узнать номер ее мобильного телефона. Мэтт сказал, что хотел бы посетить ее студию и посмотреть другие скульптуры.

Мэтту, милому, дружелюбному и привлекательному парню, до сих пор удавалось с легкостью пригласить на свидание любую девушку. С Гранией Райан все оказалось по-другому. На следующий день он набрал ее номер и оставил сообщение на автоответчике, но она так и не перезвонила. Через несколько дней он попробовал еще раз — Грания сняла трубку, но сказала, что практически все вечера у нее заняты.

Казалось, чем старательнее она избегала его, тем сильнее ему хотелось встретиться с ней. В конце концов она согласилась встретиться в баре в Сохо, где бывала время от времени. Мэтт явился на свидание вовремя и был одет в блейзер, хлопковые брюки и парадные туфли. Но оказалось, что этот бар — богемное заведение, и Мэтт совсем не вписывается в обстановку. Грания, похоже, особенно не задумывалась, в чем отправиться на свидание — на ней снова были старые джинсы, и только рубашку она сменила на синюю. Девушка заказала полпинты «Гиннесса» и жадно выпила его.

— Боюсь, у меня мало времени, — заявила она, не удостоив его более подробными объяснениями.

Мэтт изо всех сил пытался завязать разговор. Но Гранию, похоже, совершенно не интересовало то, о чем он ей рассказывал, — она была погружена в свои мысли. В итоге она поднялась, извинилась и сказала, что ей пора идти.

— Мы можем увидеться снова? — спросил Мэтт. Быстро заплатив по счету, он вышел из бара вслед за Гранией.

Уже на тротуаре она повернулась к нему и спросила:

— Зачем?

— Мне хочется. Разве этого не достаточно?

— Мэтт, честно говоря, я видела твоих разряженных друзей, с которыми ты в тот раз пришел в галерею. Не думаю, что я отношусь к типу женщин, которые тебе нравятся, а ты — не мой тип мужчины.

Такое заявление застало Мэтта врасплох. Она развернулась и пошла прочь, но он догнал ее:

— Эй, Грания, и какие же, по-твоему, женщины мне нравятся?

— Разве сам не знаешь? Ты ведь родился в Коннектикуте, окончил элитную частную школу и Гарвард для полного комплекта, ну а потом отправился на Уолл-стрит, где и делаешь деньги.

— Что ж, в чем-то ты права. — Мэтт покраснел. — Но я совершенно точно не собираюсь заниматься инвестиционным бизнесом. Если честно, я изучаю психологию в Колумбийском университете. А потом планирую стать преподавателем.

В этот момент Грания остановилась и оглянулась, в ее глазах промелькнула искра интереса.

— Неужели? — Она скрестила на груди руки. — Я удивлена. Но ты не производишь впечатление бедного студента. — Грания дотронулась до его одежды. — А как же твой форменный костюм?

— Что?

— Костюм настоящего янки, — захихикала она. — Ты выглядишь так, будто только что сошел с рекламного щита Ральфа Лорена.

— Знаешь, Грания, многим девушкам это нравится.

— Я не из их числа. Извини, Мэтт. Я не из тех, с кем можно играть сынку богатых родителей, который считает, что, имея деньги, легко добиться чьей-то любви.

Мэтт, в котором бушевали самые противоречивые эмоции, от злости до веселья, был очарован этой маленькой дерзкой девчонкой из Ирландии. Внешне она напоминала Алису в Зазеркалье, но имела твердый характер и острый язык и могла с легкостью расправиться с неприятным клиентом. Мэтт понял, что увлечен ею.

— Эй, послушай! — закричал он вслед Грании, уходившей от него по тротуару. — А как же твоя скульптура? Я потратил на нее все наследство, полученное от тетки. Несколько месяцев искал что-то в этом роде. В завещании говорилось, что на эти деньги я должен купить какой-нибудь предмет искусства. — Мэтт вдруг понял, что он кричит на невысокую девушку, стоящую в пятидесяти ярдах от него, и уже начинает привлекать внимание прохожих. — Я купил твоего лебедя, потому что в самом деле счел его красивым. И чтобы ты знала: мои родители недовольны мной, поскольку я отказался идти по стопам отца! И у меня нет пентхауса на Парк-авеню. Я живу в студенческом общежитии в кампусе университета, где у меня есть только кровать, а кухня и комната отдыха общие.

Грания снова остановилась и, развернувшись к нему, удивленно приподняла брови. Мэтт не унимался:

— Хочешь побывать там? Ко мне не ездит ни один из приятелей, живущих за городом, поскольку кампус расположен в непрестижном районе!

И в этот момент Грания улыбнулась.

— И еще... — Мэтт осознавал, что слишком разошелся, но для него было очень важно объяснить этой девушке, кто он на самом деле. — Есть шанс, что я не унаследую ни пенни моих предков, если не подчинюсь их воле. Так что, если ты ищешь богатого наследника, думаю, нам действительно не по пути.

Секунд двадцать они не отрываясь смотрели друг на друга. Как и зеваки, привлеченные разыгравшейся на улице сценой.

Теперь настал черед Мэтта развернуться и пойти прочь. Он шел быстро, пытаясь осмыслить, чем была вызвана его неожиданная и резкая вспышка несколько секунд назад. Грания догнала его.

— Ты действительно потратил на лебедя все наследство? — тихо поинтересовалась она.

— Да, конечно. Моя тетя серьезно увлекалась коллекционированием. Она учила меня приобретать вещи, которые не оставят меня равнодушным. Именно так произошло с твоей скульптурой.

Некоторое время они шли молча, не зная, куда направляются. Наконец Грания заговорила:

— Извини, я не должна была осуждать тебя.

— Ничего, только я не понимаю, какая разница, откуда я родом и как одеваюсь. — Мэтт посмотрел на нее. — Думаю, тебя это совершенно не касается.

— Не нужно пудрить мне мозги с помощью психологических приемов, мистер Коннелли. А то я решу, что ты пытаешься произвести впечатление.

— А я могу подумать, что в прошлом у тебя были проблемы с мужчиной моего типа.

Грания покраснела.

— Думаю, ты прав. — Она внезапно остановилась, развернулась и посмотрела на него. — Как ты узнал?

— Послушай, Грания, — Мэтт пожал плечами, — зачем вообще так резко критиковать Ральфа Лорена? Он шьет очень неплохие вещи.

— Справедливо замечено. Мой бывший парень был полный идиот. Поэтому все вот так и... — Самоуверенность вдруг покинула Гранию. — Что ж, думаю...

— Послушай, может, пойдем куда-нибудь и вместе поужинаем? — Мэтт подмигнул ей. — Обещаю, там не будет ни единого человека в блейзере.

Этот вечер и последовавшие за ним несколько недель Мэтт вспоминал как лучшие в жизни. Искренность, честность и непосредственность Грании вскружили ему голову. Мэтт привык общаться с высокомерными девушками из богатых районов, скрывавшими свои подлинные мысли и чувства под налетом изысканности, а об истинном положении вещей оставалось только гадать. Поэтому общение с новой знакомой оказалось для него глотком свежего воздуха. Если Грания была счастлива, он знал об этом, как и о том, что она обижена, зла или расстроена из-за очередной скульптуры. К его будущей профессии, а также к усилиям, которые он прикладывал, чтобы овладеть ею, Грания относилась с большим уважением. В отличие от многих друзей Мэтта она не считала, что для него это просто игра, небольшое развлечение перед тем, как он окончательно капитулирует, пойдет по стопам отца и вернется в мир, к которому принадлежит с рождения.

Грания была не так хорошо образованна, как Мэтт, но обладала живым и острым умом и впитывала информацию как губка. А потом умело распоряжалась ею, пользуясь своей способностью разбираться в том, о чем когда-либо слышала. Единственным неприятным моментом для Мэтта стала необходимость сообщить Чарли о разрыве отношений. Он относился к ним как к самой обычной связи, которая не могла перерасти во что-то более серьезное. Чарли спокойно восприняла новость, по крайней мере Мэтту так показалось.

Шли месяцы, и он все реже видел как свою бывшую девушку, так и всех старых друзей. Теперь он понял, что в свое время имела в виду Грания, и, взглянув на свой мир ее глазами, обнаружил, насколько поверхностными оказались некоторые люди, населявшие его. Проблема крылась в том, что это и в самом деле был его мир и, даже вычеркнув из него друзей, он не мог так же поступить с семьей.

Как-то в выходные он пригласил Гранию домой, желая познакомить с родителями. В течение нескольких дней она примеряла различные наряды, но за пару часов до выхода разрыдалась от отчаяния. Мэтт обнял ее.

— Дорогая, послушай, одежда не имеет никакого значения. Они полюбят тебя просто потому, что ты — это ты.

— Хм... — раздалось в ответ. — Что-то я в этом сомневаюсь. Я ведь не хочу подвести тебя, Мэтт, или поставить в неудобное положение.

— Клянусь тебе, все будет отлично.

Мэтт считал, что выходные прошли настолько хорошо, насколько это вообще возможно. Конечно, Элейн, его мать, иногда слишком навязывает свое мнение, но она желает ему добра, и именно этим мотивированы все ее слова и поступки. Отец Мэтта держался менее приветливо. Боб Коннелли принадлежал к тому поколению, которое настаивало на исключительности мужчин, и считал, что они не должны вмешиваться в домашние дела или эмоциональные проблемы женщин. Грания старалась изо всех сил, но он был не из тех людей, с кем можно откровенно побеседовать на любую тему.

По дороге домой Грания молчала, и почти всю следующую неделю Мэтт убеждал ее, что она произвела благоприятное впечатление на его родителей. Ему казалось, что если он продемонстрирует Грании, что готов защищать ее и серьезно относится к их отношениям, это поможет. Через полгода, во время отдыха во Флоренции, когда они, остывая после страстных объятий, лежали в кровати в комнате с закрытыми ставнями недалеко от Соборной площади, Мэтт сделал Грании предложение. Она подняла на него глаза, широко раскрытые от удивления.

— Выйти за тебя замуж? Мэтт, ты серьезно?

Он принялся щекотать ее.

— Нет, это просто шутка. Конечно, я говорю серьезно!

— Понятно... — Она глубоко вздохнула. — Честно говоря, ты меня пугаешь.

— Что, черт возьми, в этом страшного? — в недоумении спросил Мэтт. — Мы с тобой совершеннолетние, я люблю тебя и надеюсь, мое чувство взаимно. Это ведь естественное развитие событий, разве не так? Что делают нормальные люди в таких обстоятельствах?

Глаза Грании потемнели, казалось, она вот-вот расплачется. Мэтт совершенно не рассчитывал на это, ожидая совсем другой реакции.

— Дорогая, я не хотел расстраивать тебя. В чем дело?

— Просто, я... не могу. Я никогда не выйду за тебя замуж, — прошептала она.

— Понятно. Но почему?

Грания зарылась лицом в подушку и покачала головой.

— Проблема не в отсутствии чувств, ведь я люблю тебя, — прозвучал ее приглушенный голос. — Но я не смогу играть роль миссис Мэттью Коннелли. Что бы ты ни думал, Мэтт, твои родители и друзья придут в ужас. Я это точно знаю. Все окружающие будут видеть во мне лишь охотницу за твоими деньгами, а меня всю оставшуюся жизнь не оставит в покое чувство вины. Кроме того, я перестану быть самой собой.

— Грания, дорогая, — вздохнул Мэтт, — не понимаю, почему тебя так волнует чужое мнение! Дело ведь не в них, а в нас с тобой. В том, что хорошо для нас обоих! А я был бы счастлив, если бы ты согласилась стать моей женой. Если, конечно, ты не пытаешься таким образом скрыть, что не любишь меня.

— Не говори глупости, Мэтт! Ты знаешь, что это не так! — Грания села и провела рукой по спутанным волосам. — Мэтт, проблема в моей гордости. Я всегда была такой и не вынесу, даже если один-единственный человек решит, что я вышла за тебя замуж по расчету.

— И это важнее, чем наши собственные желания?

— Дорогой, ты ведь меня знаешь. Если мне что-то взбредет в голову, уже ничего не поможет. Послушай... — Она взяла его руки и крепко сжала. — Если ты говоришь, что хочешь провести дальнейшую жизнь под одной крышей со мной, я отвечаю «да». Я тоже хочу этого. Разве мы не можем довольствоваться этим? Обойтись без кольца, смены фамилии и всего прочего?

— Ты предлагаешь нам просто жить вместе?

— Да. — Грания улыбнулась, увидев изумление на лице Мэтта. — В наши дни многие так делают. Более того, хотя я не вполне в курсе юридических тонкостей, через несколько лет я в любом случае буду считаться твоей гражданской женой. Мэтт... — Она снова сжала его руки и серьезно посмотрела ему в глаза. — Неужели ты действительно считаешь, что нужен какой-то документ, чтобы мир узнал о нашей любви? Разве нельзя быть вместе без каких-то официальных бумаг?

Мэтт никогда не рассматривал возможность гражданского брака, предполагая, что он, как его родители и друзья, сыграет традиционную свадьбу.

— Я... — Он покачал головой. — Мне нужно время, чтобы все обдумать.

— Понимаю. — Грания потупилась. — Я лишь хочу сказать, что буду счастлива принять от тебя кольцо, если ты захочешь мне его подарить. И мы могли бы пойти в «Тиффани», как Одри Хепберн в фильме «Завтрак у Тиффани», и сделать на нем гравировку.

— А что будет, когда у нас появятся дети? — поинтересовался взволнованный Мэтт.

— Боже мой! — Грания улыбнулась. — Мы еще только начали обсуждать совместное будущее! Не думаю, что я могу заглянуть так далеко!

— Да, конечно, дорогая. И все же, обдумывая сейчас твое предложение, я должен знать, готова ли ты вновь вернуться к этому разговору, когда придет время. Я стараюсь понять тебя, но то, что мои дети формально будут рождены вне брака и по закону даже не смогут носить мою фамилию, — это уж слишком.

— Хорошо, предлагаю компромисс. Если ты сейчас готов жить со мной, не оформляя отношения официально, то я согласна вернуться к разговору о свадьбе, когда у нас появятся дети.

Мэтт помолчал какое-то время, а потом усмехнулся и поцеловал Гранию в нос.

— Леди, вы — мечта поэта-романтика. Хорошо, договорились, если ты так этого хочешь. И еще... — Он пристально посмотрел на нее. — Рукопожатие меня не устраивает. Я знаю гораздо лучший способ скрепить наш договор.

Вот так Мэтт пожертвовал всеми своими принципами ради отношений с этой ужасно гордой, независимой, непредсказуемой, но вместе с тем удивительной девушкой, от которой у него кружилась голова. Они начали жить вместе. Он купил ей кольцо в «Тиффани», и она с гордостью носила его. Увидев кольцо, родители Мэтта задали всего один вопрос: когда будет назначен день свадьбы?

Но этого так и не произошло.

И вот теперь, восемь лет спустя, у Мэтта было не больше бумаг, подтверждающих их отношения, чем тогда во Флоренции. Он обнаружил, что совсем не против сложного и болезненного бракоразводного процесса — по крайней мере это была бы достойная точка в их отношениях. Но у них никогда не было даже общего банковского счета, и делить им было нечего. Единственное, что удерживало их рядом, — это обоюдное желание быть вместе.

Мэтт подошел к окну и посмотрел на улицу. Возможно, ему следовало смириться с тем, что Грания со всей ясностью дала ему понять, и продолжать жить дальше. И все же он по-прежнему терялся в догадках, что в его поведении стало причиной разрыва, и это осложняло ситуацию. Но он не мог получить объяснений от Грании, не желавшей даже разговаривать с ним. И что еще ему оставалось делать?

— Привет, дорогой! Как прошел день? — Закрыв за собой дверь, Чарли подошла к Мэтту и обняла его за плечи.

— Как тебе сказать... — Он пожал плечами.

— Ты не в настроении? Мэтти, ведь прошло уже так много времени! Мне очень тяжело видеть, как ты переживаешь.

— Но именно так сейчас обстоят дела. — Он высвободился из ее объятий и направился на кухню за пивом. — Хочешь выпить?

— Почему бы и нет? — Чарли уселась на диван. — Я совершенно измотана.

— Тяжелый день в офисе? — учтиво поинтересовался Мэтт, открывая себе пиво и наливая в бокал шардонне из холодильника для Чарли.

— Да, — улыбнулась она. — Я бы с удовольствием сходила куда-нибудь развлечься.

— И я тоже.

Чарли выпрямилась и сделала глоток вина.

— Что ж, давай так и поступим. Поедем куда-нибудь и отдохнем как следует! Я могу позвать кого-нибудь из нашей прежней компании. Ты не против?

— Не знаю, есть ли у меня настроение для вечеринки, — пожал плечами Мэтт.

— Почему бы не проверить? — Чарли, достав мобильник, уже набирала номер. — Если не для себя, то сделай это ради соседки, чьи уши за эти несколько недель завяли от твоих постоянных жалоб. Привет, Эл, — сказала она в трубку. — Какие у тебя планы на вечер?

Через полтора часа Мэтт сидел вместе со старыми друзьями в модном баре в дорогом районе, куда не заходил много лет. Чарли заставила его надеть блейзер и хлопковые брюки. Живя с Гранией, Мэтт предпочитал носить джинсы и футболки. Еще у него был старый твидовый пиджак, который Грания купила на блошином рынке, — она говорила, что эта вещь делает Мэтта похожим на профессора.

Они заказали шампанское. Мэтт обрадовался, что старые друзья явно рады его видеть. Делая один глоток за другим, он вдруг осознал, что ни разу за последние восемь лет не встречался с ними один, без Грании. Никто из их компании еще не женился, все были успешными людьми и по-прежнему вели весьма насыщенную событиями жизнь. После второго бокала шампанского Мэтту показалось, что он перенесся в прошлое, и оно ему даже нравилось. Он выпал из этой компании, поскольку в его жизни появилась Грания и он любил ее. Но теперь ее больше не было рядом...

Осушив три бутылки шампанского на шестерых, они отправились в недавно открывшийся японский ресторан и очень весело поужинали и выпили гораздо больше вина, чем следовало, вспоминая былые времена. После одиночества и переживаний прошедших недель алкоголь подарил Мэтту ощущение необыкновенной легкости, он был счастлив снова оказаться со старыми друзьями, которых знал с детства.

Они вышли из ресторана только в два часа ночи. Мэтт, покачиваясь, остановил такси, чтобы доехать до дома вместе с Чарли.

— Рад был увидеть тебя. — Эл хлопнул его по спине. — Надеюсь, теперь мы будем встречаться чаще.

— Возможно, — ответил Мэтт, садясь в такси следом за Чарли.

— Приезжай к нам в Нантакет на Пасху. Мать с отцом будут рады видеть тебя, дружище.

— Хорошо, Эл. До встречи, — ответил довольный Мэтт. Такси тронулось, и он закрыл глаза. Он чувствовал себя так же, как когда-то на втором курсе университета: казалось, в его голове кто-то крутит тарелку на палке. Надеясь, что ему станет легче, он наклонил голову и обнаружил, что она оказалась на плече у Чарли. Мэтт почувствовал, как она перебирает его волосы и нежно гладит по голове. Ситуация казалась очень знакомой и успокаивала его.

— Дорогой, ты хорошо провел время?

— Да, — пробормотал Мэтт, борясь с тошнотой.

— Я же говорила, что встреча с друзьями пойдет тебе на пользу. Мы по-прежнему любим тебя.

Он почувствовал, как мягкие губы коснулись его кожи.

* * *

На следующее утро Мэтт проснулся с сильной головной болью. Он лежал, уставившись в потолок, и не мог вспомнить, как расплатился в такси, поднялся в лифте наверх и лег в постель. Он пошевелился, стараясь найти позу, в которой голова не болела бы так сильно.

Когда он смог сфокусировать взгляд, то в ужасе осознал, что в кровати не один. Как Чарли вчера легла вместе с ним, он тоже не помнил.

25

Грания уговаривала Аврору попробовать свежую макрель, которую поймал и отдал им на ужин Шейн, когда зазвонил телефон.

— Алло? — ответила она, облизывая пальцы и чувствуя солоноватый вкус свежей рыбы, которой она пыталась накормить Аврору.

— Грания?

— Да.

— Это Александр Девоншир.

— Добрый вечер, Александр. — Она зажала трубку между ухом и плечом и на беззвучный вопрос девочки: «Это папа?» — одними губами ответила: «Да».

— Как дела у Авроры?

— Мне кажется, просто замечательно.

— Хорошо. Я звоню, чтобы поговорить с ней, и еще хотел сказать тебе, что возвращаюсь домой в субботу.

— Уверена, Аврора будет в восторге. Она очень скучала. Девочка закивала.

— И я скучал. Все остальное в порядке?

— Да, все хорошо.

Грании показалось, что разговор почти окончен, и она поинтересовалась:

— Ты хочешь поговорить с Авророй прямо сейчас? Думаю, она многое хочет сообщить тебе.

— С удовольствием. Увидимся в субботу, Грания.

— Хорошо. Я передаю трубку Авроре.

Протянув трубку девочке, Грания вышла из комнаты. Она знала, что сейчас последуют истории о щенках и занятиях танцами, и отправилась наверх, чтобы приготовить ванну.

Сидя на краю ванны и глядя, как она наполняется водой, Грания думала о том, что неизбежное возвращение Александра — это знак для нее. Пришла пора принимать решение.

Почти все время, оставшееся до возвращения Александра, Грания и Аврора провели на ферме. Между Авророй и семьей Райан установились очень теплые отношения. Отец Грании называл ее замечательной малышкой. Кэтлин, которая когда-то была настроена против девочки, теперь просила Гранию приводить свою подопечную на ферму до завтрака, чтобы та помогла ей собрать свежие яйца. Аврора уже дала имена всем курам и была безутешна, когда лисица залезла в курятник и утащила Бьюти и Жизель.

— При всей утонченности Лайлов девочка нормально общается с животными. Из нее могла бы выйти хорошая жена фермера, — заметил Шейн однажды вечером, когда Аврора желала спокойной ночи каждой корове в стаде.

— Да уж, этому невозможно научиться, — согласился Джон.

Утром в день возвращения домой Александра Грания хорошенько отмыла Аврору в ванне. Грания с гордостью отметила, что Аврора выглядит настолько хорошенькой, румяной и здоровой, насколько это вообще возможно. Они ждали приезда Александра, сидя на подоконнике в комнате девочки. Заметив такси, поднимающееся по дороге в скалах в сторону дома, Аврора побежала вниз встречать отца. Грания осталась в комнате.

Через некоторое время, услышав, что ее зовут, она спустилась вниз, чтобы присоединиться к ним. Аврора стояла в холле, ее лицо было одновременно довольным и испуганным.

— О, Грания, как здорово, что папа дома! Вот только, мне кажется, он слишком много работал. Он такой худой и бледный! Нужно будет взять его с собой на пляж, чтобы он хорошенько подышал свежим воздухом. — Аврора взяла Гранию за руку и потащила в кухню. — Иди поздоровайся. Я пытаюсь сделать ему чай, но что-то плохо получается.

Грания вошла в кухню. Вид Александра поразил ее, но она постаралась сохранить невозмутимость. Слова девочки о том, что ее отец худой и бледный, с точки зрения Грании, были явным преуменьшением. Александр выглядел ужасно. Она поинтересовалась, как прошла поездка, и продолжила заваривать чай — Аврора так и не справилась с этим делом.

— Должен признать, — сказал Александр, — моя дочь выглядит лучше, чем когда-либо.

— Да, папа, я же говорила, что Лондон мне не подходит. Мне нравится в деревне. Свежий воздух очень полезен! — Аврора повернулась к Грании. — Папа считает, что я могу взять Лили, когда ее отнимут от матери. Правда, это замечательно?

— Да, — кивнула Грания и повернулась к Александру: — Извини нас, если это не входило в твои планы. Мои родные предлагают Авроре приходить на ферму и навещать Лили, когда ей захочется, если собака в доме доставит тебе беспокойство.

— Нет, я не сомневаюсь, что мы сможем здесь все устроить. Дом большой, и маленький щенок нам не помешает. Тем более что это делает Аврору счастливой. — Александр посмотрел на дочь, и его взгляд был полон любви.

— Что ж, значит, я могу отправляться домой?

И отец, и дочь забеспокоились, услышав вопрос Грании.

— Нет, пожалуйста, не уходи, — попросил Александр. — Останься хотя бы на эту ночь. Может быть, днем вы с Авророй сходите на ферму? Я очень устал в дороге.

— Конечно, — согласилась Грания. — Аврора, давай сходим на ферму и выпьем чая, а твой отец пока отдохнет.

— Ты очень добра, Грания! — сказал Александр и широко развел руки. — Аврора, иди и обними меня! Дорогая, я так по тебе скучал!

— И я, папочка. Но мне на самом деле нравится на ферме. У Грании замечательная семья, все так говорят.

— Отлично. А мне очень хочется поскорее увидеть щенка.

Грания старалась не замечать слез, которые стояли в глазах Александра. И еще ей не хотелось, чтобы их заметила Аврора.

— Давай возьмем плащ, сапоги и наконец оставим твоего отца в покое. — Грания заставила себя улыбнуться. — Увидимся позже.

— Александр выглядел ужасно, — вздохнула Грания. — Он очень похудел, и у него такое выражение глаз... — Она покачала головой. — Я чувствую: с ним что-то не так.

— Что ж... — После возвращения Александра Кэтлин снова вернулась к грубоватой манере общения. — Ты делала для Авроры все, что могла, пока он отсутствовал, а его проблемы тебя не должны волновать.

— Мама, как ты можешь такое говорить? — рассердилась Грания. — Любые проблемы Александра обязательно отразятся на Авроре. А я переживаю за нее, нравится тебе это или нет.

— Извини, — вздохнула Кэтлин, — ты права. Но ведь и письма, и мой рассказ доказывают, что история повторяется. Всегда появляется какой-нибудь ребенок Лайлов, нуждающийся в нашей любви.

— Мама, пожалуйста, прекрати, — устало попросила Грания.

— Я не могу ничего с этим поделать. Такое впечатление, что наши семьи связаны между собой и так будет всегда.

— Что ж, тогда остается только смириться. — Грания поднялась, не в состоянии больше слушать мать. — Пойду позову Аврору пить чай.

Когда Грания и Аврора вернулись домой, в Дануорли-Хаусе было тихо.

— Похоже, твой отец настолько устал, что уже лег спать, — заметила Грания, провожая Аврору в спальню. — Нам нужно постараться не разбудить его. Америка — это очень далеко.

Аврора согласилась и вскоре легла в кровать.

— Спокойной ночи, дорогая! — Грания поцеловала девочку в лоб. — Сладких снов.

— Грания, как ты думаешь, с папой все в порядке?

— Да, я в этом не сомневаюсь. А почему ты спрашиваешь?

— Он плохо выглядит, правда?

— Возможно, он просто устал.

Грания плохо спала той ночью. Присутствие Александра в доме волновало ее. Она заметила, что его комнату от спальни покойной жены отделял целый коридор, и задумалась: всегда ли у них были отдельные комнаты? Чуть раньше она покрутила ручку двери Лили — она по-прежнему была заперта.

Александр не вышел к завтраку, так что Грания и Аврора провели утро как обычно. Грания продолжала лепить из глины лицо девочки, а сама модель хмурилась над примерами, по привычке засунув в рот большой палец. Когда подошло время ленча, Грания начала всерьез волноваться за Александра. Аврора словно не замечала отсутствия отца, ей не терпелось попасть на урок балета в Клонакилти. Они уже собирались уезжать, когда в кухне появился хозяин дома.

— Вы вдвоем куда-то собираетесь? — спросил он, слабо улыбнувшись.

— Да, папа, я еду на урок балета.

— Правда? — Он снова заставил себя улыбнуться.

— Ты ведь не возражаешь? — встревожилась Грания.

— Возражаю? Конечно, нет. Желаю тебе хорошо провести время, дорогая.

— Конечно. — Авроре не терпелось уехать, и она направилась к выходу.

— Грания! — вдруг произнес Александр.

— Да?

— Я хотел спросить, не поужинаешь ли ты со мной сегодня? Вот только не знаю, что у нас на ужин. Возможно, мне нужно спросить, могу ли я присоединиться к тебе?

— Думаю, я приготовлю что-нибудь простое. Я не знала, должна ли делать покупки после твоего возвращения.

— Давай обсудим это сегодня вечером.

Пока Аврора была на занятиях, Грания зашла к мяснику и зеленщику, чтобы купить продукты к ужину. Вернувшись домой, она поставила мясо в духовку, искупала девочку и примерно час провела у телевизора. Александр появился в кухне, когда она жарила картофель в масле, для аромата добавив свежий розмарин, и тихо напевала.

— Как вкусно пахнет! — восхитился он.

Грания с радостью отметила, что Александр выглядит лучше. Он был чисто выбрит, и ему очень шла темно-синяя льняная рубашка.

— Где Аврора?

— В гостиной. Смотрит телевизор, который я купила. Надеюсь, ты не возражаешь?

— Грания, пожалуйста, перестань спрашивать, не возражаю ли я! Моя дочь выглядит счастливее, чем когда-либо! Если для этого потребовалось несколько уроков балета и телевизор, я очень рад. Открой, пожалуйста, вот это. — Он протянул Грании бутылку красного вина. — А я уложу Аврору спать.

Накрывая на стол и разливая вино в ожидании Александра, Грания поняла, что очень комфортно чувствует себя в домашней обстановке, и это ее очень удивило. Как и желание поужинать с ним наедине. Она вдруг почувствовала прилив адреналина, который не имел ничего общего с предстоящей дегустацией блюда из баранины.

— Все в порядке, — сказал Александр, вернувшись на кухню. — Она действительно выглядит вполне здоровой. И кажется гораздо спокойнее, чем была раньше. — Он поднял бокал и чокнулся с Гранией. — Спасибо тебе. Это все благодаря тебе.

— Я занималась с ней с удовольствием. Думаю, Аврора просто расцвела. Хотя вначале...

— Что такое?

— Она ходила во сне. Однажды ночью я увидела ее на балконе комнаты в конце коридора и подумала... — Грания перестала резать мясо и, повернувшись, посмотрела на Александра. — В какую-то секунду мне показалось, что она собирается прыгнуть.

Александр, вздохнув, опустился на стул. Помолчав некоторое время, он заговорил:

— Она рассказывает мне, что видит мать на скалах.

— Я знаю, — тихо произнесла Грания. — Я... заперла дверь. Если ты хочешь открыть ее, ключ у меня.

— Очень разумное решение. Думаю, эта комната должна оставаться закрытой. Ты, наверное, догадалась, что это спальня моей покойной жены.

— Да.

Александр сделал глоток вина.

— Я показывал Аврору нескольким специалистам, консультировался в связи с ее кошмарами и лунатизмом. Они сказали, что такое состояние называется посттравматическим стрессовым расстройством. И с возрастом оно пройдет. Ты говоришь, она нормально спит уже недели две-три?

— Да, так и есть.

— Тогда, возможно, наступил тот самый момент.

— Будем надеяться на это. Аврора была близка с матерью?

— Сложно сказать. — Александр вздохнул. — Вряд ли Лили могла быть близка с кем-либо. Даже не знаю. Хотя я не сомневаюсь, что она любила дочь, а та просто боготворила ее.

— О... — Грания не смогла придумать, что ответить. Закончив мыть свежий горошек, она добавила его к картофелю и баранине. — Угощайся. — Она поставила тарелки на стол. — Не знаю, любишь ли ты подливку, — она вот здесь в соуснике. И есть еще немного мятного соуса.

— Вот это да, какая роскошь! После американской суррогатной еды я мечтал именно об этом. Спасибо тебе, — поблагодарил Александр.

— Для меня это тоже роскошь. Я очень люблю твою дочь, и все же мне приятно для разнообразия поужинать со взрослым человеком. — Она улыбнулась.

— Тебе, наверное, было здесь одиноко, особенно после Нью-Йорка.

— К счастью, мои родители рядом. Они тоже очень привязались к Авроре. Пожалуйста... — Она взяла нож и вилку. — Ешь, пока не остыло.

Они некоторое время молчали. Александр отметил, что мясо получилось очень нежное.

— Итак... — наконец произнес он, положив нож и вилку на тарелку, не закончив есть. — Каковы твои дальнейшие планы? Ты что-то уже решила?

— Я была слишком занята с Авророй, — усмехнулась Грания. — Как раз вчера подумала о том, что мне был нужен месяц именно такой жизни.

— Ты имеешь в виду, что у тебя было время для размышлений?

— Именно так.

— Когда собираешься вернуться в Нью-Йорк?

— Я уже сказала, что окончательного решения пока не приняла.

— Грания, мне нужно попросить тебя кое о чем.

Она подняла глаза, уловив напряжение в его голосе.

— В чем дело?

— Ты не останешься с нами еще на некоторое время? Я буду очень занят и не смогу уделять девочке достаточно внимания.

Грания немного помолчала.

— Я... не знаю, — честно ответила она.

— Значит, нет. — Александр посмотрел на нож и вилку, лежащие на его тарелке. — Конечно, нет. С какой стати такая молодая и красивая женщина, как ты, станет сидеть здесь с маленьким ребенком дольше, чем считает для себя целесообразным? Извини, я не мог не спросить. Просто ты первая, о ком я подумал, учитывая, как счастлива Аврора с тобой и как она хорошо выглядит.

— И надолго мне нужно остаться? — Грания пристально смотрела на Александра.

— Честно говоря, я не знаю. — Он покачал головой. — В самом деле, не имею представления.

— У тебя проблемы в бизнесе?

— Нет... Это сложно объяснить, — произнес он. — Прости, что не рассказываю всего. Я просто подумал, если ты вдруг решишь остаться... Когда Лили захотела заняться рисованием, я переоборудовал флигель в студию. Она там не работала, хотя были созданы все условия. И из окон открывается прекрасный вид на залив.

— Александр, спасибо за предложение, но я занята с Авророй целыми днями, и времени на работу почти не остается.

— Да, еще я подумал, что теперь, когда ей стало намного лучше, имеет смысл прислушаться к твоему предложению и отдать ее в школу. Если мы сделаем это, у тебя будет целый день, чтобы заняться работой.

— Я уверена, что общение с детьми своего возраста пойдет Авроре только на пользу, — согласилась Грания. — Она проводит слишком много времени в одиночестве или в компании взрослых, но...

Александр накрыл ладонью ее руки.

— Грания, я понимаю, что веду себя как эгоист. У тебя своя жизнь, и ты талантлива. Я ни в коем случае не хочу стоять у тебя на пути. Единственное, о чем я прошу — если у тебя нет каких-то неотложных дел, — провести с нами еще несколько недель. Я чрезвычайно занят и не смогу заниматься с Авророй столько, сколько необходимо. И у меня нет сил, — вздохнул он.

— Хорошо, я останусь еще на пару недель. — Грания понимала, что соглашается скорее из-за прикосновения его ладони к ее рукам. Это не было осмысленным и логичным решением. — Мне в любом случае нужно закончить скульптуру.

— Спасибо.

— Ты действительно принял решение по поводу школы? Директриса — двоюродная сестра моей матери. Думаю, мама могла бы поговорить с ней об Авроре и выяснить, можно ли в ближайшее время приступить к занятиям.

— Замечательно. И еще — я должен заплатить твоим родителям за щенка, которого Аврора так жаждет взять.

— Что ты, Александр, это не обязательно. — Грания встала из-за стола и принялась собирать тарелки. — Кофе?

— Нет, спасибо. От него у меня только сильнее болит голова. Знаешь, — заметил Александр, наблюдая, как она движется по кухне, — моя покойная жена всегда верила в ангелов.

— Правда? — удивилась Грания, складывая посуду в раковину.

— Да, она говорила, что нужно лишь позвать их, — грустно улыбнулся Александр, глядя на нее. — Возможно, она была права.

Той ночью, лежа в одиночестве в постели, Грания почувствовала, что в ее голове все смешалось. Она только что согласилась провести с Девонширами еще две недели, а может, даже больше. Но на сей раз дело было не только в Авроре: она осталась из-за Александра. Возможно, в ней проснулись материнские чувства — он казался таким же беззащитным, как и его дочь, или сработал механизм переноса, как определил бы любой нью-йоркский психоаналитик. Возможно, она переносит свои нереализованные эмоции и чувства к Мэтту на другого мужчину. Вопрос отношений с Мэттом так и остался открытым. И все же она жила в этом доме и мечтала об уютной домашней обстановке в компании Александра и Авроры, словно они и были ее настоящей семьей.

Грания вздохнула и повернулась на другой бок. Возможно, годы жизни с имеющим ученую степень по психологии мужчиной, который при желании мог подвергнуть психоанализу даже еду на тарелке, отразились на ней сильнее, чем она думала. Или, может быть, дело в том, что в ее судьбе произошел неожиданный поворот и Александр и Аврора дают ей утешение, в котором она нуждается.

Кроме того, еще несколько недель в этом доме, пока Александр будет решать какие-то неотложные дела, а Аврора пойдет в школу, вряд ли как-то отразятся на ее жизни в целом. В то же время Грания хорошо знала: даже самые незначительные события порой очень серьезно влияют на судьбу человека и могут стать роковыми.

26

Прошло еще две недели, но Грания так и не смогла как следует подумать о будущем. Однажды утром, проводив Аврору в школу, она вернулась в Дануорли-Хаус и увидела в кухне Александра со связкой ключей.

— Это от того флигеля, где теперь студия, — сказал он, протягивая ей ключи. — Посмотри, понравится ли она тебе.

— Спасибо.

— По-моему, Лили в ней ничего не трогала, так что наводи порядок и пользуйся, как будто она принадлежит тебе. — Александр кивнул Грании и вышел из кухни.

Пройдя по двору, Грания открыла дверь в студию и ахнула. Огромное, от пола до потолка, окно пропускало достаточно света, который был так необходим художнику, и из него открывался потрясающий вид на залив Дануорли. Осмотревшись, она увидела чистый, нетронутый мольберт, тюбики с краской и коллекцию дорогих кистей из меха норки, все еще закрытых пленкой. Шкафы были забиты холстами и чистой белой бумагой для рисования, и нигде не было ни капли краски. Стоя у окна и глядя на скалы, Грания недоумевала, почему Лили ни разу не воспользовалась такой замечательной студией. Любой профессиональный художник отдал бы пару лучших картин — или скульптур, если уж на то пошло, — чтобы заполучить такое рабочее место. Здесь было даже маленькое подсобное помещение с туалетом и большой раковиной, где можно было мыть кисти.

В этой студии имелось все, о чем Грания могла мечтать. В тот же день она перенесла сюда наполовину готовую скульптуру Авроры и установила на подставку напротив окна. Единственный минус, который отметила девушка, сев у окна и задумчиво уставившись вдаль, заключался в том, что она будет целыми днями наслаждаться видом, вместо того чтобы сосредоточиться на работе.

Когда Грания забрала Аврору из школы, девочка не умолкая рассказывала о новых друзьях и с гордостью сообщила, что, как оказалось, она читает лучше всех в классе. Этим же вечером за ужином Грания и Александр, как настоящие родители, с удовольствием слушали рассказы Авроры об ее успехах.

— Вот видишь, папа, на самом деле я не так уж плохо образована, как ты думал. И я совсем неглупая.

Александр потрепал ее по волосам.

— Дорогая, я уверен, что ты умная.

— Как ты считаешь, в кого я пошла? В тебя или в маму?

— В маму, в этом нет сомнений. Я ужасно учился в школе.

— А мама была умная? — спросила Аврора.

— Очень.

— О... — Аврора продолжала жевать, а потом сказала: — Она очень много времени проводила в кровати и часто уезжала надолго, как ты сейчас.

— Да, мама очень уставала.

— Мадам, вам пора в ванну, — сказала Грания, заметив, как изменилось лицо Александра. — Нам завтра нужно рано вставать, чтобы не опоздать в школу.

Когда Грания спустилась вниз, Александр мыл посуду в кухне.

— Оставь, — смутилась она, — это моя работа.

— Не думаю, — возразил он. — **Ты же не** прислуга. Ты здесь для того, чтобы присматривать **за Авророй**.

— Я не против, — сказала Грания и, **взяв посудное** полотенце, встала рядом у раковины и **принялась вытирать** мокрые тарелки, которые Александр **протягивал** ей. — Я так воспитана. Я ведь единственная дочь **в доме, где** много мужчин.

— Какой хороший пример для **Авроры! Г**рания, в тебе природой заложено быть матерью. **Ты когда-нибудь** думала о своих детях?

— Я... — Ее голос дрогнул.

— Извини, я сказал что-то не то?

— Нет... — Грания почувствовала, **как** рвутся наружу невыплаканные слезы. — Не так давно **я потеряла** ребенка.

— Понятно. — Не останавливаясь, **Александр** продолжал мыть посуду. — Мне очень жаль. Это, **наверное**, было... Тебе сейчас очень тяжело?

— Да... — Грания вздохнула. — **Очень.**

— Ты поэтому и уехала из Нью-**Йорка?**

— Да. — Она чувствовала на себе **внимательный** взгляд Александра. — Поэтому и еще по **одной причине**... В любом случае...

— Я уверен, у тебя еще будут дети.

— Да. Я уберу тарелки в буфет, **хорошо?**

Александр молча смотрел ей в **спину, понимая**, что ее нежелание обсуждать этот вопрос **объясняется** сильной душевной болью. И он сменил тему:

— Как я сказал, ты — очень хороший **пример** для Авроры. Ее мать была не из тех, кто занимается **домом**.

— Возможно, у нее были таланты в **других** областях.

— У тебя они тоже есть.

— Спасибо. — Грания покраснела **под его** взглядом.

— Когда ты забирала Аврору из **школы**, я заглянул в студию. Твоя скульптура просто **потрясающая**.

— Но она еще не закончена. Сейчас **я работаю** над лицом — пытаюсь сделать нос, — уточнила **Грания**.

— Нос Лайлов. У всех женщин в семье был такой. Думаю, его сложно повторить в глине.

— Твоя жена была очень красивой.

— Да, это так, — вздохнул Александр, — но у нее были проблемы...

— Правда?

— Проблемы с психикой.

— О... — Грания не знала, как реагировать. — Мне очень жаль.

— Удивительно, что в красоте может таиться столько изъянов. Конечно, я не виню в этом саму Лили, но когда я встретил ее впервые, то и подумать не мог, что женщина с такой внешностью может оказаться такой... какой она была. Как бы там ни было... — Александр уставился в пустоту.

Повисло молчание. Грания вытерла оставшиеся тарелки и убрала их. Повернувшись, она увидела, что Александр наблюдает за ней.

— Как бы там ни было, нам с Авророй очень приятно, что в доме живет нормальная женщина. Мне кажется, дочери недоставало образца для подражания. Хотя, конечно, Лили очень старалась, — торопливо добавил он.

— Многие поспорили бы с тобой по поводу моей нормальности, — усмехнулась Грания. — Спроси моих родителей или некоторых друзей в Нью-Йорке — у них совсем другое мнение.

— Грания, мне кажется, ты именно такая, какой должна быть женщина. И мать, раз уж мы заговорили об этом. Я искренне соболезную тебе в связи с твоей потерей. — Он по-прежнему не сводил с нее глаз.

— Спасибо, — выдавила она.

— Прости, я смутил тебя. В последнее время... я немного не в себе.

— Я поднимусь наверх и приму ванну. Спасибо за то, что позволил мне работать в такой замечательной студии. Это просто мечта! — Грания, изобразив улыбку, вышла из кухни.

Позже, лежа в постели, она ругала себя за то, что поделилась с ним своей бедой. И все же некая беззащитность

Александра, скрытая под мужественной внешностью, напоминала ей о ее собственной уязвимости. Она была тронута, потому что поняла: у нее есть что-то общее с этим мужчиной.

Впервые Грания не сдерживала слез. Она оплакивала потерянную жизнь крохотного, хрупкого человечка. Через пару часов она успокоилась и попыталась заснуть, почувствовав себя гораздо лучше, словно что-то внутри ее сломалось, а потом было создано заново.

Шли дни, и Александр стал чаще спускаться вниз. Иногда он заходил в студию и наблюдал за работой Грании. Порой он присоединялся к ней за ленчем, и, стоило ей упомянуть, что она любит слушать музыку за работой, в студии тут же появился дорогой музыкальный центр «Боуз». С течением времени Александр все больше рассказывал о Лили.

— Поначалу мне даже нравился ее подвижный ум и то, как она перескакивала с одной темы на другую. От нее невозможно было отвести взгляда, — вздыхал он. — И она всегда была такая счастливая, словно жизнь — это захватывающее приключение. Ее ничто не могло расстроить. Лили знала способ получить все, что пожелает, поскольку сразу же пленяла всех окружающих. И я тоже попал под ее очарование. А когда у нее неожиданно портилось настроение, словно весь мир поворачивался к ней спиной, то слезы мог вызвать даже мертвый кролик, найденный в саду, или просто тот факт, что луна начала убывать и следующего полнолуния придется ждать целый месяц. В такие моменты я считал, что это просто проявление ее тонкой натуры. И только когда периоды плохого настроения начали затягиваться, а радость она выражала все реже и реже, я понял: с ней что-то не в порядке. Года через два после нашей свадьбы Лили стала проводить все дни в постели, заявляя, что слишком устала и расстроена, чтобы вставать. Иногда она внезапно выходила из комнаты в одном из лучших платьев, вымыв и уложив волосы, требовала, чтобы мы занялись чем-нибудь веселым. У нее было просто маниакальное стремление к развлечениям. В такие дни Лили невозможно было сдержать, но она была прекрасна. Должен признаться, мы пережили множество приключений. Для нее не существовало границ, а ее энтузиазм был заразителен.

— Не сомневаюсь в этом, — тихо произнесла Грания.

— И конечно, каждый раз, когда у нее бывало такое настроение, я верил, надеялся и мечтал, что темные моменты останутся в прошлом. Но я ошибся. Еще несколько лет ее настроение колебалось, словно маятник, а я был вынужден постоянно приспосабливаться к резким перепадам, чтобы поддержать ее, когда требовалось. А потом, — Александр выдохнул и грустно покачал головой, — ее плохое настроение затянулось на несколько месяцев. Она категорически отказывалась приглашать врача. Стоило мне заговорить об этом, как у Лили начиналась истерика и она впадала в ярость. В конце концов, когда она почти неделю отказывалась от еды и воды, я все же вызвал специалистов. Ей дали успокоительное и забрали в больницу, где поставили диагноз: шизофрения и маниакальная депрессия.

— Александр, мне так жаль! Тебе наверняка было очень тяжело.

— Вины Лили в этом не было, — подчеркнул Александр. — Она вела себя как ребенок. Казалось, она не осознавала, что с ней происходит. И когда мне пришлось поместить Лили в особую клинику, которая специализировалась на ее проблеме, это разбило мне сердце. Все это делалось ради ее собственной безопасности, но она кричала, царапалась и висла на мне, умоляя не оставлять ее в этом, как она выражалась, сумасшедшем доме. Но к тому моменту она уже могла причинить вред самой себе и несколько раз пыталась совершить самоубийство. Еще у нее проявилась склонность к насилию, и она пару раз приходила ко мне, прихватив какой-нибудь острый предмет из кухни. Если бы я не защищался, она могла бы серьезно поранить меня.

— Боже, Александр, это ужасно! Удивительно, что у вас появилась Аврора, — сказала Грания, искренне потрясенная его рассказом.

— Аврора стала сюрпризом для нас обоих. Лили было уже почти сорок, когда она обнаружила, что беременна. Доктора считали, что уход за ребенком способен облегчить ее состояние, конечно, в том случае, если она будет под постоянным наблюдением. И не забывай, Грания, — принялся объяснять Александр, — что в ее жизни были достаточно длительные периоды, когда она лечилась и была в стабильном состоянии. Хотя я всегда боялся, что может наступить ухудшение, и не мог оставить без контроля прием лекарств. Лили ненавидела пить «пилюли для зомби», как она их называла. Они не давали развиться депрессии, но она осознавала, что они подавляли ее. Собственно, все так и было. Таблетки успокаивали и смягчали ее поведение, но Лили говорила, что живет словно за туманной завесой. Ничто не казалось ей настоящим, не радовало и не расстраивало, как бывало в прежние времена.

— Бедняжка, — посочувствовала Грания. — Но ей стало лучше после рождения Авроры?

— Да. Первые три года Лили была идеальной матерью. Но она не занималась домом, как ты, Грания, — улыбнулся он. — Лили всегда управляла большим штатом прислуги, готовой откликнуться на любое ее требование, а сама она была сосредоточена исключительно на малышке. Мне тогда казалось, что у нас появилась надежда на будущее. Но это продлилось недолго. — Александр провел рукой по волосам. — И к сожалению, основной удар пришелся по нашей дочери. Однажды вечером я вернулся в дом и обнаружил, что Лили спит в постели, а Авроры нигде нет. Я разбудил жену и спросил, где девочка, а она честно ответила, что не помнит. Я нашел Аврору, замерзшую и ужасно напуганную, на скалах, где та бродила в одиночестве. Они вдвоем вышли на прогулку, а потом Лили просто забыла про дочь.

— О, Александр, какой ужас! — Грания представила, как все это произошло, и из ее глаз вдруг брызнули слезы.

— После этого случая я понял, что не могу оставлять девочку наедине с Лили даже на несколько минут. Вскоре состояние Лили ухудшилось, она снова легла в клинику. И действительно, начиная с того момента Аврора очень редко видела мать. Мы переехали в Лондон, чтобы я мог работать и находиться поблизости от жены. Ты уже слышала, что у Авроры постоянно сменялись гувернантки, — ни одной не удалось остаться надолго. Потом, когда состояние Лили снова стабилизировалось, она настояла, чтобы мы вернулись в Дануорли-Хаус. Мне не стоило соглашаться, но она так любила бывать здесь! И говорила, что ей помогает красота этих мест.

— Мама сказала мне, что она покончила с собой, — тихо заметила Грания.

— Да. Твоя мать сказала правду. — Александр обхватил голову руками и вздохнул. — И я уверен, что Аврора все видела. Я услышал крики из спальни Лили — дочь стола на балконе в ночной рубашке. Она показывала на скалы внизу. А два дня спустя тело моей жены прибило к берегу на пляже Инчидони. Мне никогда не узнать, как все это повлияло на Аврору. Не говоря уж о том, что она росла в обстановке, когда ее мать, хотя и не по своей вине, могла сначала обнять, а потом резко оттолкнуть ее.

Грания пыталась скрыть свои чувства. Ей страшно было подумать о том, что Аврора видела тот последний прыжок матери. Стараясь успокоить Александра, она прикоснулась к его руке:

— Могу сказать только одно... Учитывая все, что довелось пережить Авроре, она очень уравновешенная девочка.

— Правда? — Александр взглянул на Гранию. Его взгляд был полон отчаяния. — Проблема в том, что ее реакция на смерть Лили встревожила докторов. Они даже высказали предположение, что Аврора унаследовала от матери проблемы с психикой. Ее фантазии о том, что она видит мать на скалах и слышит, как та зовет ее к себе, ночные кошмары... Их можно трактовать как первичные признаки болезни, которая в итоге погубила Лили.

— Однако, как ты раньше говорил, это может быть реакцией маленькой девочки на пережитый шок. Она просто пытается справиться с тем, что, вероятно, видела, и примириться со смертью матери.

— Да, будем надеяться, что ты права, — с трудом улыбнулся Александр. — После твоего появления она сильно изменилась в лучшую сторону. Я очень тебе благодарен, Грания. Не могу выразить, как много Аврора значит для меня.

— Ты не знаешь, возможно, Лили пережила какую-то травму в раннем возрасте? — поинтересовалась Грания. — А вдруг эта травма спровоцировала все ее проблемы?

Александр удивленно приподнял брови:

— Для скульптора ты слишком хорошо разбираешься в этой теме.

— Мой... бывший бойфренд — психолог. Эмоциональные травмы в детстве — его любимая тема. И от него я многое узнала, — смутилась Грания.

— Понятно. — Александр кивнул. — Итак, возвращаясь к твоему вопросу... Я очень мало знаю о прежней жизни Лили. Когда мы познакомились, она обитала в Лондоне и всегда с неохотой говорила о прошлом. Мне было известно, что она родилась в этом доме и провела здесь большую часть детства.

— Мне кажется, моя мать в курсе кое-каких событий в жизни Лили в Дануорли, — медленно произнесла Грания.

— Ты серьезно? Она расскажет мне?

— Не уверена. — Грания пожала плечами. — Но что-то произошло, я в этом почти не сомневаюсь. Мама очень негативно реагирует каждый раз, когда я упоминаю имя Лили.

— Боже мой... — Александр нахмурился. — Это не сулит ничего хорошего. Но я был бы рад получить любую информацию, которая поможет мне разгадать загадку покойной жены.

— Посмотрим, что мне удастся выведать, — согласилась Грания, — но моя мама ужасно упрямая, так что может потребоваться очень много времени.

— Да, время — это то, чего у меня нет, — пробормотал Александр. — Через десять дней я должен снова уехать. Ты еще не думала о своих дальнейших планах?

— Нет, — резко ответила Грания, осознавая, что плывет против течения, которое становится все сильнее.

— Хорошо. Я не хочу давить на тебя, но, если ты не останешься, мне придется заняться поиском няни для Авроры.

— Ты знаешь, долго ли будешь отсутствовать?

— Месяц, возможно, два.

— Хорошо. — Грания кивнула. — Я сообщу тебе о своем решении не позднее завтрашнего дня. — Она поднялась и принялась убирать со стола.

— Грания! — Александр подошел к ней, взял тарелки и, поставив обратно на стол, сжал ее ладони. — Не важно, останешься ты или уйдешь, я хочу сказать, что мне было очень приятно познакомиться с тобой. Мне кажется, ты особенная женщина.

Он нежно поцеловал ее в губы и, развернувшись, вышел в сад.

Следующие несколько часов Грания в типично женской манере переживала, анализировала и пыталась понять причину неожиданного поступка Александра. Все произошло так быстро, что она с трудом верила в реальность этого поцелуя. И вероятно, он ничего не значил. Не было причин думать, что Александр желал продолжения. С другой стороны, разве прилично целовать в губы няню своей дочери?

Сам Александр, его поведение и чувства оставались для Грании загадкой. Но она понимала: как ни старается она делать вид, что не испытывает никаких чувств по отношению к Александру, боль пережитых потерь сближает их.

Гранию все сильнее влекло к Александру. И нужно было немедленно что-то предпринять, чтобы обуздать это влечение.

* * *

— Я приняла решение, — сказала она следующим утром, вернувшись в кухню, после того как проводила Аврору в школу.

— И твой ответ?

— Я не могу остаться. Мне очень жаль. Есть несколько... проблем, с которыми необходимо разобраться в Нью-Йорке. Ты знаешь, как сильно я люблю Аврору, но...

— Не нужно больше ничего объяснять. — Александр выставил вперед руки, словно защищаясь. — Спасибо, что сказала. А сейчас мне нужно будет постараться, чтобы найти тебе замену. — Развернувшись, он вышел из кухни.

Грания последовала за ним и с виноватым видом направилась через двор к студии. Она чувствовала себя обманщицей, отклонив его предложение. Скульптура Авроры была практически завершена. Все, что оставалось, — сделать слепок и отлить фигуру в бронзе. Грания вздохнула: чем быстрее она исчезнет из этого дома, тем лучше.

Все утро она провела, убирая в студии и размышляя над тем, что в словах ее матери, возможно, имелась доля правды. Влияние Лайлов на их семью было скрытым и непреодолимым, и оно затуманило ей голову. Даже ради Авроры Грания не могла позволить себе эмоционально привязаться к человеку, которого практически не знала. Возможно, он проникся к ней симпатией, поскольку она ухаживала за его ребенком, и пытался подкупить ее поцелуем, а потом еще...

Инстинкт подсказывал Грании: нужно покинуть этот дом.

Ей было непросто забирать Аврору из школы в тот день. Девочка строила планы на будущее, и во всех фигурировала Грания. Мысль о том, что через несколько дней кто-то другой будет присматривать за Авророй, была практически невыносимой.

— Что значит, ты уходишь?

— Аврора, дорогая, ты ведь знаешь, что я была твоей няней только временно и не могу оставаться в этом доме вечно!

Разговор состоялся на следующее утро. Грания не видела Александра с тех пор, как он стремительно покинул кухню, но она понимала, что обязана сообщить Авроре об уходе. Девочке нужно дать возможность подготовиться. Грания не сомневалась: она воспримет ее поступок как очередное предательство взрослого человека по отношению к ней.

— Но, Грания, ты не можешь уйти! — Огромные глаза Авроры наполнились слезами. — Я люблю тебя, и мне казалось, что это взаимно! Мы друзья, нам хорошо вместе, папа тебя любит, и... — Аврора всхлипывала все громче и громче.

— Дорогая, пожалуйста, не плачь! Прошу тебя. Конечно, я люблю тебя, но ты ведь знаешь: я живу в Нью-Йорке. Там я работаю, а работа очень важна для меня.

— Ты бросаешь меня и возвращаешься в Америку?

— Не сразу, дорогая. Сначала я вернусь на ферму к родителям и буду совсем рядом с тобой.

— Правда? — Девочка посмотрела на Гранию. Ее взгляд был полон отчаяния. — А можно мне жить с тобой? Ведь твои родные любят меня, правда? Обещаю, я буду помогать доить коров, ухаживать за овцами и...

— Аврора ты сможешь навещать нас так часто, как только захочешь. — Грания чувствовала, что ее решимость тает.

— Пожалуйста, можно мне с тобой? Не оставляй меня здесь! Иначе ночные кошмары вернутся и я снова начну видеть маму! — Аврора обняла Гранию и от расстройства сжала руки настолько сильно, что девушке стало трудно дышать.

Грания осознавала, что вот-вот захлебнется в потоке эмоций и ей нужно немедленно спасаться бегством.

— Дорогая, давай поговорим как большие девочки. — Она взяла Аврору за подбородок и посмотрела ей прямо в глаза. — Нельзя судить о том, любит ли тебя человек, только по тому, близко ли он. Честно говоря, мне жаль, что ты не моя дочь и я не могу забрать тебя с собой. — Грания сглотнула слезы, которые мешали ей говорить. — Но ты не можешь быть со мной — нельзя оставлять папу в одиночестве.

Дорогая, ты нужна ему, и знаешь об этом. В жизни бывают моменты, когда приходится принимать тяжелые решения.

— Да. — Теперь Аврора смотрела на Гранию, и ее глаза выражали понимание. — Ты права, — вздохнула она. — Я знаю, что должна остаться здесь ради папы. А ты не можешь быть со мной. У тебя своя жизнь, и это очень важно. — Аврора внезапно отпустила руки Грании и отвернулась. — Жизнь каждого из вас гораздо важнее моей. Вот как поступают взрослые.

— Аврора, придет момент, когда ты вырастешь и все поймешь.

— Да, конечно. — Девочка снова посмотрела на Гранию. — Я знаю, что тебе необходимо уйти, но надеюсь увидеть тебя снова.

— Да, дорогая, обещаю. Достаточно лишь позвать меня, если я буду тебе нужна. Обещаю, я всегда буду рядом.

— Хорошо. — Аврора кивнула. — Нам пора в школу, да?

Всю дорогу девочка хранила молчание, и Грания понимала почему. Аврора вышла из машины и, не обернувшись, направилась к друзьям на игровую площадку — боль от того, что ее отвергли, оказалась слишком сильной.

Грания, опустив голову, вспомнила Мэри, пожертвовавшую всем, чтобы защитить ребенка, который даже не был ей родным. И кто в итоге отвернулся от Мэри, кто бросил ее в трудный момент? Какими бы ни были ее собственные чувства к Авроре, она не может нести ответственность за эту девочку. И не должна допустить повторения прошлого.

— Мама, это невыносимо! Она так расстроена, но при этом так горда и смела! Ты даже не представляешь, что довелось пережить этой девочке! — Грания зашла на ферму по пути в школу за Авророй. Они с матерью сидели за кухонным столом, и слезы текли у нее по щекам.

— Да, дорогая, это невозможно представить, — успокаивала дочь Кэтлин. — Но твое решение, каким бы тяжелым оно ни было, абсолютно верное. Ты права, когда говоришь, что не должна нести ответственность за Аврору. Это дело ее отца.

— Не знаю, как она будет без меня. Все покинули ее, мама, — вздохнула Грания, — все. А она думала, что я люблю ее и забочусь о ней...

— Знаю, но связь между вами уже никогда не прервется. Ты можешь передать Авроре, что мы всегда будем рады видеть ее на ферме. Мы все полюбили ее. Иди ко мне, дай я обниму тебя.

Грания повиновалась. И хотя иногда Кэтлин порой раздражала ее, сейчас она была счастлива, что мать рядом.

Следующие три дня в Дануорли-Хаусе прошли на удивление спокойно. Казалось, Аврора окончательно смирилась с происходящим. Она не стала отдаляться от Грании, а наоборот, спросила, можно ли в оставшиеся дни заняться ее любимыми делами. Грания согласилась. И они совершали долгие прогулки по скалам, всю вторую половину дня после обеда сидели за папье-маше и перемазались клеем, но остались очень довольны. А в последний вечер они отправились на ферму выпить чаю.

Подошло время возвращаться в Дануорли-Хаус. Авроре пора было в постель — и Грания заметила, что Кэтлин обняла девочку как родную.

— Я могу часто-часто навещать вас и моего щенка, да, Кэтлин?

— Конечно, дорогая. И Грания еще поживет здесь. Наши двери будут всегда открыты для тебя, я обещаю, — заверила ее Кэтлин, бросив на Гранию грустный взгляд. — До свидания, дорогая.

Когда они вошли в дом, Александр ждал их на кухне.

— Аврора, пожалуйста, поднимайся к себе и ложись. Я должен поговорить с Гранией.

— Да, папа, — послушно кивнула девочка и вышла из кухни.

На кухонном столе лежало несколько конвертов.

— Здесь все, что я тебе должен.

— Спасибо. — Грания не понимала, почему она смущена и чувствует себя неуютно. Ведь это она сделала ему одолжение, согласившись помочь в тяжелый момент.

— Завтра в десять приедет очень милая девушка из местных. Ты не могла бы сначала отвести Аврору в школу, а потом провести здесь пару часов с Линдси, чтобы ввести ее в курс дела? А потом она заберет девочку и приведет домой.

— Конечно. А сейчас я хотела бы пойти к Авроре и уложить ее спать, — сказала Грания и взяла со стола конверты.

— Хорошо, — кивнул Александр.

Грания направилась к двери.

— Грания...

Она повернулась и, посмотрев на Александра, заметила грусть в его глазах.

— Я надеюсь, однажды ты поймешь, почему... — Он покачал головой. — Если мы не увидимся завтра, удачи тебе. Как уже говорил, ты не похожа на других. Спасибо тебе за все, и, надеюсь, с этого момента у тебя в жизни все пойдет отлично.

Грания кивнула, вышла из кухни и, поднявшись по лестнице, отправилась в последний раз пожелать Авроре спокойной ночи.

27

Когда на следующее утро Грания высадила Аврору у школы, девочка не казалась огорченной и не пыталась уговорить ее остаться.

— Сейчас я познакомлюсь с твоей новой няней, — объяснила Грания, — ее зовут Линдси, и, судя по всему, она очень милая. Ты ведь понимаешь, иначе папа не нанял бы ее.

Аврора кивнула:

— Да, конечно.

— И не забывай, что я буду на ферме. Ты можешь навещать нас так часто, как пожелаешь.

— Да.

— До свидания, дорогая. Приходи ко мне поскорее.

— Хорошо. До свидания, Грания. — Девочка улыбнулась и, развернувшись, направилась в школу.

Няня Линдси — местная девушка, которую нанял Александр, — оказалась доброй и опытной и была в курсе ситуации.

— Я уже оставалась одна с ребенком, так что проблем не будет, Грания, — сказала она.

— Да, уверена, ты справишься гораздо лучше меня. Ведь я не профессионал и работала здесь временно.

Тем не менее Грания рассказала Линдси все о привычках и предпочтениях Авроры. Где именно на подушке должен лежать плюшевый медвежонок, как заправлять одеяло перед сном и о том, что она боится щекотки на шее справа...

Грания попросила Шейна забрать ее. Она уезжала из особняка, испытывая облегчение, но в то же время предчувствуя надвигающуюся беду.

Прошло уже три дня после ухода Грании из Дануорли-Хауса, и вся семья с нетерпением ждала появления маленькой хрупкой девочки, прыгающей по тропинке, которая вела на ферму. Но Аврора так и не пришла.

— Наверняка это означает, что у нее все отлично с новой няней, — заметила Кэтлин.

— Да, — тихо пробормотала Грания.

— Не переживай, она навестит нас, когда придет время. Дети легко адаптируются, а Аврора сильная девочка.

Но они обе знали, что просто успокаивают одна другую.

Позже в тот же вечер зазвонил мобильный телефон Грании — это была Линдси.

— Привет, — поздоровалась Грания и, перейдя из кухни в гостиную, закрыла за собой дверь, чтобы спокойно поговорить. — Как у вас дела?

— Мне казалось, у нас все отлично. До сегодняшнего дня... Когда я пришла забирать Аврору из школы, ее там не было.

— Что значит «не было»?

— Она пропала. Учительница сказала, что она была на игровой площадке, а потом вдруг исчезла.

— Боже... — пробормотала Грания, чувствуя, как сильно у нее забилось сердце. Она посмотрела на часы — без десяти шесть. Это означало, что Аврора исчезла два часа назад. — Где ты ее искала?

— Везде. Я... — В голосе Линдси слышалась безысходность. — Я звоню тебе, чтобы узнать, нет ли каких-то особых мест, куда ей нравилось ходить, или кого-то, к кому она могла убежать. Я думала, даже, скорее, надеялась, что она с тобой.

— Нет, но я проверю дом и сараи на всякий случай. Аврора могла убежать в поля, а мы не заметили. Александр дома?

— Он уехал в Корк сегодня днем и пока не вернулся. Я несколько раз звонила ему на мобильный, но он не отвечает.

— Ты искала Аврору на скалах?

— Да, но ее там нет.

Грания с трудом сдержалась, чтобы не спросить Линдси, проверила ли та камни внизу.

— Хорошо. Ты посмотри снова в доме и в саду, а я обойду ферму. Если мы ее не найдем, оставайся дома — вдруг она вернется. Я позвоню тебе, если найду Аврору или у меня возникнут какие-нибудь идеи.

Грания попросила Шейна проверить сараи, а Джон на «лендровере» отправился объезжать поля вокруг фермы. Не зная, чем еще можно помочь, Кэтлин стояла в саду и громко звала Аврору.

Шейн нашел сестру во дворе.

— Боюсь, ее здесь нет, — сказал он. — Но ее любимый щенок, похоже, тоже пропал.

— Правда?

— Может, это совпадение. Или она все-таки была здесь и забрала его.

— Если Лили исчезла, значит, Аврора приходила сюда, — согласилась Грания, немного успокоившись. По крайней мере теперь они могут предположить, что девочка была тут совсем недавно. И можно было надеяться, что она направляется куда-то вместе с собакой, а не лежит на камнях под скалами. — Я поеду на велосипеде вверх по тропинке. Может, ты пойдешь в противоположном направлении в сторону Клонакилти? — предложила Грания, выводя из сарая старый ржавый велосипед.

— Хорошо. — Шон тоже взял велосипед. Взобравшись на него, он сказал: — Я взял с собой телефон, и папа тоже. Мама пусть останется дома, на случай если девочка придет сюда.

Два часа спустя все Райаны встретились в кухне, следов Авроры они так и не обнаружили.

— Я уже голову сломала, пытаясь понять, где она может прятаться, — сказала Кэтлин, расхаживая по кухне. — Боже, если что-то случится с малышкой, то...

— Может, вызвать полицию? — предложил Джон.

— Линдси сказала, что ей удалось связаться с Александром. Он возвращается домой из Корка. Если кто-то и должен принять такое решение, то именно он, — произнесла Грания, грея руки над печью.

— Кто-нибудь хочет чая? — поинтересовалась Кэтлин.

— Да, дорогая, пожалуйста, завари, — сказал Джон. — Восьмилетняя девочка со щенком на руках вряд ли может уйти далеко пешком, не так ли? Кто-нибудь обязательно их увидит. Не думаю, что у нее с собой были деньги. Возможно, она вернется, когда проголодается, — рассудительно предположил Джон.

— Да, и щенку тоже тяжело придется без молока, — добавил Шейн.

Грания почти не слушала их. Она быстро прокручивала в голове события последних десяти недель, стараясь догадаться, куда могла бы пойти Аврора. На улице раздался скрип гравия под колесами автомобиля, и Грания увидела, что приехал Александр. Он выскочил из машины и, подойдя к двери в кухню, вошел внутрь. Все заметили, что его усталое лицо сделалось серым от страха.

— Извините за вторжение, но Линдси сказала, что вы тоже искали Аврору? Есть новости?

— Нет, Александр, пока нет. Мы все осмотрели. Кстати, это моя мама, отец и брат Шейн, — добавила Грания.

— Рад познакомиться с вами. — Александр вежливо кивнул. — Есть какие-то идеи?

— Мы считаем, что девочка забрала с собой любимого щенка, она хотя бы не одна, — сказал Шейн.

— Вот, выпей. — Кэтлин протянула Александру чашку горячего чая. — Пей, здесь много сахара, это хорошо помогает при стрессе.

— Спасибо. Вы говорите, она забрала щенка. Это значит, что...

— Что чуть раньше она была здесь, сэр, — произнес Джон.

В глазах Александра промелькнуло облегчение.

— Что ж, это уже хорошо. Как далеко может уйти маленькая девочка со щенком за несколько часов?

— Думаю, не очень далеко, — произнесла Кэтлин.

— Сэр, не пора ли обратиться в полицию? — спросил Шейн.

— Пока нет, — быстро ответил Александр, — но если она не объявится в ближайшие несколько часов, видимо, нам придется это сделать.

— Если ты не против, я хотел бы переговорить с друзьями-фермерами, — произнес Джон. — Они могли бы проверить сараи и поля, пока еще окончательно не стемнело.

— Хорошая мысль, дорогой, — сказала Кэтлин, когда Джон поднялся и направился к двери. — Знаете, может, мне просто кажется, но, по-моему, девочка где-то близко.

— Мама, интуиция тебя редко подводит. — Шейн ободряюще кивнул Александру. — Вопрос только в том, где она?

* * *

Поиски продолжились на скалах и внизу, в ближайших сараях и на полях, но результата они так и не принесли. Александр сдался и сказал, что пришло время обратиться в полицию.

Грания вышла из дома и остановилась в поле напротив дома. Небо уже стало черным, и ни луны, ни звезд, которые могли бы помочь найти убежище Авроры, не было видно.

— Дорогая, где ты? — прошептала она в темноту и принялась мерить шагами поле. Подсознание подсказывало ей что-то, но она никак не могла понять, что именно. Внезапно Гранию осенило. Развернувшись, она побежала в сторону кухни. Александр только что положил трубку: он звонил в полицию.

— Полицейские приедут в Дануорли-Хаус через десять минут, чтобы уточнить детали. Я, пожалуй, отправлюсь туда и сам встречу их.

— Александр, а где похоронена Лили?

Он медленно повернулся к Грании:

— Около церкви в Дануорли. Неужели ты думаешь, что...

— Мы можем поехать на твоей машине?

— Конечно! — Его не нужно было просить второй раз.

Они вышли из дома и сели в машину. Александр на высокой скорости направился вверх по дороге к церкви, стоявшей на другой стороне скалы.

— Лили всегда говорила о том, что хотела бы быть похороненной в этом месте, — нарушил молчание Александр. — Потому что отсюда она могла бы вечно видеть самый красивый пейзаж в мире.

Припарковавшись на обочине, они открыли скрипучие кованые ворота и вошли во двор церкви. У Александра был с собой фонарь, который он достал из автомобиля.

— Налево и до конца, — сказал он, когда они осторожно шли мимо могил.

Они были уже достаточно близко — фонарь освещал надгробие на могиле Лили, — и Грания затаила дыхание. Там, свернувшись калачиком среди полевых цветов и сорняков, которыми заросла могила, лежала Аврора. У нее на руках крепко спал щенок.

— Слава Богу! — выдохнул Александр.

Грания заметила, что он чуть не разрыдался от облегчения. Повернувшись, он положил руку ей на плечо:

— Спасибо тебе. Ты знаешь мою дочь лучше, чем я.

Александр на цыпочках подошел к девочке, наклонился и осторожно взял на руки. Она приоткрыла глаза, улыбнулась отцу и сонно произнесла:

— Привет, папочка!

— Привет, дорогая! Мы отвезем тебя домой, там тепло и безопасно, и уложим спать.

Грания следовала за Александром, пока он нес дочь к машине, а потом села на заднее сиденье и взяла Аврору к себе на колени.

— Привет, Аврора, — улыбнулась она. — Я скучала по тебе.

— И я тоже. Папа, как ты меня нашел? — спросила Аврора.

— Это не я, дорогая, — сказал Александр, направляя автомобиль в сторону Дануорли-Хауса. — Это Грания догадалась, где тебя искать.

— Да. Я знала, что она сможет. — Аврора явно гордилась собой. — Она как настоящая мать для меня. Грания, я люблю тебя, — сказала она. — Ты ведь больше не оставишь меня?

Грания в отчаянии посмотрела в глаза Авроры, сглотнула и произнесла:

— Нет, дорогая, больше никогда.

Позже, когда Аврора с грелкой, чтобы согреться, уже лежала в постели, Шейн увез щенка на ферму, Александр позвонил в полицию и сообщил, что девочка нашлась. Затем он предложил Грании выпить бренди на кухне.

— Спасибо. — Она устало присела на стул и принялась крутить бокал в руках.

— Я отослал Линдси в Скибберин, где она живет с матерью, — сказал Александр и сел рядом с Гранией. — Она очень переживает. — Он казался очень уставшим. — Боже, какое облегчение! Аврора, по-моему, замерзла, но все обошлось.

— Да. Самое ужасное, я думала, что она... — Грания пристально посмотрела на Александра. Он кивнул и перевел взгляд в сторону скал.

— Я тоже об этом думал. — Он протянул руку и прикоснулся к Грании. — Не могу передать, как я благодарен, что ты нашла ее. Если бы я потерял Аврору... — Александр покачал головой. — Думаю, это был бы конец.

— Да, понимаю.

— Грания, послушай меня. — Его голос звучал настойчиво. — Аврора — красивая, умная и милая девочка. Но она ловко манипулирует людьми, как когда-то делала ее мать. Сегодня это был крик о помощи, и я не думаю, что она адресовала его мне. Ей нужна была ты. Пожалуйста, не поддавайся эмоциональному шантажу, каким бы сильным он ни был.

— Александр, честно говоря, я не думаю, что дело только в этом.

— Я уверен, что это не так, — согласился он. — Она просто по-детски пытается вернуть тебя. Такая сильная привязанность доказывает, что ты хорошо о ней заботилась, что с тобой она чувствует себя в безопасности. Но я еще раз хочу подчеркнуть: ты не должна позволить ей управлять собой. У тебя ведь нет никаких обязательств перед моей дочерью. И мне было бы очень неприятно думать, что она так или иначе помешала планам, которые у тебя, видимо, уже появились.

«Какие планы?» — подумала Грания. Сейчас все ее мысли были только о том, что Александр рядом и держит ее за руку.

— Знаешь, я очень ценю твои слова. Проблема в том, — вздохнула Грания, — что я тоже ее люблю.

— Повторяю: не ты несешь за нее ответственность, а я.

— Александр, а какие планы у тебя? — Она посмотрела ему прямо в глаза, желая все окончательно прояснить.

— Я... — Он убрал руку, тяжело вздохнул и пригладил волосы. — Грания, я должен сказать тебе кое-что.

— Ну, говори же, — мягко попросила она.

Он повернулся к девушке и взял ее за руки. А потом, внимательно вглядевшись в ее лицо, покачал головой:

— Не могу.

Бренди ослабило обычную сдержанность Грании. Теперь уже она сжала его ладони:

— Александр, пожалуйста, скажи мне.

Он наклонился к ней — теперь их колени соприкасались — и нежно поцеловал в губы.

— О Боже! — Он снова поцеловал ее. — Я... Ты потрясающая! — С этими словами он притянул ее к себе и поцеловал по-настоящему.

Грания почувствовала, как его запах — такой желанный — заполняет все вокруг. Теперь уже она обвила его руками и крепко прижалась, отвечая на поцелуй с не меньшей страстью. А потом он внезапно отстранился.

— Прости. Я не могу... не должен этого делать. Все это несправедливо по отношению к тебе. Я... — Он вдруг резко поднялся, и гнев исказил его красивое лицо. Взяв бокал с бренди, он швырнул его в стену, и осколки красивым дождем рассыпались по полу.

Грания была потрясена и в ужасе наблюдала за ним.

— О Боже! Прости... — Он сел и снова обнял ее. А потом, осторожно отодвинувшись, заглянул ей в глаза. — Ты даже не представляешь, насколько мне тяжело.

— Может, ты попробуешь объяснить? — Грании удалось спокойно отреагировать на его заявление.

— Да, но я не могу. — Он взял ее за руку так, что их пальцы сплелись, и, наклонившись, нежно поцеловал. — Если бы ты только знала, о чем я думаю... какой красивой ты мне кажешься... какой доброй, нежной, любящей... какой живой! А то, что ты дала Авроре! Я никогда не смогу расплатиться с тобой за это. Мне очень хочется обнять тебя сейчас и унести наверх в спальню. — Он провел пальцем по ее лицу. — Но поверь мне, Грания, тебе лучше держаться подальше от этого проклятого дома. Возвращайся к своей жизни и проведи ее где-нибудь в другом месте. Забудь о нас с Авророй и...

— Александр, — тихо сказала Грания, — ты говоришь как в кино. Пожалуйста, прекрати. Это ни к чему не приведет.

— Да, ты права. Лили всегда замечала, что я склонен все драматизировать. Извини. Сегодня был очень тяжелый вечер. — Он мрачно улыбнулся.

— Да, это так.

Александр смотрел в сторону.

— Я должен был уехать завтра. Думаю, мне стоит задержаться из-за Авроры.

— Как долго тебя не будет? Больше двух месяцев?

— При самом плохом развитии событий — гораздо дольше.

— Послушай, у меня есть предложение, — сказала Грания.

— Да?

— Ты, наверное, сегодня заметил, что в моей семье очень любят Аврору. Может, я заберу ее с собой, чтобы она пожила на ферме, пока тебя не будет? Если в какой-то момент я пойму, что должна вернуться в Нью-Йорк, она сможет остаться с моими родителями. А когда ты приедешь, то разберешься со всеми делами.

— Ты уверена, что твои родители не будут возражать?

— После сегодняшней истории, — сказала Грания, приподняв брови, — я в этом не сомневаюсь. Мне пока не удалось родить им внуков, так что, похоже, они приняли Аврору как родную.

— Что ж... мне это кажется идеальным вариантом! — На его измученном лице отразилось облегчение. — Я буду знать, что Аврора живет в настоящей семье. И конечно, возмещу все расходы тебе и твоим родителям.

— Хорошо. Я позвоню маме утром, чтобы обсудить все с ней, но не сомневаюсь, что проблем не будет. — От пережитых в этот вечер эмоций у Грании все еще кружилась голова. — Если ты не возражаешь, — произнесла она вставая, — я пойду спать. Я очень устала.

— Конечно. Вечер был просто ужасный. Но не могу не признать, что ты сегодня героиня.

— Спасибо. Спокойной ночи, Александр.

Он смотрел, как она моет бокал, а потом направляется через кухню к двери.

— Грания?

— Да?

— Пожалуйста, прости меня. В любых других обстоятельствах...

Повернувшись к нему, она кивнула и солгала:

— Я все понимаю.

Аврора

Опережая все вопросы, скажу сразу, что я не горжусь своим поведением. Конечно, отец был прав: я пыталась манипулировать. Но я же была в отчаянии! Кроме того, я давно поняла, что Грания будет присматривать за мной долгое-долгое время, поэтому мне не понравилось, когда что-то пошло не так и она оставила меня.

Я много размышляла о том, где бы спрятаться. В глубине души я знала, что если она меня любит, то обязательно найдет. Но мне не хотелось сидеть там, где меня обнаружили бы сразу — в сарае вместе со щенками или на скалах.

Я не боюсь привидений, ведь в какой-то степени знаю и понимаю их, и все же мне не очень понравилось тогда одной на кладбище. Я чувствовала себя лишней — единственной живой среди мертвых. Кроме того, мне было всего восемь лет...

Бедная Грания! Доброе сердце не оставило ей выбора. Кроме того, она ведь любила меня. А это, как я уже говорила раньше, обычно спасает положение.

Думаю, при других обстоятельствах она могла бы полюбить и моего отца...

Хватит мечтать о том, что в моей истории что-то могло сложиться по-другому. Я уверена, что Главный Автор, который переплетает тончайшие нити судьбы и распоряжается нашими жизнями, умеет делать это го-

раздо лучше, чем я. И хотя иногда очень трудно ответить на вопрос «почему?», нужно верить, что он знает ответ, как и причину всего происходящего с нами, и подарит каждому «счастливый конец». Даже если он находится за легким занавесом, который мы называем смертью, и мы не догадываемся о его существовании, пока находимся в этом мире.

Как вы, наверное, уже заметили, я не поклонница теории эволюции, хотя и читала «Происхождение видов» Дарвина.

Признаюсь, я вас обманула. Я осилила всего две главы и предпочла этой книге «Войну и мир» — гораздо более приятное чтение.

Я — креационист.

Возможно, это знание необходимо каждому, чья жизнь близится к завершению.

Читатель, извини меня за то, что я потакаю собственным слабостям. Последние несколько дней были для меня тяжелыми. Да и «Война и мир» тоже, как оказалось, не сказка со счастливым финалом.

Дальше, чтобы немного взбодриться, я примусь за Джейн Остен. Концовки ее книг нравятся мне гораздо больше, чем развязка сюжета моей жизни…

Итак, наша история продолжается.

28

«Рейнджровер» с полным багажником наиболее ценных вещей Авроры съезжал со скалы в сторону фермы. Сидевшая за рулем Грания пыталась понять, что тревожит Александра, но безуспешно.

— Мы приехали! — закричала Аврора, выбираясь из машины, и ворвалась через открытую дверь в кухню. Там она бросилась в объятия Кэтлин. — Большое спасибо, что разрешили мне пожить у вас! Можно Лили спать со мной в кровати? Обещаю, утром, когда она захочет молока, я тут же отнесу ее к матери.

— Послушай, мы не забираем щенков у собак, пока малыши не готовы к этому. И не пускаем их на второй этаж. За исключением особых случаев, к которым, возможно, относится твоя первая ночь здесь. — Кэтлин дотронулась до щеки Авроры, и сквозь просвет в ее тициановских кудрях бросила на дочь взгляд — признание капитуляции.

До пятичасового чаепития Шейн отправился в поле на вершине скалы, где овцы начали приносить ягнят, и взял с собой Аврору.

— Уму непостижимо! — сказала Кэтлин. — Я ведь говорила тебе, что семье Райан судьбой суждено воспитывать детей Лайлов.

— Мама, прошу тебя, не надо больше сравнений и предсказаний! И разговоров о прошлом тоже, — добавила Грания. — Ты ведь обожаешь ее — это очевидно.

— Да. — У Кэтлин хватило духу согласиться с дочерью. — Девочке непонятным образом удалось добиться моего расположения, как я ни сопротивлялась. А твой отец просто пропал. Он как будто снова вернулся в то время, когда ты была маленькой. Выкрасил стены в свободной спальне в розовый цвет и даже ездил в Клонакилти за куклами для Авроры. Ты не представляешь, какие у них ужасные лица. — Кэтлин рассмеялась. — Но он старается. Твой брат тоже сражен наповал, — добавила она.

— Мама, ты ведь знаешь, что все это временно, пока не вернется Александр.

— Запомни мои слова: между детьми Лайлов и Райанами не бывает ничего временного! — Кэтлин погрозила дочери пальцем. — Но должна признать, маленькая Аврора вдохнула во всех нас новую жизнь. — Она поставила чайник на плиту. — И возможно, если я пойму, что это в ее интересах, то буду сражаться за нее до последнего. Ну вот, теперь и я призналась в том, что из-за ребенка Лайлов потеряла голову, как все женщины нашей семьи. Но кто может осудить меня? Она ведь заставляет меня улыбаться! — Кэтлин повернулась к дочери и скрестила руки на груди. — Гораздо более важный вопрос, Грания, что ты сейчас будешь делать. Пока Аврора здесь, в безопасности, и она счастлива, ты можешь подумать о собственной жизни.

— Да, мама. И я благодарна тебе за помощь. Я хотела бы ответить, что уже определилась, но это было бы ложью. Возможно, после всех событий мне нужно несколько спокойных дней.

— Да, — вздохнула Кэтлин, — и еще Александр. Даже я заметила, какой он красавец! А его глаза...

— Мама! Веди себя прилично, — улыбнулась Грания.

— Я всегда так себя веду, к моему сожалению, — улыбнулась она. — Но разве женщина не может помечтать? Что ж, думаю, сегодня у нас будет праздничный ужин. Надо подать на стол что-нибудь особенное для нашей принцессы.

Тот вечер, когда за столом появилась Аврора, отличался от всех предыдущих. После ужина Джон, пораженный тем, что девочка не знает старых песен своей родины, взяв банджо, играл для всех. А Шейн против обыкновения не пошел в бар. Они впятером танцевали ирландские танцы, пока Аврора не начала зевать. Грания заметила по глазам, что девочка устала.

— Пора в постель, дорогая.

— Да, — согласилась она почти с радостью.

Грания проводила Аврору по узкой лестнице в свободную комнату, которую Джон недавно отремонтировал, переодела в ночную рубашку и уложила в кровать.

— Мне нравится твоя семья, Грания. Надеюсь, мне никогда не придется уезжать отсюда. — Аврора снова зевнула, ее глаза закрывались.

Грания не успела выйти из комнаты, как девочка уже заснула.

Мэтт вернулся домой, бросил мешок с одеждой в хозяйственную комнату, намереваясь заняться стиркой позже, и отправился на кухню, чтобы приготовить поесть. Его не было дома с той ночи, когда он напился с приятелями и с Чарли. Мэтт прошел в гостиную, радуясь, что он один дома, и упал на диван. Конечно, Чарли могла переехать к себе. К этому моменту ремонт в ее квартире уже должен был закончиться.

Мэтт покраснел, вспомнив последнее утро, проведенное здесь. Тогда он пришел в ужас, обнаружив обнаженную Чарли в своей постели. Он быстро принял душ, собрал сумку со всем необходимым на ближайшие две недели и осторожно вышел из дома. Самое ужасное, что он совершенно не помнил, было у них с Чарли что-то той ночью или нет.

В любом случае Чарли с тех пор не пыталась связаться с ним — никаких нежных и фамильярных разговоров, которые можно было бы ожидать после проведенной вместе ночи. Он тоже не звонил ей — а что, черт возьми, он мог сказать?

Ему нужен был какой-нибудь намек, чтобы он мог отреагировать правильно.

Мэтт услышал, как в двери повернулся ключ. В комнату вошла Чарли и изумленно посмотрела на него:

— Привет, не ожидала увидеть тебя дома.

— Привет, — нервно ответил Мэтт. — Вообще-то я здесь живу.

— Ну да, конечно, — согласилась она и, пройдя на кухню, налила себе стакан воды, затем направилась в свою спальню.

— Ты в порядке? — поинтересовался Мэтт. Чарли казалась необычно молчаливой.

— Да, все хорошо. Только очень устала.

В этот вечер, а также всю следующую неделю он ее больше не видел. Когда они вместе оказывались дома, Чарли односложно отвечала на вопросы, а потом исчезала в комнате и не появлялась до следующего утра. Мэтт понимал, что она избегает его, и знал причину, но совершенно не представлял, как исправить ситуацию.

В итоге он решил, что единственный возможный вариант — поговорить с ней. В тот вечер она пришла домой и направилась к холодильнику, чтобы налить стакан молока.

— Чарли, дорогая, мне кажется, нам нужно поговорить.

Она замерла в гостиной на полпути к спальне.

— О чем?

— Думаю, ты понимаешь, о чем.

Она некоторое время молча разглядывала его.

— А что тут говорить? Это случилось и было ошибкой. Совершенно очевидно, что ты о ней сожалеешь...

— Стоп! — Мэтт инстинктивно выбросил руки вперед. — Прекрати немедленно. Я думаю, нам нужно пойти куда-нибудь перекусить и все обсудить.

— Хорошо, — пожала плечами Чарли. — Если ты так хочешь. Я только приму душ.

Через час они сидели друг против друга в итальянском ресторане в паре кварталов от дома. Мэтт пил пиво, а Чарли, отказавшись от алкогольных напитков, попросила воду.

— Ты хорошо себя чувствуешь? В физическом плане? Обычно ты не возражаешь против бокала вина. — Мэтт улыбнулся, пытаясь разрядить обстановку.

— Я не очень хорошо себя сейчас чувствую.

— Тебе нужно пойти к врачу и провериться, — посоветовал он.

— Угу... — Чарли смотрела вниз. Она теребила салфетку, избегая встречаться с ним взглядом.

— Эй, Чарли, ты разговариваешь с Мэттом! Мне неприятно думать, что я тебя чем-то расстроил.

Она по-прежнему молчала, и он решительно продолжил:

— Дорогая, проблема в том, что я отключился той ночью. Я старею и уже не могу выпить так много, как раньше.

Но его попытка пошутить осталась без ответа.

— Послушай! — Он решил попробовать еще раз. — Честно говоря, у меня в голове полный туман, и я не уверен, что произошло той ночью, когда мы вернулись домой из ресторана. То есть мы... Я...

Мэтт вынужден был замолчать. Он больше ничего не мог сказать, пока Чарли не ответит ему. Она медленно подняла на него глаза. И он не мог понять, чего в них было больше: грусти или гнева.

— Ты не... помнишь?

— Нет. — Мэтт покраснел. — Мне очень жаль, но, думаю, лучше быть честным.

— Боже! — Чарли вздохнула. — Только этого не хватало!

— Что я могу сказать? Мне очень неприятно и неудобно. Думаю... мы ведь уже... я имею в виду, проделывали это раньше.

— Ох! — Ее взгляд стал неподвижным. — И это дает тебе право считать, что все в порядке? Ты завалил меня в постель, и это нормально, поскольку мы уже занимались этим раньше. Ты это хочешь сказать, Мэтт?

— Нет, я... Черт, Чарли! — Мэтт в смятении провел рукой по волосам, а потом посмотрел на нее. — Ты серьезно? Ты говоришь, что я сделал это той ночью?

— Да, Мэтт, так все и было. Или ты обвиняешь меня во лжи?

— Нет, конечно. Черт возьми, поверить не могу, что так поступил с тобой! Прости, Чарли. Мне действительно очень жаль.

— Да, конечно. — Она пожала плечами. — Но не так сильно, как мне. Не беспокойся, я очень быстро все поняла. Не знаю, забыл ты или нет, но после этого мы не общались целых две недели. И это объяснило мне все, что я хотела знать. Обычно джентльмен звонит даме — я напоминаю, если ты вдруг забыл о правилах приличия, — добавила она. — Мэтт, ты просто использовал меня. И я считаю, что не заслужила этого.

— Нет, конечно, — согласился он, съежившись под ее холодным взглядом. — Я чувствую себя полным идиотом и на твоем месте вряд ли держался бы иначе.

— Эта мысль приходила мне в голову, — согласилась Чарли, когда принесли заказанную пиццу. — Ведь до всего произошедшего я считала, что мы друзья. А ты поступил со мной так, словно я твой злейший враг!

— Нет. — Мэтт старался как-то справиться с ситуацией, которую — он никак не мог в это поверить — спровоцировал сам. Такое поведение, такое равнодушие было ему совсем несвойственно, но ему нечем было оправдаться. — Чарли, я не знаю, что сказать. Боже, сейчас я даже не знаю, кто я такой. Я всегда гордился тем, что могу считать себя неплохим парнем, а теперь вынужден смириться с тем, что это неправда.

— Да. — Положив в рот крошечный кусочек пиццы, Чарли принялась жевать. Было очевидно, что она не собиралась отпускать его с крючка. — Возможно, так и есть. А я день за днем, ночь за ночью выслушивала твои излияния о проблемах с Гранией! И старалась быть рядом, когда тебе это было нужно. И как ты отблагодарил меня за это?

— Чарли, послушай, я понимаю, почему ты так себя ведешь... — Мэтт вздохнул, ошеломленный ее нападками. —

Да, ты умеешь заставить мужчину почувствовать себя виноватым!

— Прости, Мэтт, — согласилась она, — но в ту ночь, когда все случилось, ты говорил очень убедительно.

— Правда?

— Да. Например, что любишь меня.

Мэтт почувствовал, что тонет в море обвинений. И все же — это не может быть ложью. С какой стати Чарли станет врать? Она просто не такая девушка. Они выросли вместе, и он знал ее лучше, чем любую другую женщину, за исключением Грании. Не представляя, что еще можно добавить, он молча сидел и смотрел на нее.

— Мэтт, послушай, — тяжело вздохнула Чарли, — я прекрасно понимаю, что сейчас ты не в своей тарелке. Ты был пьян той ночью, и я готова принять, что ты не вполне отвечал за свои слова и действия. А я поверила твоим словам, хотя мне не стоило этого делать. Так что, думаю, здесь и моя вина есть.

— Черт, Чарли, конечно, ты здесь ни при чем. Я во всем виноват и не позволю тебе хоть в чем-то обвинять себя. Если бы я мог вернуть время назад, то сделал бы это. И ты права: сейчас я не в форме. Но это не твоя проблема, и я никогда не прощу себе, что причинил тебе боль. Даже странно, что ты не уехала, решив больше никогда не общаться со мной.

— Я бы именно так и поступила, но работы в моей квартире длятся дольше, чем планировалось. Не беспокойся, Мэтт, — сказала она и грустно пожала плечами, — я съеду, как только смогу.

— Так это конец нашей дружбы? — медленно произнес он.

— Не знаю. — Она вздохнула. — Теперь, когда мы поговорили, мне нужно время, чтобы все обдумать.

— Конечно.

— Мэтти, я должна спросить у тебя кое-что. Только отвечай честно. Когда ты сказал... То, что ты сказал той ночью, перед тем как заняться со **мной любовью**, это не правда, да?

— О том, что я люблю тебя? — уточнил **Мэтт**.

— Да.

— Я действительно люблю тебя, **Чарли**, — сказал он, сделав над собой усилие, — и ты об **этом знаешь**. Я не лгал. Я ведь уже говорил, что мы знаем друг **друга целую** вечность и ты как сестра, которой у меня **никогда не было**. Но... — Мэтт вздохнул, не зная, как правильно **сформулировать** то, что он собирался сказать дальше.

— Это не совсем та любовь, — **подсказала** ему Чарли.

Мэтт помолчал, прежде чем ответить:

— Да.

— Ты все еще любишь Гранию?

— Да, думаю, что так.

Мэтт наблюдал за Чарли, которая **отрезала** еще один маленький кусочек пиццы, наколола **его вилкой** и принялась тщательно пережевывать. Проглотив **кусок**, она тут же встала:

— Извини, Мэтт, мне нужно в туалет.

Мэтт проводил Чарли взглядом — **она пересекла** зал так быстро, как ей позволяло воспитание, **и, спустившись** на несколько ступенек, исчезла из виду. **Он положил** пиццу на тарелку, поставил локти на стол и **потер щеки** ладонями. Это какой-то кошмар! Как он мог **поступить так**, как она рассказывает? Он — психолог, прекрасно **знающий** все недостатки человеческой натуры, — **пал жертвой собствен**ной слабости?

Мэтт никак не мог понять, что же **с ним произошло**. Все тридцать шесть лет жизни он считал **себя «хорошим парнем»**. Ему казалось, он всегда уважительно **относился к** женщинам, не пользовался своими преимуществами **и не оскорблял** их. Ценил их сильные стороны и качества **и никогда** не выходил за рамки, определенные воспитанием **и образованием**. Кроме того, Мэтт всегда старался поступать честно, и мысль о том, что он нарушил собственные **принципы** в ту ночь с

Чарли — одной из лучших его подруг, — наполняла его ненавистью к себе.

Мэтт посмотрел на лестницу, но Чарли еще не появилась. По крайней мере ему хватило смелости быть с ней честным и дать понять, что общего будущего у них не может быть. Какую бы боль ей это ни причинило, пусть даже события той ночи навсегда разрушили их дружбу, Мэтт знал, что поступил правильно.

Потому что...

Нравилось Мэтту или нет, хотел он этого или не желал вовсе, он до сих пор любил Гранию.

Побледневшая Чарли вернулась из дамской комнаты и заняла место напротив Мэтта.

— Все в порядке? — нахмурился он. — Ты выглядишь так, словно тебе нездоровится.

— Нет. — Чарли покачала головой. — Со мной не все в порядке, совсем нет!

— Проблема во мне? Это из-за меня?

— Да, думаю в некоторой степени... — Чарли посмотрела на него — в ее глазах стояли слезы, абсолютно прозрачные на фоне бледной кожи. — Проблема в том, Мэтт, что я беременна.

29

Проснувшись однажды утром, Грания обнаружила, что на кустах дикой фуксии появились первые бутоны. Скоро живая изгородь вдоль дорожки зацветет пышным лиловым цветом. Появление бутонов не только знаменовало приход весны, а вскоре за ней и лета, но и напомнило Грании, что прошло уже четыре месяца, с тех пор как она приехала в Ирландию. Одевшись, она спустилась вниз и торопливо позавтракала, прежде чем отвезти Аврору в школу, а потом отправиться в Дануорли-Хаус. Грании казалась странной та легкость, с которой она погрузилась в ежедневную рутину, и то, что повседневные дела теперь казались такими же привычными, как во времена жизни в Нью-Йорке. Она отперла дверь в студию и подумала, не связана ли эта легкость с ее новым проектом. Невольно вспомнилась студия, расположенная в их с Мэттом лофте в районе Трайбека, — в такие моменты все мысли Грании занимал проект, над которым она работала.

Грания сняла жакет и подошла к рабочему столу. Она размышляла о том, что в последнее время работа редко приносила ей подлинное удовольствие. Она зарабатывала на жизнь, делая скульптуры людей и животных для богатых клиентов с восточного побережья. Это не только давало стабильный доход, но и позволяло сконцентрироваться на самом важном ее «проекте» — рождении ребенка.

Грания внимательно посмотрела на две скульптуры, находящиеся сейчас на ее рабочем столе, и почувствовала, как сердце забилось от восторга. Над ними еще предстояло поработать, и выглядели они не до конца завершенными, но она, как профессионал, понимала: это могут быть лучшие ее работы. А причина, как казалось Грании, в том, что она создавала их, ощущая вдохновение, а не просто на заказ. Она опустилась на скамью и принялась вылепливать из глины изящный изгиб ступни. Сейчас она испытывала то же чувство, которое когда-то подтолкнуло ее к выбору профессии скульптора. Ее воодушевлял сам процесс создания скульптурной копии чего-то красивого — нужно было увидеть это в окружающем мире, запомнить, а потом навеки запечатлеть в глине.

Подобное чувство она испытала однажды днем, когда они вдвоем с Авророй выгуливали щенка на скалистой тропинке. Грания смотрела на Аврору, которая танцевала перед ней, — непринужденная грация девочки казалась совершенной, — и ей внезапно захотелось остановить мгновение. Она достала телефон и быстро сделала несколько снимков Авроры в разных позах, передающих ее физическое совершенство. И на следующее утро начала работу над серией скульптур.

С тех пор Грания пребывала в состоянии умиротворения. Она целыми днями работала в замечательной студии, слушая классическую музыку и любуясь великолепным видом из огромного окна.

Сегодня днем Грания, заранее получившая разрешение мисс Элвы, собиралась присутствовать на уроке балета и сделать несколько фотографий танцующей Авроры.

Погрузившись в работу с самого утра, Грания взглянула на часы и обнаружила, что уже четвертый час.

Она едва успевала вовремя забрать девочку из школы и отвезти ее на урок в Клонакилти.

Грания ехала в город, а источник ее вдохновения находился в машине рядом с ней и без умолку болтал о новой лучшей школьной подруге, которая должна была завтра прийти на ферму посмотреть щенка и выпить чая. Паркуя машину, Грания подумала, что наибольшее удовольствие Авроре доставляли всякие мелочи, которые многие дети воспринимают как должное. Впервые за девять лет девочка вела нормальную жизнь.

Грания сидела в углу студии с блокнотом для эскизов. Она решила, что он меньше побеспокоит танцующую Аврору, чем фотоаппарат. За последние два месяца прогресс девочки был колоссальным. Способности, которыми она обладала, позволяли постепенно отточить мастерство, необходимое для занятий балетом. Аврора идеально выполнила пируэт, и Грания подумала, что жизнь девочки на ферме можно назвать нормальной, а вот ее талант явно экстраординарный.

В конце занятий мисс Элве даже пришлось прогнать Аврору из зала и отправить переодеваться. Потом, повернувшись к Грании, преподавательница поинтересовалась:

— Ну как? Что ты думаешь?

— Со стороны она смотрится превосходно.

— Так и есть, — с благоговением произнесла мисс Элва, — она самая талантливая ученица из всех, что мне посылала судьба. Я беспокоилась, что она поздно начала и могут появиться проблемы. Конечно, ей еще предстоит поработать над техникой. Но я считаю, что у нее есть все шансы попасть в школу Королевского балета. Тебе удалось поговорить с ее отцом?

— Он знает, что Аврора берет уроки, но мы пока не обсуждали поступление в настоящую балетную школу. Я не уверена, что это пойдет Авроре на пользу. Впервые за долгое время в ее жизни появилась стабильность. Когда ей нужно будет поступать в школу?

— Самое позднее через восемнадцать месяцев. В одиннадцать лет она должна уже заниматься постоянно.

— Хорошо. Давайте пока последим за ее успехами, а в следующем году снова вернемся к этому разговору. — Грания протянула мисс Элве деньги за урок, поблагодарила и отправилась за Авророй.

— Скажи, — обратилась она к девочке по дороге домой, — как тебе идея когда-нибудь поступить в балетную школу и стать профессиональной танцовщицей?

— Грания, ты же знаешь, я люблю балет, — произнесла Аврора. — Но кто будет смотреть за Лили и помогать Шейну доить коров, если я уеду?

— Хороший аргумент, — согласилась Грания.

— И мне не хотелось бы расставаться с новыми друзьями из школы, — продолжала Аврора. — Может, позже, когда я стану старше.

— Да, там посмотрим.

В конце дня, когда Грания уже собиралась подниматься наверх и ложиться спать, зазвонил ее мобильный телефон.

— Алло?

— Это Грания?

— Да.

— Это Александр.

Его голос звучал слабо и приглушенно, хотя, возможно, связь была плохая.

— Привет. Как дела?

— Я... — Александр замолчал на некоторое время. — В порядке. Как Аврора?

— Очень довольна и вполне освоилась у нас. В школе все идет неплохо, у нее появилось много новых друзей. А сегодня я говорила с ее преподавательницей балета и...

— Грания, — прервал Александр, — мне нужно увидеть тебя. Срочно, — добавил он.

— Хорошо, когда ты будешь дома?

— В этом вся проблема. Боюсь, сейчас я не могу вернуться домой и вынужден просить тебя приехать ко мне.

— Куда именно? — Грания не имела от него известий уже больше месяца и не представляла, где он находится.

— В Швейцарию. Я в Швейцарии.

— Ясно. Что ж, если это срочно, тогда...

— Да, очень, — подчеркнул Александр. — Извини, что прошу тебя об этом, но, честно говоря, у меня нет выбора.

— Хорошо. Значит, так, сегодня среда... В эти выходные на ферме стригут овец. Как насчет следующего вторника?

— Грания, мне нужно, чтобы ты приехала завтра.

— Завтра?

— Да, я забронировал для тебя билет. Ты вылетаешь из Корка в два сорок пять, посадка в Лондоне в четыре, а потом в шесть часов твой рейс «Бритиш эйрвейз» в Женеву. Водитель встретит тебя в аэропорту и привезет ко мне.

— Ладно, — неуверенно согласилась Грания. — Ты хочешь, чтобы я взяла с собой Аврору?

— Нет, ни в коем случае... — Голос Александра сорвался. — Да, и не забудь свидетельство о рождении. Требования паспортного контроля в Швейцарии достаточно строгие, так что лучше заранее подготовиться.

— Я поняла.

— Увидимся завтра вечером. И еще... Грания!

— Да?

— Спасибо тебе.

Грания нажала на кнопку, чтобы закончить разговор, и опустилась на стул. Приглашение Александра потрясло ее. Интересно, что он сказал бы в случае ее отказа. Насколько она понимала, вопрос был решен еще до того, как он поднял трубку, чтобы позвонить ей.

— О чем задумалась, Грания? — Голос матери прервал ее размышления. Кэтлин стояла у двери и смотрела на дочь.

— Я... Я только что разговаривала с Александром. Такой странный звонок, — медленно принялась рассказывать Грания. — Он хочет, чтобы я завтра прилетела в Швейцарию для встречи с ним. И уже заказал мне билет.

— В самом деле? — Кэтлин скрестила на груди руки и приподняла брови. — И что ты?

— Мне кажется, у меня нет выбора.

— Почему? Ты ведь могла сказать «нет».

— Да, мама, могла, но в его голосе было что-то такое... — Грания пожала плечами. — Как будто у него не все в порядке. Я знаю это.

— Я так считаю: если у него проблемы, пусть он сам приедет сюда и расскажет тебе о них. Зачем заставлять тебя колесить по миру, чтобы увидеть его?

— Согласна, но в данном случае я не так много могу сделать, правда? Он попросил меня взять с собой свидетельство о рождении. Сказал, что со швейцарскими властями непросто общаться. Мама, ты не могла бы найти его?

— Да, конечно, но почему-то мне все это не нравится.

— Мне тоже, — призналась Грания. — Но лучше всего поехать и выяснить, чего он хочет.

— Грания, — сказала Кэтлин и подошла к дочери, — пожалуйста, поверь, я не хочу вмешиваться, но... У вас с Александром что-то было?

— Даже не знаю. — Грания так остро чувствовала необходимость поделиться переживаниями, что это пересилило ее обычное нежелание рассказывать что-то матери. — Я правда не знаю.

— Он... — Кэтлин откашлялась. — Когда вы были вместе?

— Мама, мы целовались, — призналась она, — и если говорить правду, то да, у меня есть к нему чувства. Но потом, — Грания покачала головой в смятении, — он сказал... сказал, что не может дальше развивать наши отношения.

— Он не объяснил почему?

— Нет, возможно, он до сих пор любит Лили, или у него есть другая женщина, или... Кто знает? — Грания вздохнула.

— Что ж, как бы там ни было, я наблюдала за ним в ту ночь, когда Авроре взбрело в голову убежать. И видела, как он наблюдает за тобой. Вот только не знаю, любовь в его взгляде была вызвана твоей заботой о его дочери или это что-то более серьезное? В любом случае, Грания, ты ему небезразлична. Вопрос в том, значит ли он для тебя что-нибудь?

— Да, мама. Но к чему это может привести, я не могу тебе сказать. Кроме того, я...

— Да?

— Я все еще люблю Мэтта.

— Знаю, дорогая. Возможно, ты всегда будешь любить его. Но ты ясно дала мне понять, что ваши отношения теперь в прошлом, — сказала Кэтлин. — Ты только не торопись в будущее, хорошо?

— Хорошо. — Грания встала. — Пойду-ка я спать, раз мне завтра лететь в Швейцарию. — Подойдя к матери, она обняла ее. — Спасибо, мама. Как ты всегда говоришь, поживем — увидим.

— Хотелось бы надеяться. Спокойной ночи.

Грания вышла из кухни. Проводив дочь взглядом, Кэтлин поставила на плиту чайник. Ее шестое чувство, над которым муж и дети часто подшучивали и все же доверяли ему, когда им было удобно, сейчас подавало сигнал тревоги.

— Эта семья... — бормотала Кэтлин, запахивая плотнее кардиган и меряя кухню шагами в ожидании, пока закипит вода в чайнике.

Она присела за стол с чашкой горячего какао, пытаясь разобраться, почему внутренний голос подсказывал ей, что конец истории Грания должна услышать сейчас — до того, как покинет родительский дом и улетит в Швейцарию.

— Я словно глупая старуха... Зачем Грании знать еще что-то из прошлого? — тихо бормотала она. Допив какао, Кэтлин тяжело вздохнула. — Я сдаюсь, — обратилась она к небесам и встала из-за стола.

Она устало поднялась по лестнице, постучалась в спальню к Грании и прошептала:

— Это мама. Можно войти?

— Конечно, мама. — Грания сидела на кровати, скрестив ноги. Перед ней стоял почти уложенный чемодан. — Мне тоже не спится. Все размышляю, с чем все-таки предстоит столкнуться завтра.

— Ну да. — Кэтлин опустилась на кровать. — Поэтому я и пришла к тебе. Этот голос у меня в голове, ты понимаешь... Так вот, я должна рассказать тебе все до конца, пока ты не уехала. Про Лили. — Кэтлин взяла руку дочери и сжала ее. — Это непростая история, и она длинная, так что сегодня мы можем засидеться допоздна.

— Я не против, мама, — подбодрила ее Грания. — Мне нужно как-то отвлечься. Я тебя внимательно слушаю.

— Хорошо. — Кэтлин с трудом сглотнула. — Эту историю я еще никому не рассказывала. И могу всплакнуть, пока буду говорить.

— О, мама! — Грания крепко держала мать за руку. — Не торопись. У нас вся ночь впереди.

— Хорошо. — Кэтлин собиралась с силами, чтобы начать. — Эта часть истории начинается в тот момент, когда мне было шестнадцать лет, а Лили Лайл пятнадцать.

— Мама, вы дружили? — удивилась Грания.

— Да, — кивнула Кэтлин. — Она проводила так много времени на ферме, что я относилась к ней как к младшей сестре. А мой старший брат...

— Твой брат? — Грания удивленно уставилась на мать. — Мама, я и не подозревала, что у тебя был брат. Ты никогда не говорила о нем.

— Нет... — Кэтлин медленно покачала головой. — Итак, с чего мне начать?

30

Шестнадцатилетняя **Кэтлин Райан** проснулась и, спрыгнув с кровати, отдернула занавески, чтобы посмотреть, какая погода за окном. Если туч не будет, они с Джо и Лили отправятся на пикник на песчаный пляж в Дануорли. Если же пойдет дождь, что часто случается в этих местах даже в разгар лета, то они проведут еще один скучный день за настольными играми или картами. Лили затеет какую-нибудь постановку и выделит себе главную роль. В особняке стоял сундук, набитый старыми вечерними платьями матери, и она обожала примерять их перед зеркалом, хотя они были ей велики.

— Когда я наконец-то вырасту, то стану красавицей и прекрасный принц заберет меня отсюда, — любила повторять Лили, принимая какую-нибудь позу.

В том, что она действительно вырастет красавицей, не было никаких сомнений — уже в пятнадцать эта девочка притягивала к себе взгляды.

— Парни будут стучать к ним в двери, приглашая ее погулять, я уверена, — сказала однажды мать Кэтлин своему мужу Шеймусу.

Кэтлин с грустью разглядывала в зеркале свою плотную фигурку, волосы мышиного цвета и бледное лицо с россыпью веснушек на переносице, которые так раздражали ее.

— Дорогая, чтобы завоевать мужчину, одной красоты недостаточно. Они будут любить тебя за другие качества, — успокаивала ее мать. Кэтлин не знала, что это за «другие» качества, но в принципе не имела ничего против простой внешности. Как и против стремления Лили быть в центре внимания везде, где бы она ни оказалась. Не возражала Кэтлин и против того, что Джо, ее брат, был готов целовать землю, куда ступала нога Лили. Кэтлин понимала, что никогда не сможет быть соперницей подруги, обладавшей необычной внешностью, имевшей эффектную мать и богатого отца, которые жили в особняке на скале.

Она не испытывала чувства зависти, а, скорее, сочувствовала Лили. Тетя Анна, мать девочки, была известной балериной и часто уезжала из дома. А ее отец, Себастьян Лайл, был сдержанным пожилым человеком, которого Кэтлин видела очень редко. Впрочем, как и сама Лили. О ней заботились гувернантки, сменявшие одна другую. Лили старалась общаться с ними как можно меньше, и преуспевала в этом.

Кэтлин оделась, торопясь приступить к утренним обязанностям. Нужно было собрать яйца и принести кувшин молока из коровника. В этот момент она подумала о подруге, которая, вероятно, еще спала в уютной спальне в особняке на вершине скалы. У Лили не было никаких обязанностей. Завтрак, обед и ужин ей подавала горничная, которая также стирала одежду и делала многое другое. Иногда, особенно если нужно было выходить из дома в холодную погоду, Кэтлин ворчливо напоминала об этом матери.

— Кэтлин, у тебя есть то, чего нет у Лили. Это твоя семья, — говорила обычно в ответ мать.

Но Кэтлин казалось, что ее семья — это и семья Лили тоже, ведь подруга дневала и ночевала под их крышей. Но никто никогда не просил ее сделать хоть что-то. И все же Кэтлин, несмотря на привилегированное положение Лили и манерность, которая иногда раздражала, покровительствовала подруге. Хотя Лили была младше всего на полтора года, она во многом вела себя как ребенок и казалась беззащитной. Это будило в Кэтлин скрытые материнские инстинкты. И еще казалось, что у Лили нет ни капли здравого смысла. Именно она придумывала всякие опасные вылазки: спуститься по скалам в опасном месте, улизнуть ночью из дома и пойти на пляж, чтобы искупаться в море. Казалось, Лили практически ничего не боялась. Очень часто подобные приключения заканчивались плохо, и Кэтлин приходилось не только спасать Лили от опасности, но и нести наказание, словно это она была лидером.

И конечно же, Джо, благослови его Бог, был готов отправиться за Лили на край света, если бы она попросила об этом.

Но если Кэтлин покровительствовала Лили, то к своему доброму брату она испытывала гораздо более сильные чувства. Однажды, встретив Джо на тропинке в скалах, она вернулась домой в ужасном настроении. После недавнего праздника урожая каштанов ее брат стал для деревенских мальчишек мишенью для насмешек.

— Мама, они дразнили его, обзывали ужасными словами! Говорили, что он деревенский дурак, что у него нет мозгов и его нужно поместить в клинику для дебилов. Почему они так ведут себя с ним? Он ведь хочет дружить со всеми.

София промыла ссадины сына настоем лещины, а потом отправила его к отцу — помочь загнать коров, а сама, плотно закрыв дверь, объяснила Кэтлин, чем ее старший брат отличается от других мальчиков.

— У меня были тяжелые роды, — сказала София, — и доктора считают, что Джо до рождения некоторое время не получал достаточно кислорода. Это повлияло на его мозг.

— Мама, но Джо ведь не идиот? Он может написать свое имя и немного умеет считать.

— Нет, дорогая, он не идиот. Он из тех, кого доктора называют «отстающими».

— Мама, но ведь даже животные его любят. Он с ними так по-доброму разговаривает, и они доверяют ему.

— Да, Кэтлин, ты права. Но дело в том, что животные добрее людей, — вздохнула София.

— Ребята из школы постоянно обижают его. Но он выше всех, и поэтому учителя всегда считают виноватым его. А он даже не пытается возражать! — Кэтлин обхватила голову руками. — Я не могу смотреть, как они обижают его. А Джо никогда не дает сдачи, просто улыбается и принимает наказание. Это несправедливо! Джо и мухи не обидит, ты же знаешь.

Вскоре после этого разговора родители забрали Джо из школы.

— Я считаю, что он уже выучил все, что мог, и со мной на ферме ему будет гораздо лучше, — сказал Шеймус.

Отец оказался прав. Теперь Джо целыми днями помогал на ферме, и его физическая сила и умение обращаться с животными нашли тут применение.

Собирая яйца, Кэтлин размышляла о брате. Он всегда казался счастливым, никогда не злился и не расстраивался. Вставал рано утром, завтракал и уходил в поле до вечера. Вернувшись, Джо пил приготовленный специально для него чай и ложился спать. У него не было друзей, общался он только с членами семьи, но не казался одиноким. В семнадцать лет у Джо не было интересов, характерных для мальчиков его возраста. Его глаза зажигались только при появлении в их доме Лили Лайл. Он часто молча наблюдал за ней, когда она расхаживала по кухне, перебрасывая через плечо густые золотисто-рыжие волосы.

— Тигрица, — неожиданно произнес Джо как-то раз, когда они втроем отправились на прогулку.

— Где тигрица, Джо? — Лили принялась оглядываться по сторонам.

— Ты тигрица.

— Тигрица Лили! — хором воскликнули Лили и Кэтлин.

— Цвет. — Джо показал на Лили. — Как у тигрицы.

— Джо, ты придумал мне отличное прозвище, — сказала Лили, просовывая тонкую бледную ладонь под его огромную руку. — У индийской принцессы из книги про Питера Пэна похожее имя.

— Ты — принцесса! — Джо посмотрел на Лили сверху вниз полными любви глазами.

Несмотря на врожденный эгоизм, Лили очень хорошо относилась к Джо: терпеливо ждала, пока он складывал в слова в предложения, и притворялась, что ей небезразличен дрозд со сломанным крылом, которого Джо спас и теперь лечил. В первую очередь именно это заставляло Кэтлин прощать Лили многие ее недостатки. Какой бы испорченной и эгоцентричной ни была эта девчонка, к Джо она питала только добрые чувства и всегда заботилась о нем. Положив свежие яйца в кладовую, Кэтлин отправилась в кухню завтракать. Джо уже ел, сидя за столом.

— Доброе утро, — поздоровалась Кэтлин, отрезая хлеб и намазывая его маслом. — Джо, погода хорошая. Мы пойдем на пляж.

— Да. И Лили.

— Она говорила, что зайдет за нами около одиннадцати. Обещала взять с собой что-то перекусить, но она часто так говорит, а потом забывает, — сказала Кэтлин. — Я сделаю сандвичи для нас троих.

— А вот и я! Всем привет! — прозвучал чуть позже в кухне голос Лили, которая, как обычно, эффектно обставила свое появление. — Угадайте, кто вернулся домой? — спросила она, сделав огромные глаза и взяв яблоко из вазы с фруктами.

— Кто? — поинтересовалась Кэтлин, складывая бутерброды в корзину для пикника.

— Джеральд — мой противный сводный брат. — Лили изящно опустилась в кресло. — Я не видела его больше года, в прошлые каникулы он ездил к родственникам своей матери в Клэр.

Кэтлин и Джо с сочувствием посмотрели на Лили. Джеральд — единственный сын Себастьяна Лайла от первой жены Адель — был их общим проклятием. Высокомерный мальчишка, презиравший Кэтлин и Джо, но все равно лезший в общие игры. Он дулся, если ему не удавалось постоянно выигрывать, обвинял их в мошенничестве и часто агрессивно накидывался на других, особенно на Джо. Они были одногодками, и он беспощадно изводил несчастного мальчика.

— Надеюсь, он не пойдет с нами на пляж? — обеспокоенно поинтересовалась Кэтлин.

— Нет, сегодня утром он заявил мне, что ему почти восемнадцать и он практически взрослый. Мне кажется, что он не хочет с нами общаться. Он действительно сильно вырос. Я с трудом его узнала. Он выглядит уже как мужчина и ростом почти с папу. Если бы это не был противный Джеральд, я бы сказала, что он вполне симпатичный, — захихикала Лили.

— Нет, нельзя быть симпатичным с таким характером, как у него. — Кэтлин вздрогнула. — Что ж, очень хорошо, что он задрал нос и не хочет идти с нами. Джо, ты готов?

Джо, как всегда, с обожанием смотрел на Лили.

— Готов, — ответил он.

И они втроем направились на пляж. Лили — на спине у Джо, держась за его крепкие широкие плечи и прижимаясь к нему, как маленькая обезьянка. Она притворно вскрикивала от страха, когда он спускался вниз по скалам.

— Вот мы и пришли, — запыхавшись, сказала Кэтлин и поставила тяжелую корзинку для пикника на мягкий песок. — Джо, опускай Лили вниз, чтобы она помогла мне достать еду.

— О, здесь так жарко! Я хочу прямо сейчас окунуться в море, — заявила Лили, снимая платье, под которым оказался купальный костюм. Изящные изгибы ее тела уже начали округляться. — Давай наперегонки, Джо! — весело прокричала она и бросилась бежать по песку к воде.

Кэтлин посмотрела на Джо, который неловко поспешил за Лили, на ходу снимая рубашку. Несколько секунд спустя он прямо в шортах нырнул в море. Кэтлин постелила на песок одеяла и на одном разложила угощение, которое приготовила дома. Она посмотрела на Лили, красивую, стройную и грациозную, — та визжала и плескалась в волнах вместе с

Джо, — и в который раз пожалела, что сама она не такая раскованная и эффектная.

Через десять минут, тяжело ступая, вернулся Джо.

— Лили холодно, — сказал он, показывая на полотенце.

Кэтлин кивнула, протянула ему полотенце и смотрела, как он возвращается к воде, чтобы обернуть и согреть дрожащую Лили. «Как хорошо, что я не умею ревновать», — подумала она. Хотя Кэтлин заботилась о брате всю жизнь, любила и оберегала, яростно защищая, потому что он был не в состоянии постоять за себя, она хорошо понимала, кому принадлежит его сердце. И если случится так, что они с подругой будут тонуть и ему придется выбирать, кого из них спасать, это окажется Лили. Чувства к Лили одурманивали Джо, крупица внимания с ее стороны была для него равноценна целому году реальной заботы сестры. Но что плохого в том, что Лили делала Джо счастливым? Кэтлин только хотелось надеяться, что, когда Лили вырастет и уедет — она не сомневалась, что та получит любого мужчину, которого выберет сама, — Джо сможет это пережить.

Кэтлин уже понимала, как красота помогает в жизни. Даже в школе красивым девочкам сходило с рук гораздо больше, чем простушкам. И казалось, не важно, каков ты внутри — хороший или плохой, — чем интереснее ты внешне, тем больше сиюминутной выгоды получаешь. Окружающие благоговели пред красотой, особенно мужчины. Все говорили, что это несерьезно, но Кэтлин так не думала. Кинозвезды и леди, живущие в особняках, — все они имели яркую внешность. И вряд ли нашлась бы красивая девушка, выполняющая грязную работу на кухне. Если только Золушка, но тогда обязательно должен был появиться прекрасный принц, который узнал бы свою суженую по красивой крошечной ножке.

— О, Кэтлин! Я умираю от голода! Можно сандвич? — Лили вернулась. Позади шел Джо.

— Держи, есть с мясом и с джемом. — Кэтлин протянула Лили бутерброды на бумажной салфетке.

Джо взял свободное одеяло и накинул на плечи Лили, а потом сел в мокрых шортах прямо на песок рядом с сестрой.

— Держи, Джо, тебе тоже нужно поесть. — Лили показала брату его бутерброды.

— Джо, давай поменяем мои с мясом на твои с джемом! — предложила Лили. — Терпеть не могу консервированное мясо!

Кэтлин смотрела, как Джо безропотно отдал Лили бутерброды с джемом. Лили съела их, сбрасывая крошки в песок, а потом легла, вытянув длинные стройные ноги.

— Почему я родилась с такой светлой, как у всех ирландцев, кожей? — простонала она. — Я похожа на бледную луну на темном небе.

— Нет. Красивая, — улыбнулся Джо.

— Спасибо, Джо. Кэтлин, знаешь что? — Лили приподнялась на локтях. — Когда мы купались, Джо предложил мне выйти за него замуж. — Она захихикала. — Правда, мило?

— Да, думаю, что так, — сказала Кэтлин, которой не понравился снисходительный тон Лили.

— Буду заботиться о тебе, — кивнул Джо, принимаясь за очередной бутерброд с мясом.

— Спасибо, Джо. Я знаю, что ты все время это делаешь. И обещаю подумать о твоем предложении! — Лили весело посмотрела на него и снова улеглась загорать.

31

— Джеральд хочет к нам присоединиться. Надеюсь, вы не будете возражать?

Кэтлин уставилась на высокого симпатичного парня, стоявшего за спиной Лили на пороге их кухни. Она сравнила нового, взрослого Джеральда с их прежним знакомым и успокоилась, заметив знакомую усмешку на его тонких губах.

— Привет, Джеральд, — поздоровалась она.

— Привет... — Он выглядел озадаченным. — Прости, я не помню, как тебя зовут.

— Кэтлин, Кэтлин Дунан, а это мой брат Джо.

— Конечно, простите меня. Как поживаете?

— Отлично, — сказала Кэтлин. — Ну что, вперед?

— Привет, Лили, — сказал Джо, ожидая, что они, как обычно, обнимутся.

— Привет, Джо, — ответила Лили, не отходя от Джеральда. — Мы стащили у отца удочки. Правда, Джеральд? — Лили улыбнулась ему.

— Да, они чуть лучше, чем деревянная палка с леской, на конце которой болтается кусок бекона, — ухмыльнулся он, глядя на принадлежности для рыбалки, которые держали Джо и Кэтлин.

Они вчетвером вышли из дома и направились вниз к ручью. Кэтлин раздражало присутствие Джеральда, и в разговоре возникла неприятная пауза. Лили шла рядом со сводным братом, мило болтая, а Джо плелся позади. Они спустились к ручью. Джеральд достал современный складной стул и тут же эффектно предложил его Лили.

— Я не могу позволить, чтобы твоя derriere* промокла, — прокомментировал он свои действия.

— Спасибо, Джеральд, это очень мило с твоей стороны, — поблагодарила девушка, усаживаясь на стул.

Остальная компания устроилась на берегу. Джеральд решил сам показать Лили, как пользоваться удочкой. Все молчали — присутствие Джеральда не позволяло им вести привычные шутливые беседы. Каждая фраза, которую собиралась произнести Кэтлин, застревала у нее в горле. Посмотрев налево, она увидела Джо — тот угрюмо уставился на реку. Он был явно расстроен из-за того, что его обожаемая Лили сидела так далеко.

---

* Derriere — задняя часть (*фр.*).

Естественно, первым рыбу поймал Джеральд. Лили восторженно хвалила его, пока он вытаскивал на берег достаточно крупную форель:

— Отлично! Не сомневаюсь, что у тебя талант.

— Хорошо, что эти реки еще полны рыбы. Отец умеет присматривать за своей землей.

— Извини, Джеральд, но сейчас это наш ручей. Мои родители купили его в прошлом году. — Гордость Кэтлин не позволила ей промолчать. — Мы планируем выкупить остальные земли, которые арендуем, и ферму, когда твой отец будет готов продать их нам.

— Ну надо же. После стольких лет вы стали землевладельцами, — усмехнулся Джеральд. — Наверняка к этому причастна мать Лили? Может быть, она просто хотела сделать сестре подарок?

— Нет, сэр, то есть Джеральд... — Кэтлин покраснела от злости. — Мои родители честно все оплатили.

— Понятно. — Джеральд приподнял бровь — новость не обрадовала его.

— В самом деле, — вздохнула Лили, — какая разница, кому принадлежит ручей? Эта несчастная рыба все равно окажется на чьей-нибудь тарелке сегодня вечером. И я не думаю, что ей есть до этого дело. Джо, возьми мою удочку. Мне жарко, я хочу искупаться.

Джо повиновался, а Лили направилась вдоль берега в поисках удобного спуска к воде. Сняв платье, она погрузилась в ледяную воду. Кэтлин переводила взгляд с Джо на Джеральда — две пары мужских глаз были прикованы к плавающей девушке.

— Должен признать, — сказал Джеральд, когда они съели все взятые с собой запасы, — эта часть света гораздо красивее, когда освещена солнцем. Жалко, что твоя мать, Лили, так редко может наслаждаться здешними пейзажами. Кстати, где она сейчас?

— В Лондоне. Ты же знаешь — она ненавидит жить в деревне, — спокойно ответила Лили.

— Я потрясен, что отец мирится с этим. Должно быть, чрезвычайно тяжело иметь жену, которая постоянно в разъездах, — произнес Джеральд.

— Ты ведь знаешь маму. Она, как райская птичка, должна быть свободна, — заметила Лили, — и прилетит домой, когда сама этого захочет.

— То есть неизвестно когда, — тихо пробормотал Джеральд. — И меня вы скоро тоже будете редко видеть. Я отправляюсь в Сандхерст, стану офицером, — объявил он, взглянув на Джо и Кэтлин. — Я даже завидую вам двоим в некоторой степени. Все время, день за днем, одно и то же: посчитать овец, подоить коров...

— Я бы сказала, что наша жизнь гораздо разнообразнее, — словно оправдываясь, сказала Кэтлин, которая не выносила его постоянный снисходительный тон.

— А как насчет него? — Джеральд спрашивал о Джо.

— Он счастлив. Правда, Джо? — нежно спросила Кэтлин.

— Да. — Джо кивнул. — Люблю Лили. Ей хорошо, и Джо хорошо.

— Неужели? — Джеральд удивленно приподнял брови. — Любишь ее, да? Как думаешь, Джо, Лили когда-нибудь выйдет за тебя замуж?

— Да. Женюсь на Лили. Буду заботиться о ней.

— Боже мой! — Джеральд расхохотался. — Лили, ты слышала это? Джо думает, что ты выйдешь за него замуж.

— Джеральд, не дразни его, он не понимает, — попросила Лили.

— Поймет, когда через несколько недель ты соберешь вещи и уедешь в пансион.

Лили подтянула колени к груди.

— Джо, никто не заставит меня уехать против моей воли. А я не хочу, — резко сказала она.

Кэтлин взглянула на брата — его лицо выражало ужас.

— Лили уедет? — медленно произнес он.

Лили встала, подошла к Джо и, присев рядом, похлопала его по руке:

— Не волнуйся, Джо, обещаю: я не уеду, что бы ни говорили мои родители.

— Сомневаюсь, сестричка, что у тебя есть выбор, — заметил Джеральд.

— Лили останется! — Джо посмотрел на Джеральда и обнял Лили за плечи, словно защищая ее.

— Вот видишь? — Девушка улыбнулась. — Джо не даст мне уехать, да?

— Нет. — Джо внезапно поднялся и с недовольным видом направился к Джеральду. — Лили останется здесь.

— Джо, не злись, это решение ее родителей, а не мое. Хотя мне кажется, что для Лили будет лучше, если она усвоит хорошие манеры и научится вести себя как настоящая леди.

— Лили — леди! — Джо вдруг резко размахнулся и ударил Джеральда прямо в челюсть.

Удар был такой сильный, что молодого человека отбросило назад.

— Парень, я же сказал, обойдемся без этого!

Кэтлин замерла, потрясенная агрессией брата. Он никогда раньше никого не бил. И уж конечно, ему никак не следовало направлять гнев на Джеральда.

— Джо! — Кэтлин наконец пришла в себя. — Немедленно извинись перед Джеральдом за то, что ты ударил его! Послушай, Джеральд, он не хотел ничего плохого, просто он всегда оберегает Лили. — Кэтлин потянула Джо за руку. — Джо, давай, нужно извиниться.

Джо опустил глаза и, тяжело вздохнув, произнес:

— Прости меня.

— Что ж, никаких повреждений вроде бы нет? — Джеральд поднялся, отряхиваясь, и повернулся к Лили: — Меня и сильнее били, но я до сих пор жив.

Кэтлин видела, что его самолюбие пострадало сильнее, чем челюсть. Особенно потому, что все произошло на глазах у Лили.

— Хорошо, давайте постараемся забыть об этом, чтобы нормально провести остаток дня, — настойчиво произнесла Кэтлин.

— Конечно, — согласился Джеральд. — Давайте забудем обо всем. Руку, Джо?

Джо с неохотой протянул руку.

— Отлично, забыли. — Джеральд скрепил примирение рукопожатием.

Но Кэтлин почему-то знала: Джеральд Лайл не простил Джо и не забудет произошедшего.

Лето продолжалось. Джо и Кэтлин видели Лили реже, чем обычно. Джо часами просиживал у окна в спальне, глядя на дорожку, не появится ли Лили. Когда она все-таки приходила, то казалась рассеянной и не похожей на себя. Кэтлин предполагала, что ее могут тревожить неприятные перспективы отъезда в пансион.

— Я не останусь там, если мне не понравится, — сказала Лили друзьям одним жарким августовским вечером, когда они шли по тропинке в скалах. — Я просто убегу.

— Лили, перестань, я уверена, что тебе понравится больше, чем ты думаешь. — Кэтлин посмотрела на грустное, серьезное лицо Джо. — И не забывай, что ты и глазом не успеешь моргнуть, как вернешься домой на рождественские каникулы. Правда, Джо?

— Лили останется. Лили останется здесь.

— Джо, я обещаю, что вернусь. — Лили обняла Джо за плечи. — Но через неделю мне нужно отправиться в Лондон, чтобы купить одежду для школы. Мама приезжает специально, чтобы отвезти меня в Англию. Папа буквально трепещет в ожидании ее появления. — Лили приподняла брови. — Честно говоря, не представляю, как он терпит ее. Она постоянно включает на весь дом отвратительную музыку к балетам, и это наводит на меня тоску! Не могу понять, как можно с удовольствием смотреть на толпу людей, молча стоящих на одной ноге целых два часа! Такая скукотища!

Кэтлин слышала, как ее мать объясняла ненависть Лили к балету тем, что страсть к нему — смысл жизни тети Анны и она жертвует дочерью ради него. И все же Кэтлин готова была согласиться с Лили. Тетя однажды брала ее на балет в Дублин, и она уснула на спектакле.

— А теперь мне надо бежать. Джеральд учит меня играть в бридж, и у меня уже неплохо получается! — Лили поцеловала Джо и Кэтлин и поспешила в сторону Дануорли-Хауса.

Джо провожал ее взглядом, пока она не превратилась в точку вдалеке. Потом он тяжело опустился на землю и уставился на море. Кэтлин встала на колени рядом с братом и обняла его за широкие плечи.

— Она вернется, Джо, ты же знаешь.

В его глазах появились слезы.

— Я люблю ее, Кэтлин. Люблю.

Если к ним в гости приходила тетя Анна, Кэтлин чувствовала это, едва войдя в дом. От гостиной до кухни распространялся резкий запах духов и сигаретного дыма. Кэтлин могла различить гортанный смех тети и звон фарфоровых чашек, которые мать доставала из буфета, только если тетя Анна почтила их визитом.

— Кэтлин, моя д-дорогая! Как твои дела? — поинтересовалась тетя, когда Кэтлин наклонилась, чтобы поцеловать ее. — Боже мой! — Она оценивающе оглядела девушку. — Да ты поправилась с тех пор, как я видела тебя в последний раз.

— Спасибо, — автоматически ответила Кэтлин, не уверенная в том, что это был комплимент.

— Иди сюда. — Тетя Анна похлопала по дивану рядом с собой. — Присядь и расскажи мне, как ты поживаешь.

Кэтлин села, как всегда, чувствуя себя ломовой лошадью рядом с тонкой, как лезвие бритвы, и элегантной тетей. Черные как смоль волосы — крашеные, как говорила София, — были собраны в гладкий пучок на затылке. Огромные глаза были подведены черным, губы сияли красным цветом.

Все это на фоне идеальной белой кожи придавало тете театральный вид.

Как обычно, Кэтлин лишилась дара речи от одного присутствия этой женщины. Она знала, что ее тетя — всемирно известная звезда балета. И разница между двумя сестрами, которые хотя и не были кровными родственниками — мама рассказала Кэтлин, что Анну родители удочерили, — но все же выросли вместе под одной крышей, была огромной. Сидевшая в их маленькой гостиной, заставленной унылой темной мебелью, тетя Анна казалась экзотическим цветком, случайно выросшим на ирландском болоте.

— Ну, Кэтлин, давай же, поговори со мной и расскажи, какие у тебя новости, — пыталась подбодрить ее Анна.

— Я... — Кэтлин растерялась. Что может заинтересовать такую женщину, как ее тетя? — Ну... у меня каникулы, и через неделю я снова пойду в школу, — выдавила она.

— Ты уже думала, чем хочешь заниматься в будущем? — поинтересовалась Анна.

Кэтлин не знала, как правильно ответить. Сказать, что она хочет быть просто женой и матерью, наверное, было бы неправильным.

— Я не знаю, тетя.

— А как у тебя с мальчиками? — с заговорщическим видом поинтересовалась Анна. — Наверняка должны быть молодые люди, которые заходят к тебе?

Кэтлин вспомнила молодого человека из Скибберина, которого недавно встретила на танцах. Он приглашал ее четыре раза, и они выяснили, что являются дальними родственниками через бабушку Колин Райан. Но в этих местах почти все друг другу родственники.

— О, дорогая, вижу, у тебя кто-то есть. Ты начала краснеть!

— Кэтлин, это правда? — спросила мама, сидевшая в кресле напротив. — У тебя появился парень? Знаешь, Анна, она ничего мне о нем не говорила.

— Что ж, все девочки любят секреты. Правда, Кэтлин? — Тетя Анна улыбнулась.

— У меня нет секретов, — пробормотала она и почувствовала, что снова краснеет.

— Но в этом нет ничего плохого, правда, София? — Анна опять улыбалась. — Я уверена, мама рассказывала тебе, что ради моего блага Мэри — моя приемная мать — сообщила моему опекуну Лоуренсу Лайлу, что я умерла в пансионе от гриппа! Ты можешь себе такое представить? — Анна засмеялась характерным гортанным смехом. — А потом я как ни в чем не бывало заявилась в Ирландию и вышла замуж за брата человека, которому много лет назад пришла телеграмма о моей смерти. Вот это я называю — хранить секреты.

— Анна, мне кажется, все это не повод для смеха! — Глаза Софии метали молнии. — Мы с тобой прекрасно знаем: наша мать сделала все, чтобы защитить тебя и заботиться о тебе. И я вынуждена добавить, что ей это дорого обошлось. Она могла закончить свои дни в тюрьме.

— Я все это знаю, сестренка, и ужасно ей за это б-благодарна. Можешь не сомневаться.

— Именно поэтому ты разбила ей сердце и пропала на целых пятнадцать лет? — парировала София.

Сидя между двумя женщинами, Кэтлин мечтала только о том, чтобы провалиться сквозь землю.

— София, прошу тебя, не надо мне читать нотаций! — Анна закатила глаза. — На моем месте так поступила бы любая нормальная девушка. Я просто вылетела из гнезда. И не забывай, в тот момент я даже не представляла, что сделала Мэри ради меня. Не нужно винить меня за это! А теперь давай поговорим о будущем. Ты знаешь, что я з-забираю Лили в Лондон на следующей неделе, чтобы отдать ее в пансион?

— Да, я в курсе.

Кэтлин заметила, как ее мать старается сдержаться, и поняла, что она еще многого не знает о жизни двух сестер.

* * *

— Я до сих пор не могу поверить, что в понедельник мне придется уехать, — вздохнула Лили, когда они с Кэтлин лежали на песке и смотрели на звезды. — Как я смогу жить без всего этого? Эти просторы, свобода и запах моря, который приносит в мою спальню утром морской бриз... И штормы, гневно накатывающие волнами на скалы. Но самое главное, — тяжело вздохнула Лили, — здесь мало людей. Я не уверена, что люблю людей. А ты, Кэтлин?

Кэтлин привыкла к странным мыслям подруги.

— Честно говоря, никогда не задумывалась о том, нравятся мне люди или нет. Нам просто приходится общаться друг с другом, разве не так?

— Но ты можешь представить себе, как это — делить комнату с семью незнакомыми девочками? Через неделю мне это предстоит узнать. Боюсь, там невозможно даже помыться без свидетелей. Кэтлин, ты только представь такое!

Честно говоря, Кэтлин не могла вообразить ничего подобного. И внезапно ее собственная жизнь показалась ей очень комфортной. Странно, что Лили, выросшая в идеальных условиях, должна отправиться в заведение, которое, судя по рассказам, мало чем отличается от описанного Чарлзом Диккенсом в «Оливере Твисте». Кэтлин когда-то читала эту книгу.

— Но все равно, — продолжала Лили, — как я тебе уже говорила, если мне не понравится, то я убегу. Я украла у отца немного денег, их мне как раз хватит, чтобы вернуться в Ирландию. И если понадобится, я смогу ночевать в одном из ваших сараев, а ты будешь приносить мне еду.

— Лили, перестань, — возразила подруге Кэтлин, — все будет не так ужасно. Ты сама говорила, что многие богатые семьи отправляют дочерей в эту школу. Не сомневаюсь — у тебя появится огромное количество друзей.

— Но я ненавижу правила, Кэтлин. Ты ведь знаешь, — простонала Лили. — И совсем не могу им следовать.

Кэтлин задумалась о причине такого положения вещей: может, в жизни Лили было мало ограничений, или просто у нее такой характер.

София всегда говорила, что ее племянница — «вольная пташка», и Кэтлин готова была согласиться с матерью.

— Уверена, что все будет не так плохо, как ты себе рисуешь. Ведь юная леди обязательно должна пройти через пансион?

— Джеральд говорит, ему нравилось в Итоне, — вздохнула Лили. Она резко перевернулась на живот и, положив лицо на руки, посмотрела на Кэтлин. — Мне кажется, он стал гораздо привлекательнее. А ты как думаешь?

— Он не в моем вкусе, — ответила Кэтлин, содрогнувшись при одной только мысли о Джеральде.

— Ну, он уже совершенно точно не тот самодовольный прыщавый дурак, каким был раньше. Кстати, он предложил нам устроить вчетвером пикник вечером на пляже. Разжечь костер и отметить мой последний вечер в Ирландии. Такое своеобразное прощание. Вы придете, Кэтлин? Ты и Джо?

— Я приду, конечно. А вот что касается Джо... — Кэтлин вздохнула. — Не думаю, что Джеральд хотел бы общаться с ним.

— О, он давно все забыл! — Лили взмахнула рукой, словно отметая сомнения подруги. — Просто скажи ему, что там буду я, и он обязательно придет. Без него все будет не так, как всегда.

— Да, — согласилась Кэтлин, — это точно.

32

Конечно же, лицо Джо осветилось радостью, когда он узнал, что сможет провести вечер на пляже вместе с Лили. Даже если это означало, что им придется терпеть противного Джеральда. Небо потемнело, и брат с сестрой спустились на берег в бухту.

— Джо, запомни, пожалуйста: это последний вечер Лили дома, и мы празднуем. Что бы Джеральд ни говорил, обещай, что не будешь злиться.

— Хорошо, Кэтлин.

— Так ты обещаешь?

Джо кивнул:

— Обещаю. У меня есть кое-что. Для Лили. — Он достал из кармана небольшого ангела, искусно вырезанного из дерева. — Лили — ангел, — сказал он.

Кэтлин остановилась и принялась разглядывать фигурку, лежащую на ладони у брата. Она не представляла, сколько времени у него ушло на такую искусную вещицу и как его большие руки справились с такой работой.

— Джо, он очень красивый, правда, — сказала Кэтлин с искренним восхищением. — Мне кажется, у тебя настоящий талант к резьбе по дереву. — Она положила ладонь на его руку. — И я не сомневаюсь, что Лили будет в восторге от твоего подарка.

Когда Кэтлин и Джо вышли на берег, Джеральд и Лили уже все подготовили для праздника. На песке горел небольшой костер, и Джеральд поджаривал на огне сосиски.

— Привет, друзья! — радостно поздоровалась Лили. — Надеюсь, вы принесли много еды, а то я умираю от голода! Правда, здесь замечательно?

Лили внезапно побежала по пляжу, подпрыгивая и кружась от счастья, а трое оставшихся у костра наблюдали за ней.

— Она ненавидит балет, но при этом унаследовала грацию матери, как считаешь, Кэтлин? — поинтересовался Джеральд, не отводя глаз от танцующей фигурки на берегу.

— Да, ты прав. — Лили посмотрела на Джо, который как зачарованный наблюдал за девушкой. Кэтлин расстелила на песке одеяла. — Садись сюда, Джо.

Брат повиновался, не сводя глаз с танцующей Лили.

Запыхавшись, она вернулась и упала на песок, чтобы отдышаться.

— Когда я закончу учебу в этом ужасном пансионе, то вернусь в Дануорли и останусь здесь навсегда. Кто-нибудь хочет искупаться до ужина?

Кэтлин покачала головой:

— Нет, Лили, для меня слишком холодно.

— Ну ты и трусиха! Где же твоя любовь к приключениям? Ведь это мой последний вечер здесь!

— Раз так, пойдем, — неохотно отозвалась Кэтлин. — Мальчики, вы ведь последите за сосисками?

Джеральд и Джо смотрели, как девушки побежали к воде. Джеральд достал из рюкзака бутылку.

— А пока они купаются, мы с тобой попробуем вот это, чтобы согреться.

Джо отвел взгляд от удалявшейся Лили и посмотрел на Джеральда и на бутылку у него в руке.

— Это самогон. Домашний. Его принес моему отцу один из наших арендаторов. Ты когда-нибудь пробовал самогон, Джо?

Джо медленно покачал головой.

— Что ж, давай выпьем немного. Твое здоровье! — Джеральд сделал большой глоток и протянул бутылку Джо.

Джо понюхал ее и молча поморщился.

— Что такое? Ты мужчина или слабак? Каждый ирландец должен попробовать напиток своей родины. Мы же не хотим, чтобы Лили считала тебя трусом, правда, Джо?

После этого аргумента Джо осторожно поднес к губам бутылку и сделал глоток. Подавившись, он закашлялся и вернул бутылку Джеральду.

— Первый глоток всегда самый неприятный. Обещаю, потом станет гораздо вкуснее! — Джеральд снова отпил самогона.

Когда девушки вернулись, сосиски были уже готовы, а Джеральд и Джо вместе смеялись над какой-то шуткой. Дрожа, Кэтлин завернулась в одеяло и с удовлетворением отметила, что между парнями не чувствуется напряжения.

— У меня есть немного сока бузины. — Джеральд подмигнул Джо и протянул стакан девушкам. Они хотели пить и моментально осушили его.

— Ой, — поморщилась Лили. — Какой странный вкус.

— Да, действительно. — Кэтлин пристально посмотрела на Джеральда. — Что это?

— Кое-что, чтобы согреться, правда, Джо? Хочешь еще немного?

Сквозь пламя костра Кэтлин видела, как Джеральд передал Джо бутылку.

— Ну что, будете сосиски? — спросил он.

Через сорок минут Кэтлин лежала на спине, глядя на звезды, и не понимала, почему они кружатся. До сих пор она никогда этого не замечала. Она слышала, как Джеральд и Джо громко хохочут над чем-то, а Лили танцует в свете костра.

Кэтлин улыбнулась — ей было тепло и очень хорошо, — закрыла глаза и уснула.

Проснувшись, она никак не могла понять, где находится, и чувствовала себя ужасно.

— Боже мой, — произнесла она в тот момент, когда ее желудок свело и его содержимое оказалось на песке. Ее рвало еще дважды, но когда все закончилось, голова перестала кружиться. Кэтлин засыпала рвоту песком, и ей очень захотелось пить. Она вернулась к костру, чтобы найти бутылку воды, которую принесла с собой.

Одеяла были пусты, огонь потух.

Кэтлин жадно напилась воды, а потом встала, желая посмотреть, не купаются ли друзья. Ноги почему-то дрожали, когда она шла к воде. Она не слышала обычного веселого смеха и не могла различить фигуры в темноте. Кэтлин повернула назад и снова позвала:

— Эй, вы трое, возвращайтесь! Я знаю, что вы прячетесь от меня. Выходите, где бы вы ни были!

Ответа не последовало. Только волны равномерно разбивались о песок. «Они ведь не могли вернуться домой без меня? — сказала себе Кэтлин. — Я одна не дотащу все вещи наверх!»

Кэтлин кричала, пока не охрипла, а потом опустилась на одеяло и тут заметила на песке пустую бутылку. Она подняла ее и, понюхав, застонала — ей стало понятно все. Джеральд, видимо, разводил их сок самогоном. Многие в округе гнали самогон из картофеля, и Кэтлин знала, как плохо может быть от него.

— Джеральд, какой же ты идиот! О чем ты думал, когда поил нас?

Зловещее чувство страха сковало Кэтлин, когда она представила, как все трое входят в воду. Они могли быть пьяны и не понимали, что делают. Кэтлин попыталась сообразить, как действовать дальше. Если она побежит за помощью, отец сдерет с нее шкуру, поняв, что она пила. И он совершенно точно не поверит, что Джеральд разводил самогоном сок бузины. А сколько выпил Джо? Брат ни разу в жизни не пробовал алкоголь. Бог знает, как спиртное могло повлиять на него. Кэтлин еще минут десять ходила по пляжу и звала друзей, а потом, замирая от страха, подумала, что у нее нет выбора — надо идти и поднимать тревогу. Она не представляла, который был час, и вдруг решила, что, возможно, все оставили ее спать, а сами пошли домой. Решив не брать с собой вещи, она устремилась вверх по тропинке.

Вдруг из дальней части пляжа, где за камнями начиналась другая бухта, до нее донесся крик.

Кэтлин повернулась и посмотрела назад, но не смогла понять, кто ее зовет.

— Кэтлин, это ты?

— Да! — крикнула она в ответ.

— Это я! Джеральд! — Он побежал в ее сторону. Джеральд тяжело дышал, когда приблизился к ней, и наклонился, чтобы перевести дыхание. — Ты видела их? Лили и Джо? Где-то около часа назад они сказали, что идут купаться. Я пообещал посторожить вещи, потому что ты спишь. Они долго не возвращались, я побежал искать их. На берегу никаких следов. Они уже вернулись? Я разминулся с ними?

— Нет, я все время была здесь, но не видела ни Лили, ни Джо.

— Боже! — простонал Джеральд. — Джо был прилично пьян. Надеюсь, с ними не произошло ничего плохого.

— Значит, так... — Кэтлин уперла руки в бока. — О чем ты думал, когда поил его?

— Джо — взрослый парень. И я не заставлял его.

— А как же Лили? А я? — Гнев и страх Кэтлин вырвались наружу. — Какой же ты идиот! Зачем подливал самогон в наш сок? Что с тобой стряслось? Что, если Лили утонула? Это будет твоя вина. И как ты будешь жить с этим, мистер Лайл? — истерично кричала она.

— Кэтлин, послушай, я не сделал ничего дурного, просто хотел немного оживить скучную вечеринку. В любом случае никто ничего не докажет. Кроме того, как ты думаешь, кому все поверят? Тебе или мне? Ладно, — пожал плечами он, — это сейчас не важно. Мы должны найти Лили и Джо как можно скорее. Я уже везде смотрел и в самом деле не заметил никаких следов.

Взгляд Кэтлин был прикован к темному пятну крови на шортах Джеральда.

— А это что такое? — показала она.

Джеральд опустил глаза.

— Должно быть, я порезался, карабкаясь по скалам, и пошла кровь. Не обращай внимания. Мы еще раз все обыщем или позовем на помощь?

— Думаю, надо идти за помощью.

— Хорошо. И я тебя предупреждаю. — Он наклонился к Кэтлин, и она отпрянула в страхе. — Хотя вы и владеете несколькими акрами болота у реки, твой отец все еще арендует землю у моего. Скажи хоть слово о бутылке, которую я принес с собой на пляж, и я сделаю так, что мой отец вышвырнет тебя и твою семью из дома и с нашей земли так быстро, что вы даже пикнуть не успеете. Поняла?

— Да, — кивнула Кэтлин, заливаясь слезами. — Я поняла.

* * *

Час спустя все немногочисленное население Дануорли было поднято по тревоге, и, спустившись на пляж, люди принялись проверять бухты и воду в поисках Лили или Джо.

На рассвете местный фермер позвал всех в небольшую пещеру, где без сознания лежала Лили. Ее платье было разорвано, она была жестоко избита. Фермер отнес ее наверх, на скалы, к ожидавшей машине. Лили осторожно уложили на заднее сиденье и отвезли в больницу в Корк.

Через двадцать минут за камнями, буквально в двадцати ярдах от того места, где лежала Лили, обнаружили Джо, который крепко спал.

Когда его разбудили, он не мог понять, где находится.

— Лили... — бормотал он. — Где Лили?

33

Позже в тот же день в дверь дома постучали. София открыла дверь и увидела на пороге двух полицейских.

— Миссис Дунан?

— Да?

— Мы хотели бы задать вашим детям несколько вопросов о прошлой ночи, — сказал один из них.

— Они ни в чем не виноваты, не так ли? — нервничая, спросила София, впуская их. — Они хорошие ребята и никогда не делали ничего плохого.

— Сначала мы поговорим с вашей дочерью, миссис Дунан, — сказал один из полицейских, когда София провела их в гостиную.

— Как Лили? Она, вероятно, упала со скалы. Кэтлин, моя дочь, сказала мне. Я...

— Именно об этом мы и хотим с ней поговорить, — перебил Софию второй полицейский.

— Я приведу ее, — сказала она.

Через **несколько** минут в гостиную вошла Кэтлин. Ее колени **тряслись от страха.**

— Кэтлин Дунан?

— Да, сэр.

— **Садись, Кэтлин.** Не нужно бояться, мы лишь хотим задать тебе **несколько** вопросов о том, что случилось прошлой ночью.

— С **Лили все хорошо, да?** — взволнованно поинтересовалась Кэтлин.

— Не **переживай,** с ней все будет в порядке, — успокоил ее полицейский. — А теперь, девочка, расскажи нам о прошлой ночи. **Начни с** того момента, как вы вчетвером пошли на пляж.

— Ну... — **Кэтлин** сглотнула. — Мы спустились на пляж, чтобы **отметить отъезд** Лили в пансион. Парни занимались костром и **жарили сосиски,** а мы с Лили пошли купаться, — сказала она.

Полицейские делали заметки.

— А потом? — спросил один из них.

— Мы **вернулись,** поели, а потом я... Я уснула.

— Ты устала?

— **Видимо, да, сэр.**

— Во сколько ты проснулась?

— Не знаю, но, когда я проснулась, Лили, Джо и Джеральда не **было. Я** везде их искала, но безуспешно. Потом я увидела **Джеральда,** он шел из пещеры, в которой потом нашли Лили. **Он** сказал, что тоже искал их все это время. Потом мы **пошли за** помощью. Вот и все. — Кэтлин пожала плечами. — **Больше** мне нечего рассказать. Остальное вы знаете.

— Кэтлин, **мне бы** хотелось, чтобы ты ответила честно, — мягко сказал **один из** полицейских. — Вы пили что-нибудь вчера на **пикнике?**

— Я... нет, сэр. Почему вы так решили?

— Потому что в крови твоей кузины Лили был обнаружен алкоголь. В больнице ей сделали анализ. Ты хочешь сказать, что пила она одна?

— Сэр... — Кэтлин вспомнила, как прошлой ночью Джеральд угрожал выгнать ее семью с земли, если она расскажет правду. — Да, — призналась она с виноватым видом. — Мы все пили. Но совсем немного, сэр. И я ничего не могу сказать о Джеральде, — торопливо добавила она.

— А твой брат Джо?

— Думаю, он сделал один или два глотка, — честно ответила Кэтлин.

— Что ж, до прихода сюда мы беседовали с мистером Джеральдом, и он сказал нам, что Джо был прилично пьян.

— Не думаю, сэр. Джо никогда не пьет, так что, возможно, даже пару глотков ударили ему в голову.

— Что-то ударило ему в голову, — пробормотал другой полицейский.

— Мистер Джеральд сказал нам, что твоему брату очень нравилась Лили. Это правда?

— Да, сэр. Он обожает ее, — согласилась Кэтлин.

— Мистер Джеральд заявил, что слышал, как Джо говорил, будто хочет жениться на Лили. Это правда?

— Ну... — Кэтлин пыталась подобрать правильные слова. — Мы ведь знаем друг друга с детства. Мы как одна семья. Джо всегда любил Лили.

— Да, мисс, но вы уже не дети. Или по крайней мере ваш брат не ребенок, — хмуро заметил полицейский. — У него агрессивный характер, мисс Дунан?

— У Джо? Нет, ни в коем случае. Я бы сказала, что он один из самых мягких людей в мире. Он и мухи не обидит.

— Кэтлин, но мистер Джеральд рассказал нам совсем другое. Он заявил, что несколько недель назад Джо ударил его по лицу. И ты это видела. Это правда?

— Я... — Кэтлин почувствовала, что вспотела, такой волнительной была эта ситуация. — Да, я видела, как Джо ударил Джеральда. Но он сделал это только потому, что ему очень не понравились слова Джеральда о Лили. Как я уже сказала, он очень оберегает ее. Клянусь вам: Джо безобиден, спросите кого угодно, — в отчаянии добавила Кэтлин. — Он добрый, заботливый и совсем не собирался причинять никому зла. Клянусь.

— Ты могла бы сказать, что он одержим чувством к Лили? — спросил один из полицейских.

— Нет. — Кэтлин покачала головой, чувствуя, что ее заставляют говорить такие вещи, которые звучат неправильно. — Он просто обожал ее. — Она пожала плечами.

— Кэтлин, ты когда-нибудь видела, чтобы твой брат дотрагивался до Лили?

— Конечно, постоянно! Он носил ее на спине, поднимал и бросал в море... Они вместе играли.

— Спасибо, Кэтлин. Сейчас мы поговорим с твоей матерью, а потом позовем Джо.

— Сэр, я не понимаю. Джо ведь ни в чем не виноват, правда? Возможно, он немного выпил и ударил тогда Джеральда, но, поверьте мне, он не может причинить никому зла, особенно Лили, — в отчаянии твердила Кэтлин.

— Мы пока закончили, Кэтлин. Возможно, нам придется побеседовать снова.

Кэтлин встала и вышла из гостиной. Она расстроилась и чуть не плакала. Мать ждала на кухне. Она посмотрела на дочь, когда та вошла, — в ее взгляде читалось беспокойство.

— Что они хотели, Кэтлин?

— Мама, я не знаю. Они задали мне множество вопросов о Джо, но так и не объяснили почему. Я знаю, что Лили пострадала, но разве она не упала со скалы? Ведь никто не... — Кэтлин прикрыла рукой рот. — Мама, не может быть, чтобы полиция думала, будто Джо...

— Миссис Дунан, сейчас мы хотели бы побеседовать с вами. — На пороге кухни стоял полицейский.

— Хорошо. — София вздохнула. Встав, она последовала за ним.

Кэтлин взбежала по лестнице в спальню и принялась мерить шагами узкую комнату, осознавая, что происходит нечто ужасное и несправедливое. Выйдя в коридор, она постучала в дверь к Джо. Не получив ответа, она распахнула ее и увидела брата, который лежал на кровати, положив руки под голову, и смотрел в потолок.

— Джо? — Она подошла к нему и присела на край кровати. — Как ты?

Джо не ответил. Он продолжал смотреть в потолок, его глаза были полны скорби.

Кэтлин положила ладонь на его толстую руку.

— Ты, случайно, не знаешь, что произошло с Лили прошлой ночью? Почему у нас дома полиция?

Через некоторое время Джо молча покачал головой.

— Ты видел, как она упала и разбилась, Джо? Ведь именно это произошло, да?

Наконец он повернулся к Кэтлин и снова покачал головой:

— Не помню. Я спал.

— Боже, Джо, мне страшно! Ты должен вспомнить. Ты видел, как Лили упала и разбилась? — снова повторила она.

— Нет. Я спал.

— Джо, пожалуйста, послушай меня, это очень важно, — настойчиво попросила Кэтлин. — И постарайся понять, что я тебе говорю. Я не уверена, но, похоже, полицейские решили, что это ты обидел Лили.

Джо заволновался:

— Нет! Никогда не сделаю плохо Лили. Никогда!

— Джо, я знаю это, а они — нет. Что бы ни случилось с Лили, полицейские решили прийти сюда и выяснить о прошлой ночи все. И мне кажется, они пытаются обвинить тебя.

— Нет! Никогда не сделаю плохо Лили! — закричал он и ударил кулаком по кровати.

Кэтлин прочитала в глазах брата, что он очень разозлен и считает, что его предали.

— Можешь не говорить этого мне. Я знаю, как сильно ты любишь Лили. А вот полицейские внизу этого не знают и видят случившееся по-своему. Обещай мне, что не станешь злиться, если они будут задавать вопросы, которые тебе не понравятся. Джо, пожалуйста, постарайся сохранять спокойствие, даже если они спросят, не ты ли сделал это с Лили, — умоляла брата Кэтлин.

— Никогда не сделаю плохо Лили. Люблю Лили! — снова повторил Джо.

Кэтлин в отчаянии кусала губы. Она понимала: что бы она ни сказала и ни сделала, защитить своего красивого, доброго брата от самого себя она не в состоянии.

— Ладно, Джо, может, я зря думаю о плохом. Возможно, Лили сможет рассказать собственную версию событий. — Кэтлин крепко обняла брата. — Просто будь самим собой и скажи им, что ты спал.

— Хорошо. — Джо закивал.

Кэтлин все еще обнимала брата, когда несколько минут спустя в комнату вошла побледневшая мать. Она сказала, что Джо нужно спуститься вниз. Кэтлин смотрела, как он поднимается и выходит из комнаты, и неприятное предчувствие, наполнявшее ее сердце, стало еще сильнее.

В тот день полицейские забрали Джо для дачи дальнейших показаний. А два дня спустя еще один полицейский приехал на ферму и сообщил, что Джо обвиняется в изнасиловании и избиении Лили Лайл и будет содержаться в тюрьме города Корка до суда.

Когда он ушел, София села на стул у стола и, обхватив голову руками, тихо заплакала. Шеймус подошел и обнял жену, в его глазах тоже стояли слезы. Кэтлин смотрела на лица родителей — на них было написано отчаяние — и понимала, что они сломлены. София подняла глаза и, сжав руку мужа, спросила:

— Он ведь этого не делал, правда?

— Дорогая, мы ведь знаем, что нет. — Шеймус медленно покачал головой. — Но я не представляю, что можно предпринять, чтобы все исправить. — Он повернулся к дочери. — Думаю, кое-кто должен вспомнить, что случилось той ночью. Что произошло, девочка? Почему ты пила самогон? Ты ведь знаешь, как он влияет на людей, особенно на таких нездоровых, как Джо.

— Папа, мне очень, очень жаль! — Кэтлин мучительно краснела, желая признаться, как Джеральд обманом напоил их всех.

— А полицейские, как всегда, верят словам англичанина. Может, мне самому поговорить с Джеральдом? — Шеймус принялся расхаживать по кухне.

— Но разве он расскажет тебе правду? Кто-то сделал это с Лили, и мы точно знаем, что это был не Джо. Но что мы можем предпринять? — София в отчаянии покачала головой. — Если это был Джеральд, он никогда не сознается.

— А как насчет Лили? — спросила Кэтлин. — Можно мне пойти к ней? Ты ведь знаешь, мама, как мы всегда были близки.

София вопросительно посмотрела на мужа:

— Как ты считаешь, Шеймус? Стоит Кэтлин пойти к Лили?

— Мне кажется, сейчас нужно использовать любую возможность, — согласился отец.

На следующий день утром Кэтлин отправилась на автобусе в Корк, где в больнице лежала Лили.

Когда она вошла в палату, глаза Лили были закрыты. Кэтлин увидела фиолетово-черный синяк вокруг левого глаза, разбитую губу и кровоподтек на скуле. Она с трудом сглотнула, осознав, что нельзя допускать даже мысли о том, что Джо так поступил со своей любимой Лили. Кэтлин села на стул рядом с кроватью, понимая, что, когда Лили проснется и они начнут разговор, нужно будет сохранять спокойствие и не впасть в истерику из-за чудовищной несправедливости, которая случилась с братом.

Наконец Лили открыла глаза, заморгала и заметила Кэтлин, сидящую рядом с ней. Кэтлин взяла ее за руку.

— Как ты?

— Хочу спать, — ответила Лили, — все время.

— Наверное, тебе дают обезболивающее. И оно так действует на тебя.

— Да. — Лили облизнула губы. — Ты не могла бы дать мне воды?

Кэтлин помогла Лили сесть и протянула стакан воды. Когда та закончила пить, Кэтлин осторожно спросила:

— Что с тобой случилось?

— Я не знаю... — Лили снова закрыла глаза. — Не помню.

— Но ты должна вспомнить хоть что-нибудь, — уговаривала ее Кэтлин. — Ты ведь не думаешь... То есть ты ведь знаешь, что Джо никогда бы не поступил так с тобой. Правда, Лили?

— Полицейские постоянно задают мне этот вопрос, но я не могу на него ответить.

— Лили, они арестовали его, арестовали Джо! — шепотом сказала Кэтлин. — Его обвиняют в преступлении. Ты скажешь им, что Джо любил тебя и никогда не причинил бы тебе зла, да? Пожалуйста, Лили, скажи им.

Лили по-прежнему не открывала глаза.

— Я не думаю, что он мог так поступить, но я не могу сказать того, чего не помню.

— А как же Джеральд? Он попытался и... — Кэтлин не могла произнести это вслух. — Тебе пришлось драться с ним?

Лили резко открыла глаза.

— Кэтлин! Он мой сводный брат. Как я могу обвинять его в таком? Кроме того... — Ее глаза снова начали закрываться. — Как уже сказала, я ничего не помню. А теперь, прошу тебя, я очень устала и не хочу больше говорить об этом.

— Лили! — Кэтлин пыталась сдержать слезы. — Если ты не защитишь Джо, его отправят в тюрьму. Пожалуйста, умоляю тебя...

— Достаточно, — прозвучал голос у нее за спиной.

У двери, скрестив на груди руки, стояла тетя Анна.

— Д-думаю, тебе пора идти, Кэтлин. Лили надо отдохнуть.

— Пожалуйста, тетя Анна, — в отчаянии сказала Кэтлин, — полицейские считают, что это сделал наш Джо, но вы ведь знаете, что он всегда любил ее и хотел защитить.

— Достаточно! — Голос тети звучал резко. — У тебя начинается истерика, и это п-плохо для Лили. Думаю, надо дать возможность полиции закончить расследование. Никто не знает, на что способен Джо, когда он п-пьян, и я думаю, юная леди, тебе не следует сейчас это обсуждать. Ты просто отключилась, напившись, и ничего не видела и не слышала.

— Но я видела Джеральда, и у него была кровь...

— Достаточно, я сказала! Мне бы хотелось, чтобы ты немедленно покинула палату моей дочери, или тебя выведут отсюда. И чтобы ты знала, мы с Себастьяном придерживаемся единого мнения: человек, который напал на нашу д-дочь, заслуживает самого сурового наказания! И мы проследим, чтобы ему не удалось выйти сухим из воды.

Кэтлин выбежала из палаты. Слезы застилали ее глаза. Покинув больницу, она села на скамейку в парке. Все бесполезно, бессмысленно... И Джо, ее брат, не в состоянии защищаться и не сможет избежать худшего. Она понимала, что теперь, когда Лили и тетя Анна отказались вступиться за него, надежды больше не было.

Три месяца спустя Кэтлин и ее родители присутствовали при оглашении приговора: Джо получил пожизненное заключение за избиение и изнасилование Лили Лайл. Адвокату удалось добиться, чтобы **Джо, как** человека с ограниченными умственными способностями, поместили в закрытое учреждение в центральных **графствах** Англии.

Кэтлин знала, что никогда **не забудет** выражение страха и замешательства на перекошенном лице брата, когда два охранника с обеих сторон **грубо взяли** его под локти, и он нашел взглядом членов семьи, **сидевших** в самом конце зала судебных заседаний.

— Джо! — прозвучал на **весь зал крик** Софии. — Пожалуйста, не забирайте его! **Он мой сын,** он много не понимает! Пожалуйста, мой мальчик... **Я нужна** ему... Джо! Джо!

Джо подняли со скамьи **подсудимых** и потащили вниз по лестнице. Когда он исчез **из виду,** София упала на стул и горько заплакала:

— Он умрет там, запертый **вместе** с сумасшедшими. Без своих любимых животных. **О Боже!** Боже!

Кэтлин сидела рядом с **матерью** и отцом, который был так же убит горем, и смотрела **прямо** перед собой. Она знала, что никогда в жизни не **простит Лайлам** то, что они сделали с ее семьей.

— О, мама, — мягко сказала **Грания,** увидев, как сотрясаются от слез плечи Кэтлин. **Она** подвинулась ближе, чтобы обнять ее. — Мама!

— Извини, дорогая, мне **так тяжело** вспоминать об этом.

— Мама, я даже не знаю, **что сказать.** Вот, возьми. — Грания достала салфетку из **коробки рядом** с кроватью и нежно вытерла глаза матери.

— Конечно, все это **было очень** давно, — произнесла Кэтлин, стараясь успокоиться. — **Но,** Грания, я всю жизнь не могу забыть невинные, **доверчивые** глаза Джо. Понимаешь, он не осознавал, что с **ним происходит.** Его поместили в специальное заведение — **ужасное место,** полное ненормальных, которые визжат и **кричат** во весь голос и колотят в двери, требуя, чтобы их выпустили! — Кэтлин содрогнулась. — Ох, Грания, ты даже не представляешь...

— Нет, конечно, — тихо сказала Грания. — А вы пробовали подать апелляцию?

— Ты, наверное, не удивишься, узнав, что адвокат, к которому мы обратились за консультацией, посоветовал нам не тратить понапрасну деньги, — грустно усмехнулась Кэтлин. — Кроме того, когда Джо попал в это заведение, его состояние ухудшилось. Ему всегда нужно было сделать над собой усилие, чтобы произнести хоть слово, а угодив туда, он окончательно сдался. Сомневаюсь, что он сказал что-нибудь в следующие десять лет жизни. Обычно он сидел у окна, глядя на улицу. Даже когда мы приходили навещать его, казалось, он не понимал, кто мы такие. Наверное, ему давали какие-то лекарства — так поступают, чтобы пациенты тихо себя вели и санитарам было легче с ними справляться.

— Мама, Джо все еще там?

— Нет, — Кэтлин покачала головой, — он умер от сердечного приступа, когда тебе было двенадцать. По крайней мере так нам сказали. У Джо всегда были шумы в сердце. Но насколько я понимаю, причина была не в них. Его сердце просто разорвалось от горя. — Кэтлин вздохнула. — Для чего было жить несчастному мальчику? Его обвинили в избиении и изнасиловании девушки, которую он любил больше жизни, и из-за этого он в итоге потерял свободу. Джо не отличался большим умом и, мне кажется, осознать, что произошло, было выше его сил. Он попытался справиться с этим, замкнувшись в себе. По крайней мере именно это говорили нам психиатры.

— О, мама... — Грания покачала головой. — Какая ужасная история. Вы с Лили потом обсуждали ее? Она вспомнила, что случилось?

— После того дня в больнице я больше никогда не разговаривала с Лили Лайл, — сказала Кэтлин. — Тетя Анна увезла ее в Лондон, как только она вышла из больницы, и больше мы ее не видели. Много лет спустя она вернулась в Дануорли, притащив за собой мужа.

— А как же Джеральд? — спросила Грания. — Из твоего рассказа следует, что именно он совершил тогда это преступление.

— Я до самой смерти буду так считать, — решительно произнесла Кэтлин. — Это был точно не наш добрый Джо, а член их семьи. Хотя бы в этом есть некоторое утешение. Я слышала от кого-то работавшего в доме Себастьяна Лайла, — Кэтлин практически выплюнула ненавистное имя, — что Джеральд погиб где-то за границей. Не могу не добавить, что он расстался с жизнью не в бою, служа своей стране, а в пьяной драке около какого-то бара на Кипре. Джеральд умер раньше Джо, ему было всего двадцать четыре года. Поэтому Лили и унаследовала Дануорли-Хаус.

— Как ты думаешь, случившееся той ночью не могло повлиять на Лили? Я имею в виду... — Грания осторожно подбирала слова, понимая, что может причинить матери боль. — Александр упоминал, что у Лили было тяжелое психическое заболевание.

— Я не могу сказать точно, ведь Лили сначала была странным ребенком, а потом эксцентричным подростком, — вслух размышляла Кэтлин. — И невозможно сказать, вспомнила ли события той ночи. Но ты, наверное, считаешь, что это могло повлиять на нее?

— Да, конечно, — кивнула Грания. — Теперь я поняла, почему ты так переживала из-за моего общения с Лайлами. — Грания взяла мать за руку. — И мне очень жаль, если это расстроило тебя и вызвало воспоминания о прошлом.

— Ну, как твой отец постоянно твердит, прошлое с тобой никак не связано. И все-таки не нужно забывать, что они разрушили мою семью. Мать и отец уже никогда не стали прежними. Конечно, причина не только в Лили, но и в тете Анне — маминой сводной сестре, отказавшейся защитить племянника. Как мама ни умоляла ее сказать полицейским, что Джо совершенно безобиден, она отказалась. Если бы она это сделала, Грания, к ней бы прислушались. Ведь она была женой сквайра, ее слова имели вес.

— Но, мама, — вздохнула Грания, — разве можно было ждать от нее другого? Джеральд был ее приемным сыном. Боже, как все ужасно запутано.

— Да, — согласилась Кэтлин. — Конечно, ты права. Но тетя Анна всегда искала выгоду. Себастьян обеспечил ей комфортную жизнь и не ограничивал ее свободу. После этого случая она редко приезжала в Ирландию, проводя почти все время в Лондоне, в том доме, где выросла. И больше она никогда не разговаривала с сестрой.

Грания помолчала некоторое время. Ей нужно было разобраться в услышанном.

— Я понимаю, что ты должна ненавидеть Лили за то, как она поступила с Джо, но, мама, разве это была ее вина? Она пережила изнасилование, кто бы его ни совершил. Возможно, она действительно ничего не помнила, но даже если это не так, разве она могла обвинить сводного брата? — Грания размышляла вслух. — И кто знает, если Джеральд угрожал тебе, он мог так же поступить с Лили, чтобы заставить молчать. Я не пытаюсь ее оправдать, — быстро добавила она, — но я не вижу, как она могла помочь вам.

— Да, ты права, — кивнула Кэтлин, — именно это твой отец твердит мне многие годы. И нужно отдать Лили должное: когда вскоре после гибели Джеральда скончался Себастьян Лайл и она унаследовала поместье Дануорли, мой отец написал ей в Лондон, спрашивая, может ли он наконец выкупить ферму, она согласилась и назначила очень низкую цену.

— Возможно, это прозвучит цинично, но не сделала ли она это, чтобы свести к минимуму общение с вами?

— Да, возможно, это так, — согласилась Кэтлин. — Это и еще чувство вины, может быть.

— Судя по всему, Александр не в курсе этой истории, — заметила Грания.

— Не думаю, что жена стала бы рассказывать ему все.

— Нет, хотя, возможно, эта информация могла бы оказаться нелишней. Он всегда говорил, что испытывал дискомфорт в Дануорли. И мне кажется, хотя один супруг и не несет ответственности за давние проблемы в жизни другого супруга, все равно подспудно ощущаем вину за то, что не сумели помочь. А по рассказам Александра я знаю, что он изо всех сил старался поддержать Лили.

— Я в этом не сомневаюсь. И если тебе это важно, Грания, я перестала винить Лили в том, что произошло. Но боль в моем сердце из-за Джо никогда не утихнет.

— Понимаю. Похоже, Лили тоже расплатилась за все. Бедняжка. Ты не будешь возражать, если я расскажу об этом Александру в подходящий момент?

— Нет. Мне почему-то показалось, что ты должна узнать об этом до отъезда. Самое печальное, — вздохнула Кэтлин, — что я единственная, кто еще жив, из нас четырех. Кажется, что той ночью весь мир ополчился против нас.

— Мама! Но ведь рядом с тобой я, и Шейн, и папа, — возразила Грания. — Так что все не так уж плохо.

— Да, дорогая. — Кэтлин протянула руку и погладила дочь по щеке. — Конечно. А что касается твоего отца... Если бы его не было рядом со мной после тех событий, я сошла бы с ума. Он просто чудо, был таким и остается до сих пор, хотя некоторые его привычки сводят меня с ума, — усмехнулась она. — А сейчас, думаю, тебе нужно немного поспать до отъезда. Обещай, что будешь осторожна.

— Конечно, мама, я ведь уже большая девочка.

— Мать всегда волнуется за свое дитя, — устало улыбнулась Кэтлин.

— Знаю, — сказала Грания, глядя, как ее мать тяжело спускается с кровати и направляется к двери. — Спокойной ночи. Я люблю тебя.

— Я тоже люблю тебя, Грания.

Кэтлин вышла из комнаты дочери и открыла соседнюю дверь в спальню. Свет все еще горел, но Джон крепко спал. Она нежно поцеловала мужа в лоб и, подойдя к туалетному столику, взяла в руки небольшого ангела, искусно вырезанного из дерева, в которого Джо вложил тогда всю любовь к Лили. Она нашла его в песке рядом с входом в ту пещеру, где обнаружили Лили, через несколько недель после вынесения приговора. Прижав ангела к груди, Кэтлин посмотрела вверх.

— Покойся с миром, Джо, — прошептала она.

Аврора

О читатель! Бедная Кэтлин! Удивительно, что в этих обстоятельствах, учитывая прошлое семьи, с которым и я в какой-то степени была связана, она позволила мне осквернить порог ее дома.

И бедный Джо... Один из самых беззащитных людей на свете, неспособный оправдаться, он стал жертвой по воле судьбы, хотя ни в чем не был виноват. Я могу только надеяться, что его добрая душа воплотилась в образе домашнего любимца всей семьи, например, кота, а противный Джеральд вновь родился мышью, которого кот Джо выследил, вдоволь с ним наигрался и в итоге убил просто так, ради развлечения.

Самое неприятное состоит в том, что, узнавая все новые подробности о прошлом своей семьи, я начинаю переживать за гены, которые унаследовала. Отвратительный Джеральд был моим дядей! А что можно сказать об Анне, моей бабушке? Это из-за ее врожденного эгоизма Лили росла без материнской любви — пожалуй, самой важной составляющей в жизни каждого человека. Потом так же росла и я, пока не появилась Грания и не спасла меня.

Но постепенно я все лучше понимала Лили. Я задумалась над тем, что если Джо стал жертвой из-за отсутствия некоторых способностей, которые даются нам при рождении, то Лили делало уязвимой ее главное достоинство — красота. Возможно, иметь какое-то качество в избытке так же плохо, как не иметь его вовсе. Лили была беззащитной, такой же, как Джо, только по-своему. Возможно, именно это он и разглядел в ней, в то время как другие видели только внешнюю оболочку. Для большинства людей, как и для юной Кэтлин, красота и богатство ассоциируются с силой и влиянием. А Джо чувствовал, что Лили уязвима, и хотел защитить ее.

В последнее время наряду с другими занятиями я читала много книг по религиозной философии. (И если мои мысли стали серьезнее, чем раньше, причина именно в этом.) Ученые уже определили генетический код, который мы передаем детям, но я предпочитаю думать, что душа каждого новорожденного уникальна и, каким бы ни было воспитание, он станет тем, кем ему было суждено стать. Когда я вспоминаю о собственных генах, эта мысль успокаивает меня.

Я уже отмечала, что люди не усваивают пройденных уроков. Читатель, сейчас я думаю, что ошибалась. Прошло пятьдесят лет, и теперь общество заботится о таких, как Джо, а ведь на протяжении многих веков неполноценных детей убивали сразу после рождения или изолировали от окружающих. В западном мире детей больше не лишают жизни, к ним относятся с добротой и сочувствием. Малыши, которые в прошлом часто оказывались нежеланным побочным результатом самой приятной игры между мужчиной и женщиной (вы понимаете, что я имею в виду!), теперь стали центром семейного мира. В последнее время я видела несколько очень избалованных детей и с трудом представляю ситуацию, в которой они задумались бы о других, а не о себе. Это может означать, что человечество завершает очередной круг развития своих эгоистических побуждений и новое поколение берет все в собственные руки, ведь мир не стоит на месте.

Я счастлива, что прожила свою жизнь в свое время. Не сомневаюсь, в прошлом меня сочли бы ведьмой и утопили. Вместе с Кэтлин, которая видит и чувствует многое так же, как я, и понимает меня.

На этот раз мое отступление оказалось длиннее, чем предыдущие, потому что я не тороплюсь начинать работу над следующей частью истории. Мне будет непросто продолжать...

34

На выходе из аэропорта в Женеве Гранию встречал шофер в ливрее с табличкой с ее именем в руках.

— Мадам, следуйте за мной.

Их ждал черный «мерседес». Грания уселась в салон, и машина бесшумно тронулась с места. Они ехали по Женеве в неизвестном направлении, и Грания задумалась: не слишком ли наивно она себя ведет? Стоило ли вообще доверять Александру? Она ведь так мало о нем знала. Он может заниматься каким-нибудь нелегальным бизнесом: контрабандой оружия или наркотиков или...

«Держи себя в руках и не позволяй разыграться воображению», — напомнила она себе, но все же достала из сумки мобильный телефон и спрятала в карман жакета.

Они выехали из города и стали подниматься в горы. Через некоторое время машина припарковалась у ярко освещенного современного здания. Водитель открыл дверь, и Грания вышла.

— Я буду ждать вас здесь. Мистер Девоншир на втором этаже. Сестры у стойки регистрации расскажут, как его найти.

Только в этот момент Грания подняла голову и увидела, что стоит у входа в клинику. Она невольно прикрыла рукой рот и тихо прошептала:

— О Боже! Боже...

Следуя указаниям шофера, она молча поднялась на второй этаж и подошла к посту сестер, чтобы представиться.

— Ваше имя? — спросила сестра.

— Грания Райан.

Сестра улыбнулась, услышав знакомое имя:

— Мистер Девоншир ждет вас. Следуйте за мной, пожалуйста.

Затаив дыхание, Грания прошла по коридору и подождала, пока сестра стучала в дверь палаты.

— Входите, — послышался слабый голос.

Сестра знаком показала Грании, что можно открыть дверь. На кровати лежал Александр. Как ей показалось, это была лишь призрачная тень того мужчины, с которым она рассталась несколько недель назад. Он был абсолютно лысый, кожа приобрела землистый оттенок, к телу тянулось множество проводов от монотонно гудящих мониторов, расположенных вокруг кровати. Он с трудом поднял худую руку, чтобы поприветствовать Гранию.

— Я оставлю вас на некоторое время, — кивнула сестра, закрывая за собой дверь.

— Грания, спасибо, что приехала.

Она не могла сдвинуться с места, понимая, что не в силах скрыть потрясение. Сейчас она не могла себя контролировать.

— Я знаю... — прохрипел Александр. — Знаю... Ты не ожидала... такого.

Грания молча покачала головой, изо всех сил стараясь сохранить самообладание. Он слегка пошевелил рукой, приглашая ее подойти ближе. Приблизившись, она заметила, что его темно-голубые глаза полны слез. Она инстинктивно наклонилась и поцеловала его в лоб.

— Александр, — прошептала она, — что с тобой случилось? Я ничего не понимаю.

Он жестом попросил ее придвинуть стул и сесть рядом. Она повиновалась и взяла его руку в свою.

— Опухоль мозга. Я узнал о ней год назад. Во время моих отлучек из дома я проходил лечение. — Он грустно улыбнулся. — Видишь, не помогло. Я умираю, Грания. Думал, протяну дольше, но... — он облизнул сухие губы, чтобы было легче говорить, — не получилось.

— Я... — Грания не смогла сдержать слез, они заструились у нее по щекам. — Александр, прости. Почему ты не сказал мне? Я чувствовала: что-то не так. Ты ужасно выглядел, когда последний раз вернулся домой. И эти твои головные боли... Теперь мне все ясно. Прости меня. — Она полезла в сумку за платком. — Почему ты молчал? — повторила она.

— Пока была надежда, я не хотел, чтобы Аврора знала. И ты тоже, — добавил он.

— И... Доктора ничего не могут сделать? — Глядя на него, Грания понимала, что хватается за соломинку.

— Ничего. Они попробовали все, что только возможно. Боюсь, это конец.

— Как долго?.. — Грания не смогла закончить вопрос.

Александр помог ей:

— Две недели, возможно, три... Но, судя по моему самочувствию, еще меньше. Грания! Мне нужна твоя помощь.

Она почувствовала, как он сжал ее руку.

— Все, что в моих силах, Александр. Говори.

— Это касается Авроры. Я беспокоюсь за нее. Нет никого, кто позаботился бы о ней после моей смерти.

— Ты не должен об этом беспокоиться. Я и моя семья — мы не оставим ее. Можешь не сомневаться в этом, Александр. — Грания видела, что он теряет силы от необходимости говорить и переполняющих его эмоций.

— Моя бедная малышка... Она столько пережила... — Теперь настал черед Александра расплакаться. — Грания, почему жизнь так жестока?

— Не знаю, Александр, честно, не знаю. Но могу обещать тебе, что с Авророй все будет в порядке, мы будем любить ее и обеспечим ей все условия.

— Прости меня... Я так устал. Ты ведь понимаешь, все эти лекарства...

Его глаза закрылись, и он уснул. Грания продолжала сидеть рядом, у нее кружилась голова, и она понимала, что может упасть в обморок от пережитого потрясения. Она готова была к чему угодно, но только не к тому, чтобы оказаться у постели умирающего Александра. Грания постаралась рационально оценить, для чего он позвал ее, но мозг отказывался повиноваться. И она сидела, крепко держа Александра за руку, словно она сама, ее здоровье и энергия были мостиком, соединявшим его с жизнью.

Наконец его веки задрожали и, открыв глаза, он повернулся к ней:

— Грания, я доверяю тебе. Я видел, как ты любишь Аврору. И твоя семья... вы очень хорошие люди. Я хочу, чтобы Аврора осталась с тобой... в твоей семье.

— Александр, я ведь уже сказала, что это возможно и мы сделаем именно так.

— Нет! — Александр с усилием покачал головой. — Этого не достаточно. Я не хочу рисковать, Грания, и вынужден попросить тебя об одолжении.

— Все, что угодно, Александр. Ты ведь знаешь.

— Ты выйдешь за меня замуж?

Из всех перенесенных потрясений это оказалось для нее самым сильным. Грания всерьез засомневалась, в своем ли он уме.

— Замуж за тебя? Но...

— Понимаю, что ты вряд ли мечтала о таком предложении. — Губы Александра искривились в слабом подобии грустной усмешки. — Мне бы хотелось произнести эти слова при других обстоятельствах.

— Но, Александр, я не понимаю. Ты не попробуешь объяснить?

— Мой адвокат сделает это завтра за меня. Тогда я мог бы умереть, зная... — глубоко вздохнул Александр, — что с моей малышкой все в порядке.

— О, Александр... — Ее голос дрогнул.

— Ты сделаешь это? Для меня? — удалось выговорить ему.

— Я... — Грания поднесла пальцы ко лбу. — Это так неожиданно! Мне нужно хоть немного времени, чтобы все обдумать.

— У меня нет времени. Грания, пожалуйста, я тебя умоляю. Обещаю, что ты будешь финансово независима до конца жизни.

— Александр, мне не нужны твои деньги.

— Грания, пожалуйста. Нам нужно сделать это, пока еще не слишком поздно.

Она посмотрела на его лицо, искаженное болью, и поняла, что у нее нет выбора.

— Хорошо, — медленно ответила она. — Я согласна.

Грания не могла уснуть всю ночь, хотя провела ее в очень красивом номере женевского отеля. Следующим утром в десять часов в холле ее уже ждал шофер, чтобы отвезти в больницу к Александру.

Когда она вошла в палату, Александр слабо улыбнулся. На стуле рядом с ним сидел пожилой мужчина с аккуратно уложенными седыми волосами, одетый в безупречный костюм.

Он поднялся и, возвышаясь над Гранией, протянул ей руку:

— Доброе утро, мисс Райан. Меня зовут Ханс Шнайдер, я адвокат мистера Девоншира, его старый друг и крестный отец Авроры, — добавил он.

— Ханс пришел, чтобы обсудить с тобой то, о чем мы договорились вчера вечером, — сказал Александр. — Ты... не передумала?

— Честно говоря, я не могу ни о чем думать и до сих пор потрясена, — призналась Грания.

— Это можно понять, — кивнул Ханс. — Давайте мы с вами спустимся в ресторан и обсудим предложение Александра.

Грания не протестовала, хотя чувствовала себя пешкой в сложной шахматной игре, которую не вполне понимала.

Когда они оказались в ресторане, Ханс заказал кофе на двоих и достал несколько толстых папок.

— Итак, мисс Райан... — произнес он с отрывистым немецким акцентом. — Я могу называть вас Грания?

— Конечно, — кивнула она.

— Прежде всего важно, чтобы вы понимали: все наши действия направлены на то, чтобы защитить Аврору, когда Александр сам будет не в состоянии это делать.

— Да, Ханс, но я не могу понять — ведь Александру достаточно лишь упомянуть в завещании или каком-нибудь отдельном юридическом документе, что он хочет, чтобы я удочерила Аврору.

— В обычных обстоятельствах этого скорее всего было бы достаточно. Но проблема в том, Грания, что у нас сейчас чрезвычайные обстоятельства, — объяснил Ханс. — Я попросил у Александра разрешения говорить от его имени, поскольку он слишком слаб, чтобы правильно излагать свои мысли. А для него очень важно, чтобы ты была в курсе. Его беспокоит только безопасность и благополучие девочки. Он хочет быть уверен, что после его смерти все распоряжения относительно будущего Авроры не будут подвергнуты сомнению. Выходя замуж, вы автоматически становитесь мачехой девочки, но если мы начнем процесс удочерения, нет гарантии, что его нельзя будет пересмотреть.

— А кому это может быть нужно?

— Грания, Александр очень богатый человек. Все его состояние отойдет Авроре. Более того, после смерти отца она унаследует Дануорли-Хаус и другую недвижимость, которая когда-то принадлежала Лили. И хотя все средства в основном сосредоточены в трастовых фондах и Аврора получит эти деньги по достижении двадцати одного года, остается еще большая сумма, которая должна быть доверена человеку или людям, которые возьмут на себя заботу о девочке. В настоящее время некоторые родственники мистера

Девоншира с большим удовольствием присвоили бы эти деньги. Например, его сестра — ближайшая кровная родственница Александра — могла бы подать в суд заявление о пересмотре последней воли брата. А он не общался с ней целых десять лет. Поверьте мне, Грания, когда я познакомился с ней, — выразительно приподнял брови Ханс, — то понял, почему Александр не хочет, чтобы его дочь и его деньги попали в руки этой женщины.

— Понятно.

— Возможно, вы думаете, что Александр чрезмерно осторожен, но я работаю адвокатом уже тридцать пять лет и гарантирую вам, что, как только он умрет, со всех сторон налетят стервятники, — заметил Ханс. — И он не хочет рисковать.

— Я понимаю, — сказала Грания.

— А теперь я должен спросить у вас кое-что не только как адвокат Александра, но и как его хороший друг и крестный отец Авроры. Вы готовы взять на себя ответственность и стать для Авроры приемной матерью?

— Да, если это необходимо. Я люблю ее, — просто ответила Грания.

— Это важнее всего, — улыбнулся Ханс. — Единственное, что тревожит Александра, — чтобы принятое решение никак не повлияло на ваше будущее. Если вы захотите вернуться в Нью-Йорк и соберетесь оставить Аврору с вашими родителями в Ирландии, он не против. Могу я поинтересоваться, как члены вашей семьи относятся к девочке?

— Они ее обожают, и это взаимно. Сейчас она с ними в Ирландии и кажется настолько счастливой, насколько это вообще возможно. Но, Ханс, — в отчаянии покачала головой Грания, — как я скажу Авроре, что ее отец... — Слезы брызнули из глаз девушки при мысли о подобном разговоре.

— Я знаю. — Ханс перегнулся через стол и похлопал ее по руке. — Вот еще одна причина, по которой Александр считает, что вам нужно пожениться. Да, Аврора потеряет отца, но одновременно обретет мать. Он считает, что это смягчит удар. Он говорит, девочка давно относится к вам как к матери.

— Он очень добр, — ответила Грания, стараясь совладать с эмоциями. — Конечно, я люблю ее как родную. С самого начала между нами установилась связь.

— Я верю в тайный промысел Бога, — тихо произнес Ханс. — По крайней мере, если вы готовы принять предложение Александра, он умрет, зная, что с его обожаемой дочерью все в порядке и ее любят. Не могу передать, Грания, как высоко он вас ценит. И должен заметить, что у нас очень мало времени, вероятно, даже меньше, чем он предполагает. Мы должны провести свадебную церемонию не позднее завтрашнего дня. Я позвоню местному чиновнику и попрошу завтра же прийти в больницу. Как это ни грустно, Грания, завтра — день вашей свадьбы.

Она молча кивнула, чувствуя, что от горькой иронии этих слов у нее перехватило горло. Она столько лет отказывалась выйти замуж за Мэтта, а теперь оказалась в обстоятельствах, где у нее нет выбора.

— Думаю, Александр попросил вас привезти с собой свидетельство о рождении. Если вы передадите мне его вместе с вашим паспортом, а также подпишете эту бумагу, которую я позволил себе заполнить, я немедленно займусь подготовкой документов.

В оцепенении Грания поставила подпись в конце бланка, достала из сумки документы и передала их адвокату.

— Спасибо. А вот бумаги, необходимые для начала процесса удочерения.

Не задумываясь, Грания подписала и их, одну за другой, и вернула Хансу.

— Итак... — Он собрал все документы и, сложив в портфель, посмотрел на нее. — Вы не знаете, какая сумма по соглашению перейдет вам как жене Александра, но все подписали?

— В этом случае деньги вряд ли имеют значение, разве вы не согласны? Я делаю это просто потому, что люблю Аврору и мне очень нравится ее отец.

— Да. — Ханс внезапно тепло улыбнулся ей. — Теперь я понимаю, почему Александр хочет, чтобы именно вы растили его дочь. Он сказал мне, что вы не будете интересоваться финансовой стороной дела. — Юрист подмигнул ей. — Мой клиент оказался прав, как я только что увидел.

— Отлично. — Грания заняла оборонительную позицию, осознав, что Ханс проверял ее. — Прошу вас не забывать, что я не просила вовлекать меня в эти дела, и вполне могу обеспечить себя сама. Мне не нужны деньги Александра.

— Простите меня. Знаю, Александр доверяет вам, но, учитывая состояние его здоровья, я должен был лично убедиться, что он в здравом уме. И теперь я могу подписать бумагу, подтверждающую это. В будущем я буду исполнять его волю и вести ваши с Авророй финансовые дела. А также готов помогать вам, насколько это будет в моих силах. И сейчас я должен сообщить вам, что в завещании он оставил...

— Достаточно! — Грания очень устала и не могла больше слушать адвоката. — Давайте здесь остановимся, Ханс. Мы сможем обсудить это в другой раз. А сейчас я хочу вернуться к Александру.

— Александр, — прошептала Грания, присев рядом с кроватью. Он открыл глаза и посмотрел на нее.

— Привет, Грания.

— Я хотела сказать, что мы с Хансом все обсудили. Я подписала документы, чтобы удочерить Аврору, и завтра у нас свадьба.

С огромным усилием Александр повернул голову, чтобы посмотреть на девушку, и протянул ей руку.

— Спасибо, Грания. Ты купишь себе красивое платье? И конечно, кольцо. — Он кивком указал на ящик прикроватного столика. — Открой его.

Грания повиновалась и обнаружила в ящике футляр из красной кожи от «Картье». Александр протянул за ним руку. Усилием воли он приподнялся, открыл футляр и достал изящное кольцо с бриллиантом-солитером.

— Грания Райан, ты выйдешь за меня замуж?

Ослепленная слезами, она кивнула:

— Да, Александр.

Собрав все оставшиеся силы, он надел кольцо ей на палец.

— И еще кое-что, Грания. — Он сжал ее пальцы еще сильнее. — Ты... останешься со мной... до конца? Как... сделала бы моя жена, — с грустной улыбкой поинтересовался он.

— Конечно. Но... что мы скажем Авроре?

— Что у нас медовый месяц. Она будет довольна.

— О да, Александр, но что я... Как я сообщу ей?

— Я верю, что ты найдешь правильные слова. У нее ведь теперь есть новая мать, которую она любит.

Александр закрыл глаза. Пока он спал, Грания сидела рядом, глядя в окно на видневшийся вдали Монблан.

Она еще никогда в жизни не чувствовала себя более одинокой, даже несмотря на то что завтра был день ее свадьбы.

Кэтлин отвезла Аврору в школу и вернулась на ферму, собираясь покормить кур и собрать яйца. Прошло уже четыре дня после отъезда Грании, но от нее не было никаких вестей. Кэтлин неоднократно звонила дочери на мобильный телефон, но он был постоянно выключен.

— Эту девчонку нужно выпороть хорошенько, — ворчала она, возвращаясь в дом со свежими яйцами в руках. — Уехала и не сообщила матери, где она и как у нее дела, и заставила меня волноваться до безумия.

Позже в тот же день зазвонил телефон. Кэтлин подняла трубку.

— Мама, это я, Грания.

— Я поняла, что это ты! Боже, я уже столько всего передумала!

— Извини, мама. Могу сказать только одно: все твои фантазии не сравнятся с тем, что происходит на самом деле. Аврора дома?

— Нет. Сегодня же понедельник, если ты забыла. Она в школе.

— Да, конечно, — растерянно произнесла Грания. — Послушай, я постараюсь позвонить ей позже, хотя сейчас это непросто. Мама, мне нужно, чтобы ты передала ей кое-что.

— Что именно?

— Скажи... Мы с ее отцом поженились. И я буду ее новой мамой.

Кэтлин показалось, что из нее одним ударом вышибли дух.

— Что?! Ты говоришь, вы с Александром поженились?

— Да, мама, это долгая история. Я не могу сейчас объяснить, но, уверяю тебя, все совсем не так, как кажется.

— Да нет, все ясно, — сказала Кэтлин, — хотя ты сама в ночь перед отъездом говорила мне, что все еще любишь Мэтта. Что с тобой случилось, девочка? Ты с ума сошла?

— Мама, один раз в жизни, пожалуйста, просто поверь мне. Мне нужно, чтобы ты сказала Авроре, что у нас с ее отцом медовый месяц. И мы не знаем точно... — внезапно у нее перехватило горло, — сколько он продлится.

— Ясно. А мне ты можешь сказать, сколько именно?

— К сожалению, мама, я не знаю.

— Грания Райан. Или... кто ты сейчас? Грания...

— Девоншир. Я миссис Девоншир.

— Что ж, по крайней мере ты не взяла фамилию Лили.

— Мама, послушай, мне пора. Обещаю все объяснить тебе, когда вернусь домой. Крепко поцелуй Аврору и скажи ей, что мы с ее папой очень сильно ее любим. Я позвоню тебе в ближайшее время.

И в трубке послышались короткие гудки.

Кэтлин редко прикладывалась к спиртному, но сейчас направилась в гостиную и налила себе бокал хереса из графина, стоявшего на подносе. Осушив его одним глотком, она вернулась к телефону, нашла номер сотового мужа, на который звонила очень редко, и набрала его.

35

Мэтту казалось, что в его жизни начался период страданий и полной сумятицы. Он читал лекции о принципах работы мозга человека, регулярно писал статьи на эту тему и даже издал книгу в «Гарвард Пресс», но собственную жизнь, похоже, испортил окончательно и бесповоротно.

Когда Чарли сообщила о своей беременности, Мэтт не нашелся что сказать, и, честно говоря, никаких мыслей по этому поводу у него не было. Его состояние с тех пор не изменилось. Он осознавал, что отреагировал неправильно. Той ночью Чарли ушла из ресторана в слезах. Он оплатил счет и вернулся домой через несколько минут после нее, но она уже скрылась за дверью спальни. Он постучал, но не получил ответа.

— Можно войти? — спросил он.

Чарли промолчала, но Мэтт все равно вошел. Она лежала, свернувшись под покрывалами, и по ее лицу текли слезы.

— Можно, я сяду?

— Угу, — последовал приглушенный ответ.

— Чарли, дорогая, мне очень жаль.

— Спасибо, — с несчастным видом произнесла она.

— Ты... думала о том, что собираешься делать? То есть... Ты хочешь этого ребенка?

В этот момент, резко откинув покрывала, Чарли села — ее глаза гневно сверкали.

— Ты просишь меня сделать аборт?

— Нет, черт возьми! Я еще не думал, чего хочу. Речь о тебе.

— Что? Мэтти, малыш, послушай, ты тоже участвовал в этом. Речь не обо мне, а о «нас».

«Каких таких «нас»?» — подумал Мэтт, но промолчал, не желая злить Чарли.

— Я понимаю, дорогая. И все же сначала хотел бы узнать, что ты думаешь делать.

Чарли подтянула колени к подбородку и, словно защищаясь, обхватила ноги руками.

— Той ночью ты клялся, что любишь меня. Поэтому сейчас, глядя в будущее, мне бы хотелось видеть там тебя, себя и малыша. Но если дело обстоит по-другому, а ты сегодня дал мне это ясно понять, тогда я даже не знаю, чего хочу.

— Возможно, нам обоим нужно подумать.

— Да, вот только я не могу позволить себе эту роскошь — думать слишком долго. Ребенок растет внутри меня, и я не хочу привязываться к нему, если потом придется... — Конец фразы повис в воздухе.

— Ты права, — согласился Мэтт. — А ты... точно уверена?

— Что? Сомневаешься в моих словах? А потом захочешь сделать тест на ДНК, чтобы удостовериться, что этот чертов ребенок твой?

Мэтт подвинулся к ней и обнял за плечи.

— Чарли, я ни за что не сделаю этого. Знаю, что ты не стала бы обманывать меня. Мы всю жизнь были друзьями, и тебе не свойственно лгать. Не плачь, дорогая. Обещаю, мы все уладим. Завтра я уезжаю, и, думаю, это к лучшему. Нам обоим нужно немного личного пространства и времени для размышлений. Давай поговорим, когда я вернусь и мы успокоимся.

— Хорошо, — согласилась заплаканная девушка.

Мэтт поцеловал ее в макушку и встал.

— Постарайся немного поспать, — сказал он и направился к двери.

— Мэтти?

— Да? — Он остановился.

— Ты хочешь этого ребенка?

Он медленно повернулся и посмотрел ей в лицо:

— Мне очень жаль, Чарли, но если быть честным, то я не знаю.

Этот разговор состоялся неделю назад. Мэтт вернулся домой, но по-прежнему, как и в момент отъезда, не был уверен в своих чувствах. Открывая ключом дверь лофта, он подумал: «Черт возьми, кого я пытаюсь обмануть?» Он был абсолютно уверен, что не любит Чарли и не хочет этого ребенка. И если он уступит, то только потому, что считает себя джентльменом, который совершил непоправимую ошибку. Но ведь огромное количество парней попадали в подобную ситуацию и были вынуждены поступать «правильно». Чарли с детства была его подругой, а их родители постоянно встречались на всяких светских мероприятиях. Мэтт вздрогнул, представив удивленные лица членов загородного клуба, если пройдет слух о том, что Чарли ждала от Мэтта ребенка, а он отказался поддержать ее.

«Дело в том, что у нее все козыри», — думал Мэтт, занося рюкзак в спальню. Если она решит оставить ребенка, то у него не будет выбора и придется постараться, чтобы как-то наладить отношения. Он боялся, что все может обернуться еще хуже... Мэтт очень хорошо знал эту девушку, у них было общее прошлое и общие друзья.

Возможно, ему следовало воспринять это как брак по расчету — надежный, неоднократно проверенный вариант. В конце концов, с Гранией так ничего и не вышло. Мэтт взглянул на фотографию на прикроватном столике и тяжело вздохнул. На ней Грания выглядела не старше подростка. Они фотографировались на каникулах во Флоренции, напротив главного собора города. На снимке Грания смеялась, со всех сторон окруженная голубями, которых пыталась покормить.

Мэтт тяжело опустился на кровать, где они когда-то спали вместе и на которой он, как выяснилось, изменил Грании с Чарли. Возможно, ему следовало просто подождать и послушать, что скажет Чарли. Но как же он скучал по Грании! Самым неприятным было желание обсудить с ней все, что произошло, — ведь она была не только его возлюбленной, но и лучшим другом. С ее ирландской практичностью и здравым смыслом она всегда помогала Мэтту разобраться в себе. Повинуясь внезапному порыву, он открыл рюкзак и достал мобильный телефон. Даже не пытаясь сдержаться, он набрал номер Грании. Мэтт не знал, что скажет, если она ответит, — ему просто необходимо было услышать ее голос. Мобильный телефон был выключен, так что он позвонил на ферму.

Трубку подняли после второго гудка.

— Алло, — прозвучал детский голос, который был незнаком Мэтту.

— Алло, — произнес он. — С кем я говорю?

— Это Аврора Девоншир, — ответила девочка с британским акцентом. — А вы кто?

— Я Мэтт Коннелли. Я не ошибся номером? Мне нужна Грания Райан.

— Мистер Коннелли, к сожалению, Грании сейчас здесь нет.

— А ты, случайно, не знаешь, где она?

— Знаю, в Швейцарии. Она проводит медовый месяц с моим отцом.

— Прости? — Мэтт пытался осознать услышанное. — Ты не могла бы повторить еще раз?

— Конечно. Я сказала, что неделю назад Грания вышла замуж за моего отца и сейчас у них медовый месяц в Швейцарии. Ей передать что-нибудь? Она должна вернуться в ближайшее время.

— Нет... То есть... — Мэтт хотел убедиться, что девочка говорит правду. — А Кэтлин, ее мать, дома?

— Да. Вы хотите поговорить с ней, мистер Коннелли?

— С удовольствием. — Мэтт в полном отчаянии ждал, молясь о том, чтобы Кэтлин опровергла слова девочки.

— Алло.

— Кэтлин, это Мэтт.

— О... — Кэтлин помедлила, прежде чем продолжить: — Здравствуй, Мэтт. Как твои дела?

— Хорошо, — машинально ответил он. — Мне не хотелось тебя беспокоить, но девочка, которая взяла трубку, сказала, что Грания вышла замуж и у нее медовый месяц. Это правда?

На другом конце провода воцарилось молчание. Мэтт услышал, как Кэтлин тяжело вздохнула.

— Да, Мэтт, так и есть.

— Грания... замужем? — Мэтт испытывал потребность раз за разом повторять это слово, чтобы поскорее вникнуть в его смысл.

— Да, Мэтт, замужем. Мне... жаль.

— Мне нужно идти, Кэтлин. Спасибо за то, что... э-э... ты сказала мне. До свидания.

— Всего хорошего, Мэтт, — произнесла Кэтлин, но он уже повесил трубку.

Оглушенный новостью, он не двигался с места. Грания... замужем? Она столько лет отказывалась идти с ним к алтарю! Она бросила его и уехала, не объяснив причину, и через каких-то несколько месяцев вышла замуж за другого. Он чувствовал, как колотится его сердце и пульсирует кровь, у него закружилась голова. Мэтт не знал, плакать ему или смеяться. Все так странно, практически нереально...

Он решил выбрать третий вариант и разозлиться. Схватив фотографию со столика, он швырнул ее в стену. Стекло разлетелось на сотню осколков. Эмоции переполняли его, и в этот момент он услышал, как открылась входная дверь.

— Боже! — Мэтт провел рукой по волосам. — Дайте же человеку отдохнуть несколько секунд! — Погрозив небу кулаком, он сделал глубокий вдох и постарался справиться с первой реакцией на новость. Для того чтобы прийти в себя, ему потребуется гораздо больше времени.

Через пять минут, услышав стук в дверь, Мэтт встал и открыл ее.

— Привет, Чарли! — К его облегчению, она снова была похожа на себя прежнюю и выглядела безупречно.

Она широко улыбнулась ему:

— Привет, Мэтт. Как дела?

— О, знаешь... — с трудом выдавил он.

— Дорогой, ты ужасно выглядишь.

— Спасибо, Чарли, я чувствую себя примерно так же.

— Тяжелая неделя на работе?

— Да, можно и так сказать.

— Ты готов пойти со мной ужинать?

— Да, как договаривались.

— Отлично, тогда я приму душ, и через пятнадцать минут мы сможем выйти.

Чарли отправилась в ванную, а Мэтт прошел в гостиную и достал из холодильника бутылку пива. Он включил телевизор и, пощелкав пультом, выбрал бейсбол — игру, которая отвлекала от боли, которую он ощущал. Раздался звонок интеркома, и Мэтт встал, чтобы ответить:

— Слушаю.

— Привет, Мэтт, это Роджер. Грания давала мне книгу, и я обещал занести ее, когда прочитаю.

Роджер был другом Грании, вместе с которым она арендовала квартиру, только приехав в Нью-Йорк. Мэтту он нравился.

— Поднимайся. — Он нажал кнопку, и через три минуты уже предлагал Роджеру пиво. — Как ты оказался в нашем районе? — поинтересовался он.

— Я только что смотрел комнату, которая сдается в лофте в нескольких кварталах отсюда. Думаю, я сниму ее. Мне нравится этот район. А Грании нет?

— Нет, — сказал Мэтт и чересчур сильно хлопнул дверцей холодильника.

— Ясно. Ну, как твоя карьера? Грания говорила мне, что ты становишься известным в своей области.

— Правда? Да, нам всем нужно зарабатывать на жизнь. А ты в интернатуре?

— Да. Но провожу в больнице так много времени, что уже начинаю думать, не стоит ли переключиться на полегче, — сказал Роджер и отхлебнул пива.

— Лучше уж ты, чем я, — согласился Мэтт.

— А как дела у Грании?

— Я... — Мэтт вздохнул. — По правде сказать, старина, не знаю.

— Ясно.

Они замолчали и сделали еще по глотку пива.

— Я готова! — Чарли вышла из спальни и остановилась, увидев Роджера. — А это кто? — спросила она.

— Привет, я Роджер Сиссенз, — сказал он, протягивая руку. — А ты?

— Чарли Каннингем. Рада познакомиться с тобой.

— Я тоже, — ответил Роджер, рассматривая Чарли чуть дольше положенного. — Послушай, мы не встречались раньше?

— Нет, — решительно заявила Чарли. — У меня хорошая память на лица. К сожалению, тебя я не помню. Мы идем, Мэтт?

— Да, конечно. — Мэтт поморщился, смутившись. Он точно знал, о чем подумал Роджер, хотя все было совсем не так. Или именно так, но от этого стало еще больнее.

— Не хочу задерживать вас. — Роджер постарался быстрее допить пиво. — Я спущусь вместе с вами.

Они вышли из квартиры и молча ждали лифта.

— Что ж, Чарли, приятно было познакомиться, — сказал Роджер. Он не оставил книгу, ощутив неловкость. — Увидимся, Мэтт.

— Конечно, Роджер.

Чарли схватила Мэтта за руку и, просунув пальцы в его ладонь, быстро потащила вперед по тротуару.

— Странный парень, — заметила она. — Никогда в жизни его не видела.

За ужином она уклонялась от серьезного разговора. И только когда им подали кофе, Мэтт набрался мужества и поднял тему, которую они планировали обсудить.

— Итак, что ты решила?

— Ты о ребенке?

— Да.

— О, конечно же, я буду рожать. Мне ведь тридцать пять, и я всегда хотела иметь детей. Что тут удивительного?

— Да? Ну, раз ты так считаешь... — быстро добавил Мэтт.

— И я хочу попросить у тебя прощения за свое поведение на той неделе. Я тогда только что узнала и, думаю, была потрясена новостью. Я вела себя как приставучая женщина, которых всегда презирала. Так вот, послушай, я уже большая девочка, у меня хорошая работа и собственная квартира, куда я смогу переехать на следующей неделе, — тараторила Чарли. — Так или иначе, ты и не заметишь, как избавишься от меня.

— То есть ты хочешь сказать, — Мэтт старался очень осторожно подбирать слова, — что решила родить ребенка со мной или без меня?

— Угу, — кивнула Чарли, — сейчас другие времена, новое тысячелетие. Теперь для того, чтобы иметь ребенка, женщине не нужен мужчина. Конечно, эта новость вызовет некоторое удивление в загородном клубе, и маме с папой она не понравится, но им придется смириться.

— Хорошо.

— Эй, Мэтти! — Чарли протянула к нему руки. — Почему ты выглядишь таким потрясенным? Я понимаю, что достала тебя в прошлый раз. Но у меня нет цели заманить тебя в ловушку. Ты дал мне понять, что все произошло по ошибке, случайно... И я уже смирилась с этим. Мы взрослые люди и, я уверена, сможем справиться с этой ситуацией. Так или иначе, — многозначительно добавила она.

— Что ты имеешь в виду?

— Думаю, теперь твоя очередь сказать о своих чувствах. Если ты не готов стать отцом, я не против. Однако я буду рада, если ты захочешь навещать ребенка и принимать участие в его воспитании. Но все это мы можем обсудить позже. — Чарли широко улыбнулась.

— Конечно. — Мэтт кивнул. — Я правильно понял: ты исключаешь возможность, что мы будем растить ребенка вместе? Как полноценные мать и отец?

— Да, конечно. Учитывая все то, что ты сказал мне и о чем умолчал. На прошлой неделе ты ясно дал мне понять, что не готов к серьезным отношениям с матерью своего ребенка.

Мэтт посмотрел на Чарли и внезапно почувствовал, как кровь застучала в висках. Он не знал, что руководило им сейчас: испытанное только что разочарование или внутреннее желание причинить Грании такую же боль, от какой страдал он сам. Но Грании рядом не было, а женщину, сидевшую сейчас напротив него, он знал практически всю жизнь, и она ждала от него ребенка. Что он потеряет, если сделает хотя бы попытку?

— Я передумал, — заявил Мэтт.

— Правда?

— Я говорил тебе, что мне нужно время подумать. И я считаю, что нам с тобой могло бы быть хорошо вместе.

— Ты серьезно? — с недоверием спросила Чарли.

— Да.

— А как же Грания?

Имя повисло в воздухе, словно черная туча.

— Все кончено.

— Ты уверен? — не отступала Чарли. — На прошлой неделе все обстояло по-другому. Почему ты внезапно изменил свое мнение?

— Я просто подумал, что мы с тобой... Мы всегда были близкими друзьями. Ты даже когда-то была моей девушкой. А теперь случилось это. — Он показал на живот Чарли. — Похоже, сама судьба подсказывает нам правильное решение.

— Понятно. — Чарли продолжала смотреть на него. — Ты уверен в своих словах, Мэтти? Я уже смирилась с тем, что буду растить ребенка одна, и не давлю на тебя. Просто хочу, чтобы ты это знал.

— Чарли, я знаю и очень ценю твое отношение. Но, как только что сказал, я готов попытаться. А ты?

— Я потрясена... И... — Чарли разволновалась. — Не хочу, чтобы ты снова сделал мне больно.

— Даю слово, клянусь жизнью нашего ребенка, что не обижу тебя.

— Не сомневаюсь, что ты не разделяешь чувств, которые я всегда испытывала к тебе. — Она смущенно опустила глаза. — Ты знаешь, Мэтти, что я всегда тебя любила?

— И я всегда любил тебя, — солгал Мэтт с удивительной легкостью. Внутри у него что-то сломалось.

— Любил как друга?

— Мы так давно дружим, Чарли, что, думаю, это хорошая основа для близких отношений.

— Хорошо, — согласилась она. — И что ты предлагаешь?

— Во-первых, тебе не нужно никуда уезжать. Оставайся со мной в лофте.

— В моей спальне? — поинтересовалась Чарли.

— Нет. — Мэтт глубоко вздохнул и протянул ей руку. — В моей.

— Вот это да! Ты, несомненно, знаешь, как поразить девушку. Никак не ожидала услышать это от тебя сегодня.

— Ну, тебе же известно, что я полон сюрпризов, — ответил Мэтт с горечью.

Чарли, не заметив этого, взяла его за руку.

— За нас, — тихо произнесла она, — и за маленького мальчика или девочки, которого мы создали вместе.

— Да. — Мэтта затошнило. — За нас.

36

Прошло две недели после отъезда Грании из Дануорли в Швейцарию, и вот она неожиданно появилась на кухне в середине дня. Кэтлин спустилась вниз и увидела, что дочь сидит за столом, положив голову на руки. Она несколько минут смотрела на нее и только потом решила обозначить свое присутствие.

— Привет, Грания.

— Привет, мама, — послышался тихий ответ. Она так и не подняла голову.

— Я вскипячу воду и заварю чай, хорошо? — предложила Кэтлин.

Грания промолчала. Кэтлин налила в чайник воду и поставила его на плиту, затем села на стул рядом с дочерью и осторожно положила руку ей на плечо.

— Что случилось?

— О, мама... мама...

— Ну же, дорогая. Не знаю, что тебя огорчает, но очень хочу обнять тебя.

Грания с трудом подняла голову, и Кэтлин увидела ее бледное, усталое лицо. Оказавшись в объятиях матери, Грания расплакалась. Чайник свистел целых две минуты, прежде чем Кэтлин пошевелилась.

— Я сейчас выключу чайник и заварю нам обеим по чашке чаю.

Она приготовила чай и, вернувшись к столу, поставила чашку напротив дочери, которая уже выпрямилась, но сидела, уставившись в одну точку.

— Грания, Боже мой! Я не хочу лезть не в свое дело, но ты выглядишь ужасно! Можешь рассказать мне, что случилось?

Грания поначалу не могла сказать ни слова, но в итоге все же выдавила:

— Он умер, мама. Александр мертв.

Кэтлин прикрыла одной рукой рот, а другой перекрестилась.

— О нет, нет, нет... Как?..

— У него была... опухоль мозга. Он лечился все то время, когда находился в отъезде. Его не стало... четыре дня назад. Как его жена, я должна была остаться и заняться организацией похорон. И подписать все бумаги.

— Дочка, дорогая, все-таки постарайся выпить чая. Думаю, горячий сладкий чай тебе сейчас не повредит. И я взяла бы еще кое-что, что может помочь нам обеим. — Кэтлин открыла комод в поисках бренди, которое обычно использовала при готовке. Добавив бренди в чай себе и дочери, она поднесла чашку к губам Грании. — Пей, дочка.

Девушка сделала три глотка, а потом закашлялась и оттолкнула чашку.

— Грания, я понимаю, что ты многое собираешься рассказать мне, но... — Кэтлин подняла глаза и посмотрела на кухонные часы. — Аврора вернется домой меньше чем через час. Может, позвонишь Дженнифер — матери лучшей подруги Авроры — и попросишь ее забрать нашу девочку из школы и оставить у них на чай? Думаю, Авроре не стоит видеть тебя в таком состоянии.

— Да, пожалуйста, — согласилась Грания. — Я сейчас не могу... нет... — Она замолчала, и слеза скатилась по ее щеке.

— Ты, видно, не спала целую неделю. Может, ляжешь в кровать, а я принесу тебе грелку?

— Мне кажется, я не смогу заснуть, — сказала Грания, когда мать помогла ей встать и повела наверх.

— Возможно, но почему бы не попробовать? — Кэтлин сняла с дочери жакет, потом туфли и джинсы и уложила ее в кровать. Присев на краешек, как делала всегда, когда Грания была маленькой, она погладила ее по лбу. — Постарайся уснуть, дорогая. Я буду внизу, если понадоблюсь тебе. — Вставая, она заметила, что глаза Грании начали закрываться. Кэтлин задержалась на лестничной площадке, ее глаза застилали слезы. Несмотря на то что вся семья смеялась над ее плохими предчувствиями и беспокойством из-за связи Грании с Лайлами, интуиция не подвела ее.

Через два часа, когда Грания вновь появилась в кухне, казалось, что она потеряла счет времени.

— Сколько я проспала? Уже почти стемнело.

— Столько, сколько тебе было необходимо, — ответила Кэтлин. — Я договорилась с Дженнифер — Аврора сегодня переночует у них. Твой отец полчаса назад отвез туда ее вещи, а сам отправился в паб вместе с Шейном. Так что не волнуйся, нас никто не потревожит.

— Спасибо, мама. — Грания устало опустилась на стул.

— Я натушила немного баранины. Это ведь твое любимое блюдо. По твоему виду мне кажется, что ты ни разу не ела досыта после отъезда.

— Спасибо, мама, — повторила девушка, когда Кэтлин поставила перед ней тарелку с мясом.

— Вот, съешь сколько сможешь. Пустой желудок не лечит душевную боль.

— О, мама...

— Ешь, Грания, не разговаривай.

Она положила немного мяса в рот, прожевала и вскоре отодвинула тарелку.

— Мама, в самом деле, я больше не могу.

— Хорошо. Теперь у тебя хотя бы румянец появился! Грания, я не заставляю тебя рассказывать мне все. Но не забывай: я всегда рядом, если ты захочешь поделиться.

— Не знаю... с чего начать.

— Я в этом не сомневаюсь. Пока ты спала, я размышляла. Когда Александр приходил к нам в ту ночь, когда пропала Аврора, у него был такой цвет лица... Я тогда еще подумала, что с ним не все в порядке. Мне кажется, он уже давно знал о том, насколько серьезна его болезнь.

— Да. Но когда доктора обнаружили опухоль, операция уже была невозможна. Ему оставалось надеяться только на химиотерапию. Но это не помогло.

— Боже мой!

— Александр понял, что придется смириться с неизбежным, несколько недель назад, когда его состояние начало стремительно ухудшаться. И тогда он стал планировать будущее Авроры. Я...

— Не торопись, дорогая. — Кэтлин села рядом с дочерью и накрыла ее ладонь своей. — Рассказывай спокойно.

Грания, поначалу запинаясь, начала излагать матери всю историю. Кэтлин молча слушала, вникая во все, что говорила дочь. И внутренне корила себя за то, что сомневалась в дочери, решив, что ее брак с Александром — всего лишь каприз.

— Ханс — адвокат Александра — приедет сюда в течение ближайших двух недель и привезет с собой его прах. Александр просил развеять его над могилой Лили. — Грания замолчала и глубоко вздохнула. — О, мама, это было ужасно: видеть, как он умирает. Ужасно, — повторила она.

— Судя по твоему рассказу, дорогая, для него это было долгожданное избавление.

— Да. Он страдал от сильной боли. — Она, посмотрев на мать, неожиданно улыбнулась. — Знаешь, мама, твое предчувствие, что мне нужно узнать историю Лили до отъезда в

Швейцарию, оказалось верным. Я успела рассказать Александру о том, что случилось с ней в молодости, до того как он умер. Он сказал, что это помогло ему, и я тоже так думаю. Он очень сильно ее любил.

— Что ж, давай будем надеяться, что они сейчас вместе и уже не страдают от боли, которую испытывали при жизни, — мрачно произнесла Кэтлин. — И что они, глядя с небес, будут всегда знать: их драгоценной дочери у нас хорошо.

— Боже, мама. — Грания в отчаянии покачала головой. — Как я скажу ей?

— Грания, тут уж я ничего не могу тебе посоветовать. Ужасно, что Александр возложил это на тебя.

— Это точно, — согласилась Грания, — но если бы ты видела, в каком состоянии он находился... Был похож на собственную тень. И хотя ему очень хотелось в последний раз увидеть дочь, он не сомневался, что от этого ей будет только хуже. Он хочет... хотел, чтобы Аврора запомнила его таким, какой он был. Мы ведь все знаем, насколько неуравновешенной стала девочка после смерти матери. Так что, думаю, Александр поступил правильно.

— Ты уже решила, что скажешь Авроре? — поинтересовалась Кэтлин.

— Последние несколько дней я только об этом и размышляю, — грустно ответила Грания. — У тебя есть какие-нибудь мысли, мама?

— Мне кажется, лучше не лгать, если это возможно. Я бы максимально осторожно сказала ей правду.

— Да, но я не хочу, чтобы она узнала о его страданиях.

— Да уж, он возложил на тебя очень тяжелую ношу, но все, что я могу сказать, — мы будем рядом в этот момент и дадим почувствовать ей, и тебе тоже, нашу любовь и поддержку. Знаешь, Грания, как бы дальше ни сложилась твоя жизнь, Аврора всегда сможет считать наш дом своим.

— Да, мама, спасибо. Это единственное, что волновало Александра. Он не хотел, чтобы удочерение Авроры как-то отразилось на моих планах на будущее.

— И твоя мама об этом позаботится, — твердо заявила Кэтлин.

— Что ж, — Грания вздохнула, — не уверена, что смогу быстро выбраться отсюда. Мне больше некуда ехать. — Она пожала плечами, а потом зевнула и поднялась из-за стола. — Мама, я очень устала, а завтра еще предстоит разговор с Авророй. Думаю, нужно попробовать немного поспать.

— Конечно. — Кэтлин крепко обняла дочь. — Хороших тебе снов, дорогая. Хочу, чтобы ты знала: я очень горжусь тобой, — прошептала она.

— Спасибо, мама. Спокойной ночи, — ответила Грания и вышла из кухни.

Джон и Шейн вернулись домой полчаса спустя. Кэтлин пересказала все, что услышала от дочери.

— Бедная моя девочка. — Джон украдкой вытер слезу. — Но по крайней мере у Авроры есть мы.

— Это точно, — подтвердил Шейн. — Мы все любим ее как родную.

— И должны сделать так, чтобы она ощущала это каждую минуту, — подчеркнула Кэтлин. — Как и Грания. Она многое пережила в последнее время.

— Похоже, твое шестое чувство и в этот раз тебя не обмануло, дорогая, — сказал Джон.

— Мама, теперь можно не сомневаться — ты колдунья, — согласился Шейн и, нежно похлопав мать по руке, поднялся. — Я иду спать. Передай от меня Грании и малышке, что я люблю их обеих.

Позже, когда Кэтлин и Джон ложились спать, он поинтересовался:

— Когда Грания собирается все рассказать Авроре?

— Думаю, завтра днем, когда девочка вернется домой из школы. Так что у нашей дочери есть еще немного времени собраться с силами.

— Иди сюда, дорогая. — Джон протянул к жене крепкие руки и заключил ее в объятия. — Постарайся не волноваться. Я бы посмотрел на это с другой стороны. Скажем так: все к лучшему. Авроре завтра предстоит тяжелое потрясение, но зато теперь ее будущее определено. Она будет знать, что ее дом здесь, у нас, на всю оставшуюся жизнь. И хотя нашей Грании все это далось очень тяжело, я восхищаюсь Александром, который многое предусмотрел.

— Да. Спокойной ночи, дорогой.

— Спокойной ночи.

И только в этот момент, уже закрыв глаза и стараясь уснуть, Кэтлин вспомнила про звонок Мэтта.

На следующее утро Грания проснулась с ощущением, что ей удалось немного отдохнуть. Она лежала, пытаясь осмыслить все, что произошло с ней не только за последние две недели, но и за прошедшие четыре месяца. Аврора ворвалась в ее жизнь как ураган и необратимо изменила ее. И вот теперь она миссис Девоншир, приемная мать девочки, которую намеревается официально удочерить. И вдова...

Почти как Мэри в свое время.

Грания попыталась сосредоточиться и придумать, как лучше сообщить Авроре о смерти отца, но потом решила, что это бессмысленно. Планировать подобный разговор невозможно, поскольку неизвестно, как отреагирует Аврора. Придется ориентироваться на месте. И чем скорее это произойдет, тем лучше.

Грания внезапно почувствовала необходимость выйти из дома и подышать свежим воздухом. Сидеть взаперти в душной больнице целых две недели было для нее очень тяжелым испытанием. Надев брюки от спортивного костюма, куртку с капюшоном и кроссовки, она спустилась вниз. Кэтлин нигде не было видно, поэтому Грания побежала по тропинке и свернула в сторону Дануорли-Хауса. День выдался чудесный, и море было спокойным, как пруд у мельницы.

Тяжело дыша, Грания села на покрытый мхом камень в том месте, где впервые увидела маленькую девочку, стоявшую в одиночестве на самом краю скалы. Она взглянула на дом на вершине скалы — теперь Аврора сможет жить там, если захочет.

Ханс все-таки озвучил сумму, которую Александр завещал Грании, — денег оказалось достаточно для того, чтобы ни дня в жизни больше не работать, если она того пожелает. Грания теперь была состоятельной женщиной.

— О, Мэтт... — неожиданно произнесла Грания. Ее мать замечательная, но сейчас она отчаянно нуждалась в тепле, понимании и любви мужчины, которого всегда считала своей второй половинкой. Она физически ощущала боль от его потери. И ей было тяжело осознавать, что между ними все кончено и она никогда больше не получит той поддержки, которую он обеспечивал ей.

Грания встала и продолжила подъем к Дануорли-Хаусу. Она должна двигаться дальше... Что случилось, то случилось, и назад уже ничего не вернешь. Она распахнула ворота и вошла в сад. По завещанию Александра дом должен был перейти к Авроре, когда ей исполнится двадцать один год. И тогда она решит, оставить его себе или продать. Александр отписал достаточную сумму на ремонт дома, но Грания все равно собиралась обсудить этот вопрос с Хансом, когда тот приедет.

Грания прошла через задний двор и, нагнувшись, нащупала под камнем ключ от студии. Войдя внутрь, она принялась рассматривать скульптуры, стоящие на рабочем столе. И впервые за две недели ощутила хоть и небольшое, но удовлетворение. Ее работы смотрелись очень неплохо, но можно было сделать их еще лучше.

— Боже мой, Грания! Где ты была?! — воскликнула Кэтлин, когда ее дочь вошла в кухню.

— Извини, мама, я ходила в студию и, должно быть, потеряла счет времени. Дашь мне что-нибудь поесть? Я умираю от голода.

— Сейчас быстро приготовлю тебе сандвич. — Кэтлин в тревоге посмотрела на часы. — Ты знаешь, что через полчаса вернется Аврора?

— Да. — От этой мысли у Грании свело желудок. — Когда она придет, мы отправимся прогуляться.

***

— Грания! — Девочка бросилась к ней на руки и крепко обняла. Грания обменялась с матерью грустными взглядами.

— Я очень рада тебя видеть, дорогая, — произнесла Грания. — Как твои дела?

— Все очень хорошо, спасибо, — сообщила Аврора. — Шейн говорил тебе, что у нашей овчарки Мейзи будут щенки? Он разрешил мне посмотреть, как они появятся на свет, даже если это случится ночью, — добавила она, тайком поглядывая на Кэтлин. — И я рассказала всем друзьям в школе, что ты теперь моя настоящая мама. — Аврора разжала руки и принялась кружиться по кухне. — Я так счастлива! — Но, не закончив танца, она вдруг остановилась и спросила: — А где папа?

— Аврора, давай возьмем Лили и немного прогуляемся по скалам, — предложила Грания.

— Хорошо, — согласилась девочка и устремилась прочь. — Я вернусь через минуту.

— Я подожду тебя на улице! — крикнула Грания.

Кэтлин подошла к дочери и прикоснулась к ее руке, желая успокоить:

— Удачи, Грания. Мы будем дома, когда вы вернетесь.

Грания молча кивнула и вышла из кухни.

Аврора не умолкала все время, пока они поднимались на скалу, а щенок ловил мух и прыгал рядом со своей юной хозяйкой.

— Знаешь, я тут на днях подумала, что нынешняя жизнь нравится мне гораздо больше! — Аврора, как всегда, повзрослому необычно строила фразы. — Я была так одинока, пока не встретила тебя, и Кэтлин, и Джона, и Шейна. И мне нравится жить на ферме. А теперь, когда ты вышла замуж за папу, твои родственники — моя настоящая семья, так ведь?

— Давай отдохнем немного, Аврора, — предложила Грания, когда они подошли к поросшему травой камню, откуда открывался вид на море. — Ты сядешь рядом со мной?

— Да. — Аврора изящно опустилась на землю, а щенок устроился у ее ног. Она взглянула на серьезное лицо Грании и спросила: — Что такое? Ты хочешь мне что-то сказать, да?

— Да, Аврора. — Грания взяла девочку за руку.

— По поводу папы? — поинтересовалась Аврора.

— Да. Как ты узнала?

— Не знаю. Я просто... знала.

— Аврора, дорогая, я не уверена, как лучше сказать тебе об этом, поэтому постараюсь не тянуть...

— Он ушел от нас?

— Аврора... Да, это так.

— На небо?

— Он тяжело болел после нашей свадьбы и... умер. Мне очень, очень жаль.

— Понятно. — Не отводя взгляда от щенка, Аврора продолжала гладить его.

— Но я хочу сказать, моя дорогая, что теперь у тебя есть все мы, твоя новая семья. И мы будем заботиться о тебе. И я не просто твоя мачеха, — подчеркнула Грания. — Мы с Александром подписали бумаги, и в ближайшее время я смогу официально удочерить тебя. Ты станешь моей дочерью, и никто никогда не посмеет разлучить нас.

Пока Аврора не проявляла явных признаков расстройства, но вот глаза Грании были полны слез.

— Ты знаешь, что я люблю тебя как родную дочь. И так всегда было... неизвестно почему, — продолжала Грания, сожалея, что не может быть такой же сильной, как эта маленькая девочка, сидевшая рядом с ней. — Аврора, ты понимаешь, что я говорю тебе?

Девочка подняла глаза от щенка и посмотрела поверх скалы на море.

— Да, понимаю. Я знала, что он скоро покинет меня, только не была уверена, когда именно это случится.

— Аврора, откуда ты знала?

— Мама... — Аврора помолчала, а потом добавила: — Моя прежняя мама сказала мне.

— Правда?

— Да. Она говорила, что ангелы прилетят и заберут папу на небеса, чтобы они могли быть вместе. — Девочка повернулась и посмотрела на Гранию. — Я ведь говорила тебе, что ей одиноко.

— Да.

Аврора долгое время сидела молча, а потом произнесла:

— Я буду скучать по папе. Очень сильно. Мне хотелось бы попрощаться с ним. — Она закусила губу, и Грания заметила, что в глазах у нее заблестели слезы.

— Дорогая, я знаю, что не смогу полностью заменить тебе родителей, но буду очень стараться.

Аврора снова посмотрела на море.

— Я понимаю: она хотела, чтобы он был рядом. Но почему все, кого я люблю, покидают меня?

И она заплакала, сильные рыдания сотрясали ее. Грания обняла девочку и усадила к себе на колени, качая ее, как младенца.

— Я не покину тебя, дорогая, обещаю, — снова и снова повторяла она. — И папа не хотел этого делать, поверь мне. Он очень сильно тебя любил, так сильно, что сделал все возможное, чтобы ты осталась со мной и моей семьей. Вот почему мы поженились.

Аврора посмотрела на нее.

— Мне кажется, он тебя тоже немного любил. — Она вытерла слезы тыльной стороной ладони и спросила: — А тебе грустно, Грания, что его больше нет?

— Да, конечно, — ответила та. — Очень, очень грустно.

— Ты любила папу?

— Да, думаю, да. Мне грустно, потому что я знала его совсем недолго.

Аврора схватила руку Грании и крепко ее сжала.

— Значит, мы обе любили его. И обе будем скучать, так ведь?

— Да.

— И сможем подбодрить друг друга, когда одна из нас будет грустить?

«Лучше бы она плакала!» — подумала Грания. Видеть мужество маленькой девочки и ее силу было гораздо мучительнее.

— Да, — сказала она, крепко прижимая Аврору к себе, — сможем.

— А где же Аврора? — поинтересовалась Кэтлин, когда Грания появилась в кухне.

— Она укладывает Лили спать, а потом собирается пойти с Шейном к овцам.

— Ты серьезно? — удивилась Кэтлин. — Ты разве не сказала ей?

— Сказала.

— И как она это восприняла?

— Мама... — Грания изумленно покачала головой — она была в явном замешательстве. — Аврора утверждала, что уже все знала.

Аврора

Да. Я все знала.

Хотя не могу объяснить вам, как такое возможно. Если я скажу, что слышала голоса, которые сообщили мне об этом, вы вполне обоснованно можете решить, что я, как и моя несчастная мать, психически нездорова. Давайте просто считать, что у меня было предчувствие. Подобное ведь свойственно многим людям, правда?

Однако смерть отца стала для меня страшным ударом, ведь все складывалось просто идеально. Грания вышла за него замуж... Я очень этого хотела и, признаюсь честно, немного подтолкнула это событие.

Но от радости до грусти один шаг. У них не было времени «остановить мгновение» и насладиться им хотя бы несколько месяцев или даже недель.

Папа сделал все возможное, чтобы оградить меня от неприятностей, когда женился на Грании и облегчил ей процедуру удочерения. Он еще раз доказал любовь ко мне своими действиями, как поступают многие мужчины. И все же я хотела бы попрощаться с ним, как бы ужасно он ни выглядел в свои последние дни.

Я была готова к этому, поскольку давно поняла, что он болен. А когда любишь кого-то, внешность не главное... Важно ощутить сущность человека, пусть даже в последний раз.

Теперь я понимаю, что Грании тоже было очень тяжело. Ее вдруг увлек бурный поток жизни моей семьи, и она была вынуждена подчиниться моему отцу, который отчаянно желал защитить меня, его любимую дочь.

Недавно я прочитала книгу, в которой рассказывается, как души совместно путешествуют во времени. Они меняются ролями, но невидимые связующие нити постоянно притягивают их друг к другу.

Возможно, именно поэтому Кэтлин почувствовала, что в ситуации со мной и Гранией история повторяется. Ведь когда Грания встретила меня, ее доброе сердце было открыто и ей нужен был ребенок, которого могла бы любить. Рядом оказалась я — сирота, которую она взяла под крыло. Боже, читатель, надеюсь, я никогда не поступала так жестоко, как моя бабушка Анна по отношению к Мэри. Буддисты считают, что нам приходится раз за разом возвращаться на землю, пока мы не усвоим все уроки. Я всегда относилась к Грании с благодарностью и любовью, ведь после этой жизни мне хотелось бы перейти на другой уровень. Нирвана меня очень привлекает. Возможно, мне еще предстоит пройти какой-то путь, но я всегда старалась быть хорошим человеком. И несомненно, смогу жить в новом, более совершенном теле.

А сейчас я намерена вернуться в Нью-Йорк и рассказать вам о том, как Мэтт испортил себе жизнь.

На этом этапе я чувствую, что имею все основания заявить: в этой истории все складывается совсем не так, как нужно. И вот в чем вопрос: сумеет ли Мэтт все исправить?

37

Чарли перебралась в спальню Мэтта в тот же вечер, когда они решили попробовать жить вместе. Но, сославшись на беременность, она наложила вето на любую форму физического контакта. Мэтт воспринял это с облегчением — по крайней мере он получил отсрочку в исполнении приговора. Он совершенно не помнил ту последнюю ночь в одной постели с Чарли, поскольку был пьян, так что память возвращала его в те времена, когда они еще были вместе. Моменты близости с Чарли его совсем не вдохновляли, и он все делал механически. А вот с Гранией все было превосходно: Мэтт в буквальном смысле ощущал, как они сливались в одно целое.

Отбросив эти мысли, Мэтт, выбравшись из кровати, направился в ванную комнату, чтобы принять душ. В новом статусе Чарли его многое раздражало. Для начала огромный арсенал косметики: лосьоны и всякие другие волшебные эликсиры — не меньше чем на прилавке отдела косметики в универмаге «Сакс» — были расставлены вокруг раковины и на всех полках. Грании же хватало одной баночки крема для лица. Одежда Мэтта теперь занимала одну восьмую гардероба, все остальное пространство было заполнено дизайнерскими нарядами Чарли — это тоже подчеркивало разницу между двумя девушками.

Пытаясь отыскать бритву, Мэтт столкнул в раковину косметичку Чарли и с трудом погасил приступ раздражения. В конце концов, их совместная жизнь — это его идея. Чарли не настаивала ни на чем и даже не пыталась его ни в чем обвинить. Так что ему не следовало осуждать ее.

Тем не менее Чарли уже начала поговаривать о переезде и предложила купить дом в Гринвиче недалеко от родителей. Мэтта не особенно радовала эта идея. Они с Гранией, находясь в таких же обстоятельствах несколько месяцев назад, не задумывались о переезде за город. И все же стремление Чарли растить ребенка на свежем воздухе нельзя было считать странным. Когда Мэтт упомянул, что у него нет средств на такую серьезную покупку, Чарли взмахом руки отвергла все возражения:

— Мэтти, мама с папой помогут нам. Ты же знаешь.

В этот момент он начал понимать, что чувствовала Грания, когда его родители предлагали помощь. Мэтт не хотел ничего принимать от родителей Чарли. А еще прошлой ночью она, повернувшись к нему, поинтересовалась, действительно ли он не собирается заниматься бизнесом отца и насколько серьезно это решение.

— Когда появится ребенок, мне придется уйти с работы. Возможно, на несколько месяцев или даже навсегда. — Чарли вздохнула. — Мэтти, мне неприятно это говорить, но с твоими доходами мы сможем нанять горничную-филиппинку только на три дня в неделю, а я хочу взять прислугу на постоянную работу с проживанием.

Мэтт быстро оделся, радуясь, что Чарли нет дома. Она уехала в свою квартиру, чтобы окончательно расплатиться с дизайнером. На прошлой неделе она показала новую обстановку Мэтту, и, когда он увидел весь этот шик, у него глаза на лоб полезли. Стекло, белые и хромированные поверхности — по уюту квартира могла соперничать разве что с операционной. Мэтт недоумевал, как Чарли может существовать с ним в лофте. Он сделал кофе и нашел в холодильнике сухой бублик. Чарли совсем не готовила, и последние две недели они питались только едой навынос. Мэтт вспомнил вкуснейший окорок и протертые овощи с картофелем, которые часто делала Грания, и в животе у него заурчало.

— Вот черт!

Но он взял себя в руки. Пора прекратить сравнивать Чарли с Гранией. Они просто разные, вот и все. Однако сравнение всегда оказывалось не в пользу Чарли. Мэтт сел за стол и включил ноутбук. Он писал работу, которую следовало закончить еще три недели назад, но он никак не мог сосредоточиться. Прочитав уже написанный текст, Мэтт остался недоволен и, откинувшись в кресле, глубоко вздохнул. Он отлично понимал, куда катится его жизнь. Он столько лет боялся стать похожим на родителей, а теперь стремительно превращался в их подобие. Жалко, что ему не с кем поговорить. Мэтт был на грани отчаяния. Единственным человеком, с кем он мог пообщаться после отъезда Грании, была его мать.

Он схватил мобильный телефон и позвонил домой родителям.

— Мама, это Мэтт.

— Мэтт, рада тебя слышать! Как твои дела?

— Я, наверное, мог бы на несколько часов выбраться из города в эти выходные. Ты очень занята?

— Завтра к нам приходят на барбекю друзья. А сейчас я дома одна, твой отец играет в гольф. Может, заедешь на ленч?

— Отличная мысль, мама. Уже выхожу.

Уэст-Сайдское шоссе оказалось свободным, и через сорок пять минут Мэтт подъезжал к дому родителей по Белль-Хэвен-драйв.

— Привет, дорогой! — Элейн, вышедшая встречать сына на порог дома, крепко обняла его. — Какой приятный сюрприз! Теперь мой мальчик редко приезжает сюда. Входи.

Мэтт прошел за матерью через просторный холл в большую кухню, оборудованную по последнему слову техники. Отец очень любил разные кухонные агрегаты и покупал их жене на каждое Рождество и день рождения. Элейн обычно со сдержанной улыбкой открывала подарок, благодарила и убирала подальше, к остальным, во вместительный кухонный шкаф.

— Выпьешь что-нибудь, дорогой?

— Я обойдусь пивом. — Мэтт с неуверенным видом топтался на кухне. Теперь, оказавшись рядом с матерью, он не знал, что сказать. Она знала лишь то, что Грания уехала, — и больше никаких подробностей.

— Ну что, как идет жизнь в городе?

— Я... Черт, мама! — Мэтт покачал головой. — Не хочу тебе лгать, но в моей жизни полная неразбериха.

— Ясно. — Элейн поставила на стол пиво. В ее глазах светилось сочувствие. — Расскажи, что случилось.

Мэтт постарался максимально честно описать ситуацию. Он лишь решил скрыть, что не помнит деталей той ночи с Чарли. Ему казалось, Элейн слишком чувствительна и ее лучше поберечь.

— Итак, — наконец произнесла она, — позволь мне все суммировать. Грания исчезает вскоре после выписки из больницы. Она улетает в Ирландию и отказывается обсуждать с тобой причины отъезда. Вы не общаетесь уже несколько месяцев. А потом ты узнаешь, что она вышла замуж за кого-то другого?

— Да, по сути, все верно, — со вздохом согласился Мэтт.

— Далее. Чарли переезжает к тебе, чтобы ты не скучал в одиночестве, пока в ее квартире идет ремонт. Вы становитесь близки и решаете жить вместе. — Элейн выглядела озадаченной. — И ты говоришь мне, что не уверен в своих чувствах к ней?

— Именно так, — кивнул Мэтт. — Можно мне еще пива?

Элейн принесла вторую бутылку и спросила:

— Значит, ты считаешь, что еще не забыл о прежних отношениях?

— Да. И... — Мэтт глубоко вздохнул. — Есть еще кое-что.

— Тебе лучше все мне рассказать, дорогой.

— Чарли беременна.

Элейн с озадаченным видом посмотрела на сына:

— В самом деле? Ты уверен?

— Да, мама, конечно. Она записалась на обследование через пару недель. И я пойду с ней.

— Ясно, — медленно произнесла Элейн. — Я приготовила салат. Давай поедим на террасе.

Он помог вынести на улицу салат, тарелки и приборы. Они сели за стол, и Мэтт заметил, что мать все еще не оправилась от потрясения.

— Мне очень жаль.

— Не стоит, Мэтт. Я уже не маленькая и смогу это пережить. Дело не в этом, просто что-то тут не складывается, — нахмурилась она. — Давай отложим это пока. Вопрос в том, любишь ли ты Чарли?

— Да, я люблю ее как друга, как партнера, возможно... Мама, я пока и сам не знаю. Конечно, мы выросли вместе, у нас общие знакомые... Ты дружишь с ее родителями... Все просто, — вздохнул он.

— Всегда проще создать семью с кем-то из своего окружения. И я так поступила, — улыбнулась Элейн, раскладывая салат по тарелкам. — Это удобно, а близкое знакомство волне может перерасти в любовь. Но... — Элейн старалась подобрать подходящие слова. — Это не кружит голову. Как и безопасная езда.

Мэтт удивился, насколько точно мать передала его ощущения.

— Да, прямо в точку.

— И не говори, что я не понимаю. Потому что это не так. С Гранией ты узнал, какой бывает другая жизнь, и я радовалась, что тебе удалось вырваться. Ты страстно любил ее, и она раскрасила мир вокруг тебя яркими красками.

— Да, именно так. — Мэтт сглотнул комок в горле. Он чувствовал, что вот-вот расплачется. — И только после ее отъезда я понял, как сильно любил ее и как... люблю.

— Я тоже любила одного человека... до встречи с твоим отцом. Мои родители сочли его неподходящей партией для меня, потому что он был музыкантом. И я порвала с ним...

— Я не знал. — Мэтта поразило признание матери. — Ты жалеешь об этом?

— А какой смысл? — спросила Элейн с горечью. — Я сделала то, что считала в тот момент правильным, желая угодить всем. Но не проходит и дня, чтобы я не вспомнила о нем и не подумала, где он сейчас. — Ее голос становился все тише, пока она не спохватилась. — Извини, Мэтт. Тебе не нужно этого знать. Мы с твоим отцом всегда хорошо ладили. И у меня есть ты. Так что нет, я ни о чем не жалею.

— Разница только в том, что я не разрывал отношений с Гранией.

— Но сейчас она уже замужем, — сказала Элейн.

— Так сказала ее мать, когда я звонил.

— Меня это очень удивляет. Я знаю, Мэтт, что Грании было неуютно в нашем мире. Возможно, ей казалось, что она не нравится нам. Но она сама и ее талант вызывают у меня уважение. И я знаю, что она любила моего мальчика, — подчеркнула Элейн. — А за это я могла бы ей все простить.

— Что ж, мам, Грании с нами больше нет. Она не вернется, а мне нужно жить дальше. Вопрос в том, стоит ли мне пытаться построить отношения с Чарли?

— Мне трудно что-то ответить. Чарли красивая, яркая девушка, и вы принадлежите к одному кругу. Но ребенок все усложняет. А ты уверен, что она беременна? — снова спросила Элейн.

— Да, мама!

— Что ж, — вздохнула она, — похоже, в таком случае для тебя уже все решено. Я знаю, как ты переживал, когда Грания потеряла ребенка. Хотя я...

— Что, мама?

— Нет, ничего, — быстро ответила Элейн. — Если все так, как ты утверждаешь, не думаю, что у тебя есть выбор.

— Да, — мрачно согласился Мэтт, — похоже, что нет. И мне придется поддерживать определенный уровень жизни. Она уже спрашивала, не намерен ли я вернуться в бизнес отца. Девушку из высшего общества, такую как Чарли, не устроят доходы преподавателя психологии.

— Ты ведь знаешь, отец мечтает, чтобы ты унаследовал его бизнес. Но, Мэтт, если ты этого не хочешь...

— Мама, сейчас я ничего уже не хочу! — Он положил нож и вилку на тарелку и взглянул на часы. — Пора возвращаться. Чарли будет переживать, куда я подевался. — Он многозначительно приподнял брови.

— Жаль, что я не могу сказать тебе ничего другого. Раз Грания замужем...

— Каким-то образом, даже не знаю, как именно, мне удалось все испортить.

— Знаешь, дорогой, я все понимаю. Ты обязательно полюбишь Чарли, как я постепенно научилась любить твоего отца.

— Надеюсь, ты права, — со вздохом согласился он. — В любом случае спасибо за ленч и за то, что выслушала меня. Пока, мама.

Элейн смотрела, как машина сына выезжает с подъездной дорожки. Потом, закрыв дверь, она вернулась на кухню. Нарушив свою постоянную привычку, она не стала сразу убирать со стола тарелки. Она села и принялась обдумывать все, что ей рассказал сын.

Полчаса спустя Элейн решила, что стоит перед выбором: выдать чужую тайну или промолчать. Второй вариант помог бы не только сохранить существующее положение вещей, но и реализовать ее эгоистичное желание жить рядом с сыном и внуком, который скоро появится на свет. Элейн нисколько не сомневалась, что Чарли заставит Мэтта переехать в Гринвич, когда родится ребенок. Но мысль все же попробовать разобраться в своих подозрениях не оставляла ее.

Элейн услышала шум колес на подъездной дорожке — вернулся муж — и решила принять окончательное решение утром.

38

На ферме было объявлено состояние боевой готовности: все ждали признаков эмоционального стресса у Авроры. Несомненно, девочка стала тише, чем обычно, и свойственная ей joie de vivre* несколько померкла.

— Этого и следовало ожидать, — сказал Джон жене как-то вечером.

Кэтлин спрашивала у Авроры, не хочет ли она некоторое время побыть дома, но девочка настояла на том, чтобы ходить в школу.

— Папа всегда хотел, чтобы я уделяла много внимания учебе. К тому же я боюсь, что Эмили найдет себе другую лучшую подругу, пока меня не будет, — объяснила она.

— Я просто преклоняюсь перед этой малышкой, — сказала Кэтлин, которая вернулась в кухню, поцеловав Аврору на ночь. — Остается надеяться, что все так пойдет и дальше и она не сорвется через какое-то время.

— Да, — согласилась Грания. Она только что вернулась из студии. — Пока нет причин волноваться. Такое впечатление, что она была к этому готова.

— Я согласна с тобой. — Кэтлин посмотрела на дочь. — Я всегда говорила, что она уже была здесь. Ее душа не так уж молода. И она понимает то, в чем мы вообще не смыслим. Я оставила тебе на ужин сосиски. Они в духовке, чтобы не остыли.

---

* Joie de vivre — радость жизни (*фр.*).

— Спасибо, мама. Я забыла о времени.

— Что ты делаешь в студии? — поинтересовалась Кэтлин.

— То же, что и всегда! — Тон Грании не оставлял возможности для дальнейших расспросов. Она никогда не любила обсуждать незаконченную работу. А последний проект был ей очень близок, как будто она вложила в глину часть своей души. — Ханс приезжает завтра.

— В самом деле? — Кэтлин достала из духовки сосиски и пюре и поставила тарелку перед дочерью.

— Он остановится в Дануорли-Хаусе. Я приготовила для него комнату.

— Хорошо. — Кэтлин присела рядом с дочерью. — А как ты себя чувствуешь, дорогая?

— Нормально. Немного устала, но я ведь много работаю. — Грания покачала головой. — Боюсь, уже слишком поздно для ужина. — И она положила нож и вилку на тарелку.

— Ты обычно не отказываешься от еды.

Грания встала и отнесла тарелку в раковину.

— Пойду спать, мама.

— Спокойной ночи.

— Спасибо, мам.

— А мне казалось, что тяжелее всего смерть Александра отразится на Авроре. Но похоже, она пережила это легче, чем наша дочь, — заметила Кэтлин, когда они с Джоном ложились спать.

Потянувшись к выключателю, он ответил:

— Что ж, тут дело такое — Аврора осталась без отца, но у нее теперь новая жизнь, а Грания все в жизни растеряла.

Услышав глубокомысленное замечание мужа, Кэтлин в темноте удивленно приподняла брови.

— Я волнуюсь за нее, Джон. Сейчас она в прекрасном возрасте — переживает расцвет и должна быть в лучшей форме. Но Грания кажется мне потерянной. И это действительно так.

— Дорогая, нужно дать ей немного времени. Нашей дочери пришлось многое пережить, хотя это и не ее вина.

— А что я тебе говорила? Это проклятие семьи Лайлов. Я...

— Перестань, Кэтлин. Ты не можешь винить окружающих. Грания поступила так по своей воле. Спокойной ночи, дорогая.

Кэтлин промолчала. Она понимала: нет смысла продолжать разговор, если муж не хочет отвечать ей. Но сон не шел, и она лежала в темноте, переживая за свою драгоценную дочь.

Когда Грания заметила Ханса Шнайдера в машине, въехавшей во двор Дануорли-Хауса, она почему-то сразу успокоилась и испытала облегчение. Вытерев грязные от глины руки о передник, она открыла дверь студии и вышла поприветствовать гостя.

— Грания, как твои дела? — Ханс расцеловал ее в обе щеки.

Вместе с Гранией он был у постели умирающего Александра, и общее горе сплотило их. Больше не нужны были формальности, принятые обычно в отношениях адвоката и его клиента.

— Все хорошо, Ханс, спасибо. Как ты добрался?

— Отлично. — Он внимательно оглядел особняк. — Похоже, этому дому нужна новая крыша.

— Возможно. Давай войдем внутрь?

Час спустя они сидели за ленчем из свежих устриц, которые Грания утром купила на пристани в Ринге. Она также спустилась в винный погреб, спросив у Ханса совета, какое вино лучше принести.

— Итак, как дела у Авроры? — поинтересовался Ханс.

— Хорошо, — ответила Грания. — Возможно, даже слишком, но поживем — увидим. К сожалению, она не впервые потеряла того, кого любила. И у нее очень насыщенная жизнь. Школа, уроки балета и дела на ферме — не так много времени остается для грусти.

— А у тебя? — спросил Ханс.

— Честно говоря, я стараюсь забыть те последние несколько дней в больнице.

— Да, я понимаю, что ты имеешь в виду. Это было... тяжело. Кстати, я привез с собой прах Александра.

— Да... — грустно кивнула Грания.

Некоторое время они ели молча, а потом Грания поинтересовалась:

— Стоит ли спрашивать Аврору, не захочет ли она помочь мне развеять прах над могилой Лили?

— Ты боишься, что это расстроит ее?

— Не знаю, но она очень переживала, что не смогла попрощаться с отцом. Надеюсь, это ей поможет. А с другой стороны, правильно ли напоминать ей, что Александр превратился в горсть пепла?

— Судя по всему, что я уже услышал, до этого момента тебе удавалось отлично справляться с ситуацией. Возможно, стоит и в этот раз довериться интуиции.

— Спасибо, Ханс. На самом деле это Аврора хорошо справляется. И мои родители, и брат держатся просто замечательно. Они обожают ее.

— Это трагедия, что Александра и Лили больше нет. Но возможно, то, что Аврора сейчас спокойно живет в нормальной семье, идет ей на пользу, — размышляя, произнес Ханс. — У нее было очень непростое детство.

— Да, и, судя по рассказам о прошлом семьи Лайл, ее матери тоже пришлось нелегко. Возможно, причина кроется в этом доме... — Грания вздрогнула. — Здесь очень странная атмосфера.

— Я уверен, что все изменится, как только ремонт будет закончен. Аврора еще не говорила, хочет ли она жить здесь? — спросил Ханс. — Или она предпочитает остаться с вами на ферме?

— Сейчас ее невозможно оттащить от любимых животных, — улыбнулась Грания. — Но возможно, она передумает.

— Я пробуду здесь целую неделю и за это время планирую навести справки и найти специалиста, который оценит состояние дома и предложит конструктивные изменения, — сказал Ханс. — Возможно, он порекомендует надежную строительную компанию, которая возьмется выполнить работы. Я просил бы тебя только об одном: когда придет время выбирать новую краску для стен, положись на свой художественный талант, — улыбнулся Ханс.

— Хорошо, — согласилась Грания.

— Захочет Аврора продавать этот дом, когда вырастет, или нет, но он по крайней мере будет в хорошем состоянии, — продолжал Ханс. — Я также планирую съездить в Корк и встретиться с одним своим знакомым, чтобы узнать, на каком этапе процесс удочерения. Но ни он, ни я не ожидаем никаких проблем. Александр перед смертью действовал так же эффективно, как всегда. Это было чрезвычайно важно при сложившихся обстоятельствах. Его сестра уже связалась со мной, ее интересовали условия завещания. — Ханс мрачно улыбнулся. — Как я уже говорил тебе, стервятники слетаются, почуяв смерть. А ты, Грания? — Он внимательно посмотрел на девушку. — У тебя было время подумать о будущем?

— Нет, — тихо ответила она. — Пока для меня самое важное — чтобы с Авророй все было в порядке, а я могла немного работать. Это помогает.

— Мне кажется, работа — всегда бальзам для души. Мне очень хочется увидеть твои скульптуры. Александр говорил мне, ты удивительно талантлива.

— Он был очень добр ко мне. — Грания покраснела. — У меня такое чувство, что работа — это единственное, что осталось в моей жизни после прошедших месяцев. Я покажу тебе их чуть позже. И еще: я хотела бы привести сюда Аврору, чтобы она повидалась с тобой. Завтра суббота, у нее нет занятий в школе.

— Буду рад увидеться с ней. Последний раз мы общались пару лет назад.

Очистив тарелки, Грания поставила их в раковину.

— Как ты будешь в этом доме совсем один?

— Нормально. — Ханс улыбнулся. — Почему ты спрашиваешь?

— Просто так. Если тебе что-то понадобится, позвони мне. В холодильнике есть хлеб, бекон и яйца на завтрак.

— Спасибо, Грания. С нетерпением буду ждать тебя с Авророй завтра.

— До свидания, Ханс, — сказала она, выходя из дома.

— До свидания! — крикнул он в ответ. Он налил себе еще бокал вина и подумал о том, как печально, что у Александра практически не было времени насладиться обществом чудесной женщины, которую он выбрал в жены.

На следующее утро Грания привезла Аврору в Дануорли-Хаус.

— Дядя Ханс! — Девочка бросилась в объятия адвоката. — Я так давно тебя не видела! Где ты был?

— Где всегда, Аврора, — улыбнулся Ханс. — В Швейцарии, работал в поте лица.

— Почему мужчины в жизни только и делают, что работают? — поинтересовалась она. — Ничего удивительного, что они болеют.

— Мне кажется, liebchen*, что в этом ты права, — произнес Ханс. Его глаза блестели, когда он посмотрел на Гранию поверх головы девочки.

— Дядя Ханс, я надеюсь, что сегодня ты возьмешь выходной и я смогу показать тебе моих животных. Щенки Мейзи родились всего два дня назад. У них еще даже глаза не открылись.

---

* Liebchen — милая (*нем.*).

— Мне кажется, это отличная идея, — вмешалась Грания. — Аврора, может, ты покажешь Хансу ферму, пока я немного поработаю? Возвращайтесь к ленчу, и мы устроим пикник на пляже.

— Грания! — надулась Аврора. — Теперь ты все время работаешь! Ну ладно, я присмотрю за дядей Хансом. Мы зайдем за тобой позже.

Ханс с девочкой отправились вниз по тропинке к ферме, а Грания пошла в студию. Выглянув в окно, она увидела, как Аврора пританцовывает около крестного. Она посмотрела на скульптуру, которая стояла напротив нее, надеясь, что ей удалось передать легкость и непринужденную грацию девочки.

Утро пролетело незаметно, и стук в дверь, как показалось Грании, раздался слишком быстро.

— Можно нам войти? Я показала дяде Хансу все-все и умираю от голода! — Аврора ворвалась в студию и, обняв сидевшую на скамейке Гранию за плечи, поцеловала в щеку. Ее взгляд упал на скульптуры, стоявшие на рабочем столе. Она посмотрела один раз, потом взглянула снова.

— Это я?

Грания не хотела показывать Авроре работы, пока они не будут закончены.

— Да.

— Дядя Ханс, иди взгляни! Грания превратила меня в статую!

Ханс подошел к ним и принялся рассматривать скульптуры.

— Mein Gott!* — Он наклонился, чтобы как следует изучить их. — Грания, они... — Ему с трудом удалось подобрать слова. — Невероятные! Жаль только, что... — Ханс теперь смотрел на нее совершенно по-иному, — Александр не смог

---

* Mein Gott! — Боже мой! (нем.)

купить их все. Тебе удалось передать в глине энергию движений Авроры.

— Спасибо, — сказала Грания. — Я вложила в эту работу все пережитое за последнее время.

— Да. И тебе удалось создать настоящую красоту.

— Хватит обсуждать мои статуи! Лучше скажите, что у нас на ленч? — умоляюще попросила Аврора.

Все вместе они приятно провели время на пляже Инчидони. Аврора подпрыгивала и кружилась на мелководье, а Грания с Хансом, сидя на песке, грелись под теплыми лучами солнца.

— Ты правильно заметила: по ее виду нельзя сказать, что она недавно пережила смерть отца, — сказал Ханс. — Она выглядит... счастливой. Возможно, дело в том, что ей сейчас уделяют очень много внимания, ведь она была лишена этого в детстве.

— Она любит зрителей, — улыбнулась Грания, когда Аврора без всяких усилий исполнила жете. — Преподаватель танца считает, что у нее огромный потенциал и она может стать танцовщицей, — добавила она. — Конечно, ведь ее бабушка была известной балериной.

— Что ж, если Аврора хочет пойти по ее стопам, то должна серьезно заниматься. И тебе, кстати, нельзя бросать занятие скульптурой, — сказал Ханс. — Где ты выставляешь работы?

— В Нью-Йорке есть галерея, где можно их увидеть, но в последние годы я все чаще беру частные заказы. Это не совсем то, чем я хотела заниматься, но по крайней мере я знаю, что смогу заработать себе на хлеб, — честно призналась Грания.

— Тогда, похоже, среди событий прошлых месяцев есть один положительный момент. Теперь у тебя много денег.

— А ты, Ханс, знаешь, я не хочу их брать! — При упоминании денег у Грании моментально изменился тон.

Ханс внимательно смотрел на нее:

— Грания, скажу прямо, мне кажется, что твоя гордость иногда заглушает здравый смысл.

— Я... — Гранию неприятно поразила эта оценка Ханса. — Что ты имеешь в виду?

— Почему, если человек хочет сделать тебе подарок, ты отказываешься от него?

— Дело не в этом, Ханс. Просто...

— В чем же, Грания? Объясни мне, — потребовал он.

Внезапно Грания вспомнила, как жила с Мэттом. Она упорно отказывалась принимать любую помощь от его родителей и даже не хотела выходить за него замуж. Тогда ею руководило исключительно чувство гордости, а принятые решения не всегда совпадали с ее желаниями. И теперь она понимала, что не всегда поступала правильно. В конце концов, выйди она за Мэтта замуж, все сложилось бы совсем по-другому. И совершенно очевидно, что небольшая помощь его родителей, которые, как сейчас сказал Ханс, просто хотели сделать им подарок, могла облегчить их жизнь.

— Возможно, ты прав, — в итоге согласилась Грания, чувствуя, что неожиданное открытие разбередило ее душевные раны. — Но я ничего не могу с собой поделать, я всегда была такой.

Ханс молча смотрел на нее, а потом произнес:

— Возможно, у тебя такой характер, или, даже более вероятно, ты не уверена в себе и потому так себя ведешь. Ты должна спросить себя: почему ты не хочешь принимать помощь от других людей? Может, в душе ты считаешь, что не заслуживаешь ее?

— Я... не знаю, — честно ответила Грания. — Но ты прав. Думаю, гордость некоторым образом испортила мне жизнь. В любом случае хватит обо мне. И спасибо, что ты был честен со мной. Мне это действительно очень помогло.

На следующее утро, когда все члены семьи Райан, как обычно в воскресенье, отправились на службу в церковь, Грания осталась с Авророй.

— Ты не хочешь попозже сходить к церкви в Дануорли? Дядя Ханс привез с собой из Швейцарии урну, в которой... — осторожно подбирала слова Грания, — содержится то, что твой папа назвал бы волшебным порошком.

— Ты имеешь в виду его прах? — спросила Аврора, откусывая очередной кусок тоста.

— Да, я хотела спросить, не хочешь ли ты помочь мне развеять его.

— Конечно, — согласилась Аврора. — А можно, я выберу, где это сделать?

— Да, хотя папа говорил о могиле твоей мамы.

— Нет. — Аврора проглотила тост и покачала головой. — Я не хочу оставлять его там.

— Хорошо.

— В той могиле мамины кости, а живет она в другом месте.

— Хорошо, Аврора, тогда просто покажи мне.

Уже темнело, когда Аврора сказала, что хочет вместе с Гранией развеять прах отца. Положив урну в хозяйственную сумку, Грания вышла из дома и вслед за девочкой стала подниматься по тропинке в сторону Дануорли-Хауса. Когда они дошли до камня, поросшего травой, Аврора остановилась.

— А теперь, Грания, садись на свое обычное место. — Аврора открыла сумку и достала урну. Сняв крышку, она с интересом заглянула внутрь.

— Похоже на мелкий песок, да?

— Да.

Девочка повернулась и подошла к краю скалы, остановившись у самого обрыва. Помедлив, Аврора внезапно повернулась к Грании. Она явно нервничала.

— Ты не могла бы подойти и помочь мне?

— Конечно. — Грания сделала несколько шагов вперед и остановилась рядом с ней.

— Мама упала отсюда, и я иногда вижу ее здесь. Мама! — закричала она. — Я отдаю тебе папу! — Она заглянула внутрь урны, ее глаза заблестели от слез. — Пока, папа! Отправляйся к маме, ты ей нужен. — Аврора перевернула урну, и ветер, подхватив прах, унес его в сторону моря.

— Я люблю тебя, папа! И тебя, мамочка! Мы скоро увидимся на небесах!

От мужества и стойкости Авроры у Грании перехватило горло. Она решила вернуться к камню, оставив девочку на краю скалы. Уже совсем стемнело, и Грания видела, что Аврора встала на колени, возможно, девочка молилась без слов.

Потом Аврора медленно поднялась на ноги и повернулась к своей новой матери:

— Я готова идти домой. И они хотят уйти.

— Правда?

— Да.

Аврора протянула Грании руку, и, повернув в сторону фермы, они начали медленный спуск со скалы.

Внезапно девочка оглянулась.

— Смотри, смотри, — показала она. — Ты видишь их?

— Кого?

— Смотри...

Грания оглянулась и посмотрела на залив — в ту сторону, куда показывала Аврора.

— Они летят, — с благоговейным страхом произнесла Аврора. — Она пришла забрать его, и они вместе летят на небеса.

Грания рассматривала небо на горизонте, но видела лишь облака. Подхваченные ветром, они пересекали небо. Грания осторожно потянула Аврору за собой, и они вместе устремились к своей новой жизни.

39

Мэтт зажмурился, увидев на экране размытое изображение, которое двигалось. Это было живым доказательством того, что случилось той ночью, которую он не помнил.

— Хотите посмотреть в трехмерном изображении? — поинтересовался врач, проводивший сканирование.

— Конечно, — ответила Чарли, пока он продолжал водить прибором по ее животу.

— Вот голова, а здесь рука. Если он перестанет двигаться, мы сможем получить хорошее изображение.

— Вот это да, — выдохнул Мэтт, глядя на цветной экран. Малыша можно было разглядеть со всех сторон, он шевелился и открывал ротик. Вот за что вы платите в элитной частной клинике. Если поставить рядом это исследование и сканирование ребенка Грании, которое они делали в местной больнице недалеко от дома, — это будет как черно-белый фильм сороковых годов прошлого века по сравнению с картиной Джеймса Кэмерона.

Позже, сжимая фотографии в одной руке, а другую протянув Мэтту, Чарли спросила:

— Хочешь пообедать? Я что-то сильно проголодалась. — Она рассмеялась.

— Конечно, как скажешь.

За ленчем она говорила за двоих, и Мэтт понимал ее состояние. Что бы он ни чувствовал, это был первый ребенок Чарли, и у нее имелись основания для восторга. Завтра ее родители устраивают барбекю в своем доме, чтобы объявить о том, что их дочь и Мэтт ждут ребенка. Даже срок, который назвал врач, проводивший сканирование, все подтверждал. И Мэтт был вынужден наконец согласиться с тем, что теперь это — его жизнь. Жизнь, которую он создал, возможно, сам не желая этого. Но что сделано, то сделано.

Чарли продолжала говорить о завтрашнем дне и о том, как она рада, что их общие друзья наконец-то обо всем узнают. И Мэтт сдался. Он посмотрел на нее через стол. Несомненно, она была самой красивой женщиной в ресторане. Настоящая находка для любого мужчины. Конечно, мама права: он полюбит ее и их совместная жизнь будет прекрасной. Он также будет любить и ребенка, который у них появится.

Но только Грании больше не было рядом.

Мэтт жестом подозвал официанта и что-то прошептал ему на ухо.

Через пять минут на столе появилась бутылка шампанского.

— Что это значит? — удивилась Чарли.

— Я подумал, мы можем отпраздновать.

— Серьезно?

— Да.

— Ты говоришь о ребенке?

— О нем и... — официант разлил шампанское по бокалам, и Мэтт поднял свой, — и о нас.

— В самом деле?

— Да. И пока не наступил завтрашний день, я хочу спросить тебя, Чарли, окажешь ли ты мне честь и выйдешь ли за меня замуж?

— Ты серьезно? — удивилась она. — Это предложение?

— Да.

— Ты уверен? — нахмурилась она.

— Да, дорогая. Итак, что скажешь? Дадим малышу мою фамилию? Оформим все как положено? Объявим о предстоящей свадьбе во время завтрашнего барбекю?

— О, Мэтти... Ты даже не представляешь, как я... — Чарли покачала головой, ее глаза наполнились слезами. — Слушай, не обращай на меня внимания. Это все гормоны. Я просто хочу быть уверена, что ты осознанно так поступаешь. Что дело в нас, а не в ребенке. Потому что, если это не так, ничего не выйдет, ты ведь знаешь.

— Мне кажется... — Мэтт задумался, — нам судьбой предназначено быть вместе.

— Я всегда так считала, просто боялась произнести это вслух, — тихо сказала она.

— Итак, ты согласна? — Мэтт поднял бокал.

— О, Мэтти, конечно. Да!

— Тогда сейчас нам нужно отправиться в магазин и выбрать обручальное кольцо, которое ты завтра всем продемонстрируешь.

Через три часа обессилевший Мэтт вместе с Чарли вернулся в лофт. Они были в «Картье», «Тиффани» и снова в «Картье» — она перемерила все кольца в этом чертовом магазине. Чарли в итоге выбрала не то кольцо, которое понравилось ей вначале, а другое, похожее на первое, но значительно дороже, цена была просто заоблачной. С кредитной карты Мэтта списали сумму, равную его зарплате за полгода, но Чарли, похоже, была очень довольна.

«Ты обязательно полюбишь Чарли...»

Слова матери были единственным утешением, которое он смог придумать, засыпая тем вечером.

Обстановка, атмосфера и гости на барбекю, устроенном специально, чтобы отметить хорошие новости, — все это было знакомо Мэтту с детства. Он выпил гораздо больше, чем следовало, но они с Чарли все равно собирались остаться на ночь у его родителей. Поэтому, объявляя о помолвке, Мэтт прослезился. Это укрепило всех присутствующих в мысли, что Мэтт очень сильно любит женщину, с которой соединяет жизнь. Чарли блистала в новом платье от Шанель, купленном специально к этому случаю. Спина Мэтта разболелась от постоянных похлопываний. Позже, когда гости разошлись и остались только они с Чарли и их родители, отец невесты сказал несколько слов:

— Я не могу выразить словами радость, которую испытываю сейчас. Не сомневаюсь, Мэтт, что твои родители — наши дорогие друзья Боб и Элейн — разделяют мои чувства. Мы вчетвером решили, что сделаем вам свадебный подарок. Недалеко отсюда, на Оуквуд-лейн есть дом, который подошел бы вам: он очень просторный, с красивым садом, где мог бы играть ребенок. Мэтт, мы с твоим отцом завтра встречаемся с агентом по продаже недвижимости и собираемся купить для вас этот дом.

— О Боже! — Чарли в восторге повернулась к Мэтту и схватила его за руку. — Это просто чудо! Только подумай, мы будем жить рядом с нашими родителями! И они всегда смогут присмотреть за ребенком.

Все засмеялись, кроме Мэтта, который налил себе еще немного шампанского.

Позже, когда они приехали в дом к родителям Мэтта — дорога заняла всего десять минут, — Элейн увидела, что сын сидит в одиночестве на террасе.

— Ты счастлив, дорогой?

— Да, мам, — ответил Мэтт и поразился, насколько мрачно это прозвучало. Взяв себя в руки, он произнес: — Конечно же, да. Почему нет?

— Да, причин огорчаться вроде бы нет. — Она положила руку ему на плечо. — Я просто хочу, чтобы мой мальчик был счастлив.

Элейн пересекла террасу и, оглянувшись, посмотрела на сына. Все в его облике противоречило его словам. «Такова жизнь!» — подумала она и вздохнула. Позже, лежа без сна в кровати рядом с мужем, она вспоминала прошедшие тридцать девять лет, которые со стороны казались идеальными. Но сердце говорило иное, потому что ее брак был сплошным притворством и соглашательством.

В Дануорли установилось мягкое лето. Иногда выдавались теплые дни, и тогда Грания брала Аврору на пляж и они купались в море. Время от времени шел мелкий дождь, больше похожий на туман, под которым было невозможно промокнуть. Аврора казалась спокойной и вполне довольной жизнью. Она занималась делами на ферме с Джоном и Шейном, ездила с Кэтлин в город за обновками и с удовольствием путешествовала с Гранией по побережью, исследуя новые красивые места. Когда **Грания** не занималась с девочкой, она работала в студии, доводя до **совершенства** шесть скульптурных изображений своей подопечной в разнообразных изящных позах.

В один августовский день **Грания**, потянувшись, поднялась с рабочей скамьи. **Она больше не могла** улучшить скульптуры — они были **совершенством**. Работа закончена. Осторожно упаковывая скульптуры, чтобы отвезти их в **Корк** и отлить в **бронзе, Грания** испытывала радостное возбуждение, но оно **быстро прошло**. Закончив дело, она опустилась на скамью, **ощутив** внутреннюю опустошенность и отчаяние. **Эта работа** помогала ей преодолеть странную отрешенность от **всего мира**, которая вновь накатила волной. Грания чувствовала себя черно-белой копией самой себя — прежде яркой и привлекательной женщины.

Конечно, **Аврора вскоре** по документам станет ее дочерью — они вдвоем уже побывали на собеседовании с ирландскими чиновниками — **и эта замечательная новость** не могла не радовать. Грания **старалась** думать именно об этом, а не о других, более **сложных**, моментах жизни. Но как бы сильно ни любила **родителей**, Грания не хотела навсегда оставаться под их крышей. **В Дануорли-Хаусе** полным ходом шел ремонт, а она по-**прежнему** сомневалась, будет ли ей комфортно даже в заново **отделанном** особняке. Кроме того, Авроре очень нравилось **на ферме**, девочка могла воспротивиться любому предложению о переезде. Кроме того, она все еще переживала утрату **отца**, поэтому такой шаг мог только навредить ей.

Так что, судя по **всему, Грания** пока была привязана к родным местам.

В сентябре **Ханс снова прилетел** в Ирландию и вместе с Гранией и **Авророй отправился** в суд по семейным делам, чтобы завершить процесс удочерения.

— Ну вот, Аврора, теперь у тебя официально есть мама. И как тебе это нравится? — спросил Ханс девочку за ленчем после суда.

— Это просто замечательно! — Аврора крепко обняла Гранию и добавила: — А еще у меня есть новая бабушка, и дедушка, и... — Она потерла нос. — Думаю, Шейн — мой дядя. Я права?

— Да, — улыбнулась Грания.

— Как ты считаешь, они не станут возражать, если я буду называть их бабушка, дедушка и... дядя Шейн? — захихикала девочка.

— Думаю, не станут, — ответила Грания.

— А ты, Грания? — Аврора внезапно смутилась. — Можно я буду называть тебя мамой?

— Дорогая... — Грания была тронута. — Я польщена твоим предложением.

— Ну вот, теперь я чувствую себя брошенным, — притворно надулся Ханс. — Похоже, я единственный, кто не является твоим официальным родственником.

— Дядя Ханс, не говори глупостей! Ты мой крестный отец. И всегда будешь носить звание почетного дяди!

— Спасибо, Аврора! — Ханс подмигнул Грании. — Я очень ценю это.

Кэтлин приготовила праздничный ужин в честь того, что Аврора официально вошла в семью Райан. Ханс тоже на нем присутствовал, а по завершении поднялся и сказал, что ему пора возвращаться в отель в Корке, поскольку завтра рано утром он улетает в Швейцарию. На прощание он поцеловал Аврору, поблагодарил Кэтлин и Джона. Грания вышла проводить его до машины.

— Как приятно видеть Аврору счастливой! Ей очень повезло, что вы приняли ее в вашу сплоченную, любящую семью.

— Да мама говорит, что Аврора вселила в них новую жизнь.

— А как же ты, Грания? — Ханс помедлил, прежде чем сесть в машину. — Как твои планы?

— Честно говоря, у меня их нет, — пожала плечами она.

— Пожалуйста, не забывай: Александр беспокоился, что присутствие Авроры рядом с тобой помешает твоему будущему, — напомнил ей Ханс. — Я сам убедился, как она счастлива здесь. Даже если ты решишь выбрать для себя другую жизнь, вряд ли это плохо отразится на ней.

— Спасибо, Ханс, но у меня больше нет «другой» жизни. Это и есть моя жизнь.

— Но может, тебе стоит в ближайшее время слетать в Нью-Йорк? Грания... — Ханс положил руку ей на плечо. — Ты слишком молода и талантлива, чтобы оставаться здесь. И не используй Аврору как повод для того, чтобы сдаться. Мы все хозяева собственной судьбы.

— Я знаю, Ханс, — кивнула она.

— Прости, что читаю тебе нотации. Но мне кажется, тебе сейчас тяжело. Последние несколько месяцев дались тебе нелегко. Боюсь, сейчас ты буксуешь в колее, но пора выбираться. И чтобы это сделать, нужно поступиться самолюбием, а это, как я понимаю, тебе чрезвычайно сложно сделать. — Улыбнувшись, он расцеловал ее в обе щеки и сел в машину. — Помни: достаточно лишь набрать номер, чтобы связаться со мной. Я помогу тебе чем сумею в профессиональном или личном плане.

— Спасибо! — Грания помахала Хансу, расстроившись, что он уезжает. Они очень сблизились за прошедшие месяцы, и она ценила его мнение. Ханс был мудрым человеком и, похоже, безошибочно мог определить и озвучить самые тайные мысли и страхи Грании.

Возможно, ей действительно следует вернуться в Нью-Йорк...

Грания зевнула и вспомнила известную фразу Скарлетт О'Хары: «Я подумаю об этом завтра!» А сегодня был длинный день!

* * *

Когда холодные ветры с Атлантики снова задули на берегу Западного Корка и его жители разожгли огонь в каминах, Грания начала работу над новой серией скульптур. На этот раз ее моделью стала Анна, бабушка Авроры. Грания решила вылепить фигуру с портрета Анны, танцующей «Умирающего лебедя», который висел в столовой Дануорли-Хауса. Она вспомнила свою первую скульптуру лебедя, благодаря которой они с Мэттом встретились. Так что в названии ее нынешней работы крылась грустная ирония. Но если уж на то пошло, из всех несчастий она вынесла особый métier*. Ее вдохновляла грация и изящество танцовщиц, а профессиональный талант позволял ей отобразить их в глине.

Девятый день рождения Авроры был в конце ноября. Узнав, что в Дублин на гастроли приезжает Английский национальный балет, Грания тайно забронировала билеты. Как она и предполагала, Аврора была вне себя от счастья.

— Грания, это лучший подарок, который я когда-либо получала! Это же «Спящая красавица» — мой любимый балет!

Грания сняла на сутки номер в «Джурис-инн» в Дублине, рассчитывая, оказавшись в городе, немного походить по магазинам. Во время представления она поглядывала на восхищенное лицо Авроры, наблюдавшей за происходящим на сцене, и это было гораздо приятнее, чем сам балет.

— О, Грания, — мечтательно сказала Аврора, когда они вышли из театра. — Я сейчас приняла решение. Хоть я люблю животных и ферму, но, думаю, я должна стать балериной. И однажды я хотела бы станцевать партию принцессы Авроры.

— Дорогая, я уверена, что так и будет.

---

* Métier — здесь: профессиональный стиль (*фр.*).

Вернувшись в номер, Грания поцеловала Аврору на ночь и легла на двуспальную кровать рядом с ней. Когда она выключила свет, в темноте прозвучал голос девочки:

— Грания?

— Да?

— Я знаю, мама всегда говорила, что ненавидит балет, но если это так, почему она назвала меня именем принцессы из известной сказки?

— Это очень хороший вопрос, Аврора. Может, в действительности она совсем иначе относилась к балету.

— Да...

Они некоторое время молчали, а потом Аврора спросила:

— Грания?

— Да, Аврора?

— Ты счастлива?

— Да. Почему ты спрашиваешь?

— Потому что... иногда я вижу, как ты грустишь.

— Правда? — Грания была неприятно удивлена. — Конечно, дорогая, я счастлива. У меня есть ты, моя работа и семья.

Снова повисла пауза.

— Да, я знаю. Но у тебя нет мужа.

— Нет.

— А должен быть. Не думаю, что папа был бы рад узнать, что ты одна. И что ты одинока, — укоризненно произнесла девочка.

— Очень мило, что ты говоришь это, но у меня действительно все в порядке.

— Грания?

— Да, Аврора. — На этот раз Грания ответила с усталым вздохом.

— Ты любила кого-нибудь до папы?

— Да.

— И что произошло?

— Ну, это длинная история. Дело в том, что... Честно говоря, я сама не знаю...

— О, почему бы тебе не разобраться с этим?

— Аврора, тебе пора спать! — Грании было неловко, ей хотелось поскорее закончить разговор. — Уже поздно.

— Извини, еще всего два вопроса. Где он жил?

— В Нью-Йорке.

— И как его звали?

— Мэтт. Его звали Мэтт.

— Ой!

— Спокойной ночи, Аврора.

— Спокойной ночи, мамочка.

40

Чарли была уже на шестом месяце беременности. Она замечательно себя чувствовала, и ее гардероб пополнился большим количеством дизайнерских нарядов для будущих матерей. Покупка дома в зеленом районе всего в нескольких улицах от родителей состоялась. Чарли была чрезвычайно занята работами по переустройству дома, хотя Мэтт считал это излишним. Она уже взяла отпуск и большую часть времени проводила у родителей, чтобы иметь возможность контролировать ход работ. Мэтт был только рад этому: он получил небольшую передышку и время, чтобы сосредоточиться на работе. Они с Чарли горячо спорили из-за отказа Мэтта присоединиться к инвестиционному бизнесу отца, но он чувствовал, что должен настоять на своем хоть в чем-то. Ему казалось, что с каждым днем он все больше теряет собственное «я», которое создавал с таким трудом.

Мэтт терял самого себя.

Он начал разбирать вещи, готовясь к переезду в новый дом. Вещи Грании все еще оставались в лофте, и он не знал, как поступить с ними. Может, просто упаковать их и отправить на склад, а адрес сообщить родителям Грании, чтобы она была в курсе? Если они до сих пор не потребовались ей, то скорее всего вряд ли она за ними приедет. «Кроме того, — с холодком подумал он, — можно не сомневаться, что муж купил ей все, что было нужно».

Ему очень хотелось по-настоящему разозлиться на нее, но он испытывал только любовь и ощущал боль потери.

Мэтт решил пойти куда-нибудь позавтракать. Он сидел в маленьком кафе, пил латте и жевал бублик.

— Мэтт, привет, как дела?

Подняв глаза, Мэтт увидел Роджера — друга Грании, который стоял рядом.

— Хорошо, — кивнул он, стараясь выглядеть беззаботным. — Ты ведь теперь здесь живешь, да, Роджер?

— Да, мне нравится этот район. Как твоя девушка? — поинтересовался он.

— Ты о Чарли?

— Да, о ней.

— Все хорошо. Мы... — Мэтт покраснел, — собираемся пожениться.

— Правда? Поздравляю.

— После того как родится ребенок. — Мэтт решил, что можно и об этом рассказать. Какой смысл лгать?

— Отличные новости! — Роджер улыбнулся. — Честно говоря, я знал, что вы хотите завести ребенка. Встретив Чарли у тебя в лофте тем вечером, я вспомнил, где видел ее раньше. Видишь ли, я работаю в клинике репродукции, и Чарли приходила к нам. Можешь передать ей от меня, что она счастливая женщина. Несмотря на все успехи медицины, только небольшому проценту женщин удается забеременеть, даже если они проходят самый эффективный курс лечения.

Мэтт в замешательстве покачал головой:

— Ты видел Чарли в клинике?

— Да, это совершенно точно была она. Я помогал ей надевать халат. Но я понимаю, что многие пары хотят сохранить это в тайне. Так что желаю вам удачи в будущем!

— Спасибо.

— Увидимся, Мэтт.

— Пока.

Роджер уже уходил из кафе и открывал дверь, когда Мэтт окликнул его:

— Роджер, а ты не помнишь, когда это было?

Он задумался:

— Мне кажется, где-то в середине мая.

— Ты уверен?

— Да, абсолютно. А что... что-то не так? — Он был явно озадачен.

— Нет, просто я... Ладно, это не важно.

Мэтт вернулся домой. Роджер наверняка ошибся. С какой целью Чарли посещала эту клинику в середине мая? Если только...

Зазвонил его мобильный телефон, и Мэтт автоматически ответил.

— Привет, это мама. Как поживает будущий отец?

— Гм...

— Сынок, у тебя все в порядке?

— Мама, даже не знаю, что тебе сказать. Я только что узнал...

— Мэтт, что случилось?..

— Боже, мама... Могу ли я рассказать тебе об этом?

— Мэтт, ты можешь говорить со мной обо всем.

— Хорошо, мама. Но должен сразу предупредить: у меня нет доказательств, что это правда. Я только что встретил одного знакомого интерна, и тот рассказал мне, что Чарли лечилась в клинике, где он работает. Он узнал ее, когда приходил к нам в лофт отдать кое-что. Он говорит, что видел ее в мае, примерно в то время, когда... Черт, мама! Возможно, он ошибся. Но я совсем сбит с толку. Он не сомневается в том, что это была она. Как ты думаешь...

Элейн ответила не сразу. Помолчав, она вздохнула и произнесла:

— Нет, я не просто «думаю». Послушай, Мэтт, я знаю кое-что, о чем до сих пор не говорила тебе. Может, ты приедешь?

— Уже выезжаю.

— У Чарли были проблемы в подростковом возрасте, когда у нее начались... женские дела. — После этих слов на щеках Элейн появился небольшой румянец. — Каждый месяц она страдала от сильной боли. Кстати, именно поэтому она пропускала много занятий, когда училась в старших классах. В итоге мать отвезла ее в загородную клинику к специалисту. Тот диагностировал что-то вроде эндометриоза — это значит, что у нее образовались кисты на яичниках. Чарли сказали, что она вряд ли сможет зачать ребенка естественным путем, если вообще сможет. Я знаю об этом только потому, что ее мать поделилась со мной. Она была очень расстроена, что ее дочь, возможно, никогда не будет иметь детей. Больше никто об этом не знает. Такое не рассказывают всем подряд в загородном клубе, особенно если ты рассчитываешь удачно выдать дочь замуж. Чарли прописали контрацептивы, снимавшие боль. А ее мать больше никогда об этом не упоминала.

— Понятно, — присвистнул Мэтт.

— Дорогой, пожалуйста, пойми: рассказывая тебе это, я раскрываю чужую тайну и, возможно, теряю подругу. Так что, если ты решишь обсудить это с Чарли, не ссылайся на меня, хорошо? — попросила Элейн. — Скорее всего твой друг-интерн сказал правду. Пусть у меня будут проблемы, если мать Чарли выяснит, откуда ты узнал это, но я не позволю, чтобы моего мальчика водили за нос в таких важных вещах.

В глазах Элейн появилось необычное для нее выражение гнева. Мэтт похлопал ее по руке:

— Не волнуйся, мама, я не скажу ни слова. Но мне нужно подумать, что теперь делать. Если Чарли так поступила... если у нее... Боже, мама, я не понимаю! Это невозможно! Я должен успеть все обдумать, до того как она вернется домой. — Мэтт встал и обнял мать. — Большое спасибо, что ты рассказала мне. Я позвоню тебе на днях.

По дороге в город Мэтт ощущал, что у него в голове царит полный хаос. Он не знал, что думать и как относиться к происшедшему. Чарли решила завести ребенка, а он напился в ту ночь — в лучшем случае это просто несчастливое совпадение. Черт! Он ведь даже не помнит, были они близки или нет. Неужели она как-то подготовилась, чтобы повысить шансы забеременеть? Или Чарли так хотела иметь ребенка, что все инсценировала, а он попал в ловушку?

Можно было гадать бесконечно, и все это ужасно смущало его. Открывая дверь лофта, Мэтт знал, что на его вопросы может ответить только один человек. Но даже в этом случае он не был уверен, услышит он правду или нет.

Чарли вернулась домой тем вечером позже, чем обычно. Она была в восторге от того, что нашла общий язык с дизайнером интерьеров и они обсудили несколько великолепных идей для оформления нового дома.

Мэтт был практически не в состоянии разговаривать с ней. Ему нужно было хотя бы немного упорядочить мысли, прежде чем приступать к расспросам. Он понимал, что не должен принимать решения в гневе. Чарли начнет защищаться и вряд ли будет с ним честной. Какими бы фактами он ни располагал, Чарли невиновна, пока он не докажет обратное. Мэтту удалось продержаться весь вечер. Он кивал и улыбался в нужные моменты. Когда они легли спать, Чарли потянулась к нему, чтобы поцеловать.

— Спокойной ночи, дорогой. Наше будущее так меня радует! — И она отвернулась, чтобы выключить свет.

В этот момент Мэтт уже не смог сдержаться. Он зажег лампу.

— Чарли, нам нужно поговорить.

— Хорошо, дорогой, конечно. — Она села в кровати и взяла его за руку. — Ты переживаешь, что скоро станешь отцом? Не волнуйся, Мэтт, доктор говорит, что вполне нормально испытывать такие чувства. Он сказал...

— Чарли, я должен спросить у тебя кое-что. И мне нужно, чтобы ты ответила честно. — Мэтт пристально посмотрел на нее. — Какими бы ни были возможные последствия, я хочу, чтобы ты сделала это. Ладно?

— Конечно, дорогой. Я бы никогда не стала тебе лгать.

— Хорошо... — Мэтт глубоко вздохнул. — Ты проходила в мае лечение в клинике репродукции, чтобы повысить шансы зачать ребенка?

Мэтт пристально смотрел на ее лицо. Он знал, что в эти первые несколько секунд — пока мозг не найдет выход из сложного положения — ее глаза скажут правду.

— Я... О Боже, дорогой! — Чарли нервно улыбнулась.

И в этот момент Мэтт понял, что она обманула его.

— Боже, Чарли! Я не знаю, почему или с какой целью, но ты ведь лечилась, да? Ты должна ответить честно, я хочу знать все. — Он по-прежнему смотрел на нее в упор.

Несколько секунд она колебалась, а потом расплакалась:

— О, Мэтти... Как ты узнал?

— Я вчера встретил в кафе Роджера. Он поздравил нас с успешным завершением лечения. Но вопрос, как ты это сделала, сейчас неуместен, я...

— Хорошо! Да, я действительно лечилась, но не пыталась обмануть тебя или заманить в ловушку. Я с самого начала была готова воспитывать ребенка одна. Помнишь? — Чарли не сдавалась. — Когда мы обсуждали это, я сказала, что собираюсь оставить ребенка вне зависимости от твоего решения. Это было чудом, Мэтт! Я столько лет считала, что у меня не будет детей! И вдруг я узнала, что беременна! О, Мэтти, сможешь ли ты простить меня? Пожалуйста, я ведь так тебя люблю!

— Чарли, посмотри на меня! — Мэтт взял ее за руки. — То, что ты забеременела после той ночи, было случайным совпадением? Или ты все подстроила?

— О, я понимаю, что плохо поступила, но...

— Я должен спросить тебя... — Он понимал, что не дает ей возможности все объяснить, но существовал один очень важный вопрос, на который он должен был получить ответ. — Этот ребенок мой? — Он снова посмотрел на нее в упор, но она отвела взгляд. — Мы делали это? — не отступал он. — Я говорю о той ночи... Чарли, черт возьми! Мне нужен прямой ответ! Я отец этого ребенка?

Чарли перестала плакать. Она сидела молча, уставившись в стену. Мэтт, встав с кровати, расхаживал по комнате.

— Мне нужно узнать это прямо сейчас. Я говорю серьезно! — Он повернулся и посмотрел на нее. — И я должен быть уверен, что ты не лжешь.

Казалось, жизненные силы оставили Чарли. Она медленно покачала головой:

— Нет, Мэтт, это не твой ребенок.

— Вот черт! — Он был вынужден закричать, чтобы сдержаться и не ударить ее. Потом он несколько раз глубоко вздохнул, чтобы успокоиться. — Если не я, то кто тогда?

— Я не знаю имени. — Чарли пожала плечами. — Но это не то, о чем ты подумал, Мэтт.

— Черт! А что еще я могу подумать, Чарли? Ты затащила в постель какого-то парня и собиралась выдать его ребенка за моего?

— Нет! Все было совсем не так! — громко, словно от боли, закричала Чарли. — Я не знаю его имени, потому что он был донором спермы, и я видела только данные его ДНК. У меня больше нет никакой информации.

— Что? — Мэтт покачал головой. — Черт возьми, может, я полный невежа, но совершенно не понимаю, о чем ты ведешь речь.

— Хорошо. — Чарли кивнула — было заметно, что она пытается взять себя в руки. — Отцу моего ребенка двадцать восемь лет, он аспирант из Калифорнии. Брюнет с темными глазами, рост метр семьдесят восемь. Он не перенес серьезных заболеваний, и коэффициент его интеллектуального развития выше среднего. Я знаю только его генетический профиль, больше ничего.

— Итак... — Мэтт сел на кровать, начиная наконец понимать происходящее. — Ты хочешь сказать, что обратилась в банк спермы и по анонимным профилям ДНК выбрала отца для ребенка? И тебе ввели его сперму?

— Да.

— Ясно.

Они сидели молча некоторое время. Мэтт пытался осознать то, в чем призналась Чарли.

— А в какой момент, черт возьми, ты решила использовать меня? Ты планировала это с самого начала?

— Мэтти! — Чарли выплакала уже все слезы и сильно побледнела. — Ты должен понимать, что я решила сделать это очень давно. Еще до того, как переехала к тебе.

— Тогда давай назовем все своими именами: я просто подвернулся тебе в нужный момент — придурок, которого можно было выдать за папашу? — с горечью в голосе перебил ее Мэтт.

— Нет, Мэтти, я любила тебя и сейчас люблю, — сказала Чарли, заламывая руки. — А в ту ночь, через день после процедуры... Да, можно сказать, что это было совпадение. Ты был пьян и очень нежен со мной. И действительно говорил очень приятные вещи. И я подумала...

— Чарли, неужели я все-таки переспал с тобой в ту ночь? Ведь я совершенно ничего не помню! И как бы я ни напился, раньше со мной ничего подобного не случалось!

— Нет. По крайней мере не так, как можно было бы зачать ребенка, — призналась Чарли. — Мы целовались и ласкали друг друга, но ты был совершенно не в состоянии...

— ...переспать с тобой?

— Да, «переспать» со мной, — с горечью произнесла она.

— Боже! Но почему ты уверяла меня в обратном? Зачем пыталась вызвать у меня чувство вины? К чему ложь? Черт возьми, Чарли! Это так жестоко!

— Достаточно, Мэтт! — Внезапно глаза Чарли засверкали гневом. — Я виновата, но только в определенной степени. То, что я рассказывала тебе о той ночи, не было абсолютной ложью. Ты был ласков и нежен, целовал и ласкал меня. Говорил, какая я красивая и как ты меня любишь... — Она внезапно поперхнулась, но, помолчав, продолжила: — Даже если ты был не в состоянии переспать со мной, я все равно ждала от тебя звонка или сообщения после той ночи. Я думала, что, возможно, всего лишь возможно, что ты разделяешь мои чувства. Но ты не давал о себе знать. И я чувствовала себя как дешевая проститутка, которой ты попользовался одну ночь.

— Ты права, — изумленно произнес Мэтт. — Я повел себя как придурок. И прошу меня извинить. Но неужели этим можно оправдать твою ложь о ребенке? — Мэтт указал пальцем на ее живот.

— Клянусь, я узнала, что процедура прошла успешно и я забеременела, только перед твоим возвращением из поездки. А потом мы вместе отправились ужинать. Возможно, всему виной гормоны или шок. Или, возможно, осознание того, что я стану матерью, а для тебя в ту ночь была всего лишь женщиной, которую ты с таким же успехом мог подцепить на улице. И еще что ты никогда не любил меня так, как я тебя. И не полюбишь. Мэтт, своим отношением ты сделал мне очень больно. Думаю, я хотела наказать тебя.

Мэтт слушал ее молча. Теперь, узнав все, он немного успокоился. Чарли продолжила:

— Потом, осознав, что ты всегда будешь любить Гранию, а не меня, я стала планировать собственную жизнь. Я в любом случае собиралась родить ребенка и сказала тебе об этом, когда мы встретились неделю спустя. Я решила пройти через все это сама, как и собиралась с самого начала. А потом ты вдруг предложил быть вместе! И говорил не о себе и о малыше, а о нас двоих. Боже, Мэтт, я была вне себя от счастья! Мои мечты вдруг стали реальностью, все оказалось на своих местах. Все эти годы, что я любила тебя... — Чарли вздохнула. — А потом ты сделал мне предложение, и я действительно поверила, что у нас что-то может получиться. — Внезапно она подвинулась к нему и крепко обняла. — Ничего ведь не изменилось, да, Мэтти? Пожалуйста, я знаю, что солгала, но...

Мэтт высвободился из ее объятий.

— Мне нужно выйти на свежий воздух.

— Мэтти, пожалуйста! — Она смотрела, как он натягивает одежду. — Ты ведь не бросишь меня сейчас, правда? Мы всем рассказали, и дом уже куплен, и ребенок...

Мэтт захлопнул за собой дверь и спустился по лестнице на первый этаж. Оказавшись на улице, он побежал по тротуару, оставляя позади одну улицу за другой, пока не оказался в Бэттери-парке. Опершись на перила, он смотрел на огни, мерцавшие над Гудзоном. Вокруг бесцельно расхаживали любители ночных прогулок: пьяницы, любовники и неугомонные мальчишки-тинейджеры. Немного отдышавшись, Мэтт попытался выстроить в один ряд все события, которые привели его к сегодняшнему дню.

Дело было даже не в поступке Чарли, а в ее мотивах. Неужели она с самого начала планировала заманить его в ловушку? Или решение об искусственном оплодотворении никак не было связано с их отношениями? Чарли жила под его крышей, когда проходила лечение. И призналась, что любит его. Можно ли поверить, что все это случайно совпало по времени?

Даже если это так, невозможно оправдать ее безапелляционные заявления, что он — отец ребенка. Чарли солгала намеренно и даже была готова обвинить его в том, чего он никогда не совершал.

Как психолог, Мэтт понимал: любой человек, поступивший неправильно, потом будет изо всех сил стараться оправдаться. И для этого найдет самые убедительные объяснения, в которые верит сам. «И все же, — вздохнув, подумал он, — с какой стороны ни взгляни на поступок Чарли, вряд ли его можно понять». Хуже того: солгав, она была готова хранить это в тайне всю жизнь. И Мэтт мог никогда не узнать, что малыш, которого он, конечно же, полюбил бы как родного, ему не сын.

От этой мысли Мэтту стало плохо. Он некоторое время прогуливался вдоль реки, понимая, что тоже сыграл определенную роль в этой истории. Новость о замужестве Грании причинила ему боль, а то, что он принял решение остаться вместе с Чарли, только обострило ситуацию и некоторым образом привело их к такому финалу.

Тем вечером Чарли действительно сказала, что готова растить ребенка одна. Но именно он отмахнулся от ее слов и предложил быть вместе. Только сейчас Мэтт понял, что никогда не подозревал о том, какие чувства испытывает к нему его прежняя подруга. Встретив Гранию, он был ослеплен любовью к ней и совсем не думал о чувствах Чарли, когда объявлял ей о своем решении расстаться.

Он содрогнулся, осознав, что они натворили вдвоем. Но нет смысла задавать вопросы «почему?» и «с какой целью?». Нужно было решить, куда двигаться дальше.

Мэтт принялся обдумывать разные варианты.

Можно было оставить все по-прежнему — как заметила Чарли, теперь он знал правду. Он не любит и никогда не любил ее. Изменилось только то, что он узнал: Чарли ждет ребенка не от него.

Он вздохнул, вспомнив, как старался оберегать Гранию в начале ее беременности. Каждый раз, когда он думал о ребенке и о том, что они с ней скоро станут родителями, его сердце сжималось от предвкушения этого события. Всеми фибрами души он хотел защитить Гранию в то время, когда она была наиболее уязвима. Ничего похожего на эти чувства он не питал ни к Чарли, ни к малышу, которого она вынашивала. Мэтт был лишь готов смириться с происходящим. Сможет ли он научиться любить ребенка, которому ему предстоит растить как родного? Мэтт прикусил губу. Или он всегда будет относиться к нему с неприятием? Читая лекции, он постоянно рассказывал студентам о том, насколько серьезно отражаются на детях неправильные поступки отцов. Он знал, к чему это может привести, и был абсолютно уверен, что не хочет попадаться в эту ловушку.

Наконец, когда над Нью-Джерси начало медленно подниматься солнце, Мэтт побрел домой. Он так и не смог принять решение и не представлял, что скажет Чарли. Но по крайней мере он успокоился.

Но лофт был пуст, а на столе лежал конверт с его именем.

Мэтт!

Я ухожу. Прости, что солгала тебе, но ты отчасти виновен в сложившейся ситуации. Я решила не усложнять жизнь нам и малышу. Мы все заслуживаем большего.

Увидимся.

Чарли.

Мэтт с облегчением вздохнул. Чарли приняла решение за него. И за это он был ей благодарен.

41

Зима вступила в свои права. Из окна студии Грания наблюдала, как облака, пролетающие над серым заливом Дануорли, расцвечивали его, как чистую палитру, различными оттенками серого и голубого. Она работала без устали, иногда до самого позднего вечера, и скульптур становилось все больше.

— Ты не собираешься что-нибудь сделать со своими работами, Грания? — спросила Кэтлин однажды днем, когда привела в студию Аврору. — Я не специалист в вопросах искусства, дорогая, но все-таки вижу: они уникальны. —

Кэтлин повернулась к дочери, в ее глазах читалась гордость и благоговение. — Это лучшее из всего, что ты когда-либо делала.

— Мамочка, они очень красивые! — Аврора водила пальцами по изгибам своих бронзовых копий. — Но бабушка права. Неправильно оставлять твои скульптуры здесь, где никто, кроме нас, не может их увидеть. Ты должна выставить их в галерее, чтобы их могли купить. Я хочу, чтобы все увидели меня! — рассмеялась она.

Грания, погруженная в работу над очередной скульптурой, рассеянно кивнула:

— Да, может быть, я так и поступлю.

— Ты не пойдешь с нами домой выпить чая? — спросила Кэтлин.

— Через некоторое время, мама. Я хочу закончить эту руку.

— Что ж, не задерживайся, — сказала Кэтлин. — Нам не хватает тебя за столом, правда, Аврора?

— Да, — согласилась девочка. — Мамочка, ты очень бледная. Правда, бабушка?

— Согласна с тобой, дорогая.

— Я же сказала, что скоро приду, — усмехнулась Грания. — Боже мой, мало того что мать меня постоянно пилит, так теперь к ней присоединилась и моя дочь.

— Мы тебя ждем, — кивнула Кэтлин, и они с Авророй вышли из студии.

— Бабушка!

— Что, Аврора?

— Я волнуюсь за маму.

— Я тоже, дорогая.

— Как думаешь, что с ней происходит?

— Ну... — Кэтлин уже поняла, что бессмысленно пытаться отделаться от Авроры общими фразами. — Если ты хочешь услышать правду, я скажу, что она скучает по одному человеку. Женщина в таком возрасте, как Грания, не должна быть одна.

— Это тот мужчина, которого она любила до того, как встретила папу? Мама сказала, что его зовут Мэтт. Почему Грания оставила его в Нью-Йорке, а сама приехала в Ирландию?

— Ох, Аврора, как бы я хотела это знать! Но если моей дочери что-то взбредет в голову, с ней невозможно сладить. Она не говорит ни слова.

— Он хороший человек?

— Он настоящий джентльмен, — мягко произнесла Кэтлин. — И очень любил Гранию.

— А сейчас любит, как ты думаешь?

— Он столько раз звонил нам, после того как она убежала из Нью-Йорка, что, думаю, да, он ее любил. А сейчас? — Кэтлин вздохнула. — Кто знает? Жаль, что Грания тогда отказалась поговорить с ним. Многое можно уладить, беседуя за чашкой хорошего чая.

— Но Грания ведь очень гордая?

— Да, дорогая. А теперь пойдем. — Кэтлин поежилась, чувствуя, что ветер становится сильнее. — В такую погоду нечего делать на улице.

Ханс позвонил Грании несколько дней спустя, чтобы узнать, как у нее дела и как продвигается ремонт в особняке.

— Еще я хотел спросить, сможешь ли ты встретиться со мной в Лондоне на следующей неделе. У меня есть друг — владелец галереи на Корк-стрит. Я рассказал ему о тебе и твоих новых работах, и он хочет с тобой познакомиться. Кроме того, — добавил Ханс, — перемена обстановки на несколько дней может пойти тебе на пользу. Заодно я покажу тебе недвижимость в Лондоне, которая перейдет Авроре по завещанию матери.

— Ханс, спасибо за предложение, но...

— Что «но», Грания? Ты ведь не собираешься сказать мне, что поездка в Лондон не вписывается в твой плотный график?

— Ханс, ты пытаешься давить на меня? — Грания сухо усмехнулась.

— Возможно, немного. На самом деле я просто следую распоряжениям, которые мой клиент оставил в завещании. Так поступил бы любой хороший адвокат. Я забронирую для тебя рейс до Лондона и номер в отеле на следующую среду.

— Как скажешь, Ханс, — со вздохом произнесла Грания, сдаваясь.

— Хорошо. До свидания, Грания. Скоро я снова свяжусь с тобой.

Через несколько дней Грания села за компьютер, чтобы прочитать письмо Ханса о деталях поездки в Лондон.

— Куда ты собираешься? — спросила подошедшая Аврора.

— Лечу в Лондон увидеться с Хансом.

— Тебе это пойдет на пользу, пора уже сделать перерыв. — Девочка внимательно смотрела на экран компьютера, пока Грания вводила номер паспорта, чтобы зарегистрироваться на рейс.

— Можно я сделаю это?

— А ты умеешь?

— Конечно, я всегда помогала папе.

Грания уступила дочери место. Аврора быстро вносила все необходимые данные, посмеиваясь над фотографией Грании в паспорте:

— Ты здесь такая смешная!

— Извини, но я не думаю, что твоя фотография намного лучше! — улыбнулась Грания.

— А у тебя есть мой паспорт?

— Да, он вот здесь, в папке, вместе с моим.

— Все, я закончила. Отправить на печать? — спросила Аврора.

— Да, пожалуйста. — Грания убрала паспорт в ту же папку, где лежали документы Авроры, и положила ее в ящик стола. — Тебе пора спать, юная леди.

Аврора неохотно поднялась по лестнице, почистила зубы и легла в кровать.

— Я не хотела сказать ничего плохого о твоем фото в паспорте, мамочка, — прошептала она, когда Грания пришла пожелать ей спокойной ночи. — Я считаю, что ты очень красивая.

— Спасибо, дорогая.

— Но я беспокоюсь, что если ты не заведешь себе друга в ближайшее время, то потом будет уже поздно: ты постареешь и перестанешь нравиться мужчинам. Ой!

Грания принялась щекотать Аврору, и девочка захихикала.

— Я польщена, но дело в том, что мне никто не нужен.

— А как же Мэтт? Мужчина из Америки, о котором ты мне рассказывала? Ты ведь любила его?

— Да.

— Мне кажется, ты до сих пор его любишь.

— Да, возможно, — вздохнула Грания. — Но какой смысл плакать над пролитым молоком? — Она поцеловала Аврору. — Спокойной ночи, дорогая. Сладких снов.

— Спокойной ночи, мамочка.

В среду утром Грания доехала на автомобиле до аэропорта в Корке и улетела в Лондон. Ханс встретил ее в зале прилетов, и они взяли такси до отеля «Кларидж».

— Боже мой, — воскликнула Грания, когда они вошли в шикарный сьют, забронированный Хансом, — ты наверняка потратил на него целое состояние! Ты балуешь меня!

— Ты заслужила это, и к тому же ты состоятельная женщина, твоя дочь очень богата, и вы платите мне за управление ее имуществом. А сейчас я оставлю тебя. Займись тем, что женщины обычно делают перед ужином. Увидимся в баре в восемь часов. А Роберт, владелец галереи, присоединится к нам в восемь пятнадцать.

Понежившись в ванне, Грания завернулась в мягкий махровый халат и в красиво обставленной гостиной выпила бокал шампанского, полученного в подарок от отеля. Несмотря на неприятие откровенной роскоши, Грания решила, что здесь очень уютно. Она надела короткое черное платье для коктейля, купленное в бутике в Корке на прошлой неделе. Среди вещей, которые она взяла с собой из Нью-Йорка, не было выходных нарядов. Она накрасила ресницы и нанесла немного помады на губы. А потом взяла одну из миниатюрных статуй Авроры, которую привезла с собой, чтобы показать владельцу галереи, и спустилась вниз, где в баре ее ждал Ханс.

Вечер прошел замечательно. Роберт Сампсон — владелец галереи — оказался приятным собеседником, и ему очень понравилась работа Грании. Она также привезла фотографии других скульптур, которые недавно закончила.

— Грания, я думаю, — произнес Роберт за чашкой кофе с арманьяком, — что если тебе удастся закончить еще шесть скульптур в ближайшие несколько месяцев, то мы сможем организовать выставку. Твое имя в Лондоне пока неизвестно, и я хотел бы для сначала как следует представить тебя. Мы могли бы разослать приглашения всем известным коллекционерам, которые есть в моей базе данных, и заявить о тебе как о Новом Большом Открытии. Самое главное — тебе удалось найти свой стиль! Какие изысканные плавные линии! Это теперь редко встречается, — добавил он.

— Вы действительно считаете, что мои работы окупят все затраты? — спросила Грания, которой было приятно услышать похвалу.

— Да, я так считаю. Честно говоря, мне хотелось бы приехать в Корк, чтобы увидеть все твои скульптуры. Я буду счастлив помочь тебе.

— И возможно, дополнительный плюс в том, что Грания молода и очень фотогенична, — добавил Ханс, подмигнув Грании.

— Конечно, — согласился Роберт. — Надеюсь, она не против небольшой рекламной кампании?

— Конечно, нет, если это пойдет на пользу делу.

— Отлично! — Роберт поднялся и расцеловал Гранию в обе щеки. — Очень рад был познакомиться. Обдумай мое предложение, и если оно тебя заинтересует, напиши мне по электронной почте. Тогда я мог бы прилететь в Корк, чтобы все обсудить подробно.

— Спасибо, Роберт.

Когда он ушел, Ханс поинтересовался:

— Ну что, удачный вечер?

— Да, спасибо, что представил меня ему, — сказала Грания, недоумевая, почему она не испытывает восторга, хотя должна была бы. Роберт Сампсон — влиятельная фигура в мире искусства. И то, что он одобрил ее новые работы, много значило для нее.

Ханс тут же уловил настроение Грании.

— Какая-то проблема?

— Нет, просто я... Мне кажется, в душе я еще не окончательно распрощалась со своей жизнью и работой в Нью-Йорке.

— Ничего, — похлопал ее по руке Ханс, когда они направлялись к лифту. — Возможно, настал момент двигаться дальше.

— Видимо, да.

— Итак, завтра утром я предлагаю тебе немного пройтись по магазинам. Бонд-стрит, где очень много бутиков, расположена совсем близко от твоего отеля. Потом мы встретимся за ленчем, и мне нужно будет решить с тобой некоторые ужасно скучные бумажные вопросы. А потом я покажу тебе дом, который принадлежит Авроре. Спокойной ночи, Грания! — Ханс ласково поцеловал ее в щеку.

— Спокойной ночи, Ханс, и еще раз спасибо.

На следующее утро, когда Грания рассеянно перебирала вешалки с эксклюзивными нарядами в бутике «Шанель» и думала о том, что может позволить себе купить любой наряд, какой только пожелает, зазвонил ее мобильный телефон.

— Привет, мама, — быстро произнесла **она** в трубку. — Все в порядке?

— Нет, Грания.

В голосе матери слышалась паника.

— Что случилось?

— Аврора снова пропала.

— Боже, мама, нет! — У Грании **сжалось сердце**. Она посмотрела на часы — половина двенадцатого. — Ее давно нет?

— Мы точно не знаем. Ты в курсе, **что она** собиралась вчера переночевать у Эмили?

— Конечно, я же утром высадила ее **у школы, и** у нее были с собой ее вещи.

— Так вот, она у них не ночевала. **Двадцать минут** назад мне позвонили из школы. Аврора не **пришла на занятия.** Я тут же позвонила матери Эмили, и, **как оказалось,** Аврора вообще не собиралась ночевать у них **вчера.**

— Боже, мама! Когда ее видели в **последний раз?**

— Эмили вспомнила, что после **уроков Аврора** ушла из школы. Она сказала, что пойдет на **ферму пешком,** потому что ты в Лондоне.

— И с тех пор ее никто больше не **видел?**

— Нет. Ее не было всю ночь! — У Кэтлин **перехватило** дыхание. — Прошло так много времени, где она может быть?

— Мама, вот что... — Грания вышла **из бутика** и быстро направилась в сторону отеля. — Я плохо **тебя слышу** из-за шума машин. Я вернусь в отель и перезвоню **тебе через** десять минут, а пока подумаю, что могло произойти. **Это моя вина.** Мне не следовало уезжать от нее. Вспомни, **что** случилось в прошлый раз. Поговорим позже.

Прошло два часа. Грания мерила **шагами сьют,** а Ханс безуспешно пытался успокоить ее. Джон, **Шейн** и Кэтлин проверили все окрестности. Они искали **Аврору там,** где, как предполагала Грания, она могла находиться, **но все** безрезультатно.

— Отец **звонит в полицию**, — сказала Грания. Ее сердце громко **колотилось** в груди. — Боже мой, Ханс, почему она убежала? **Мне казалось**, она счастлива на ферме с моими родителями. Мне не стоило оставлять ее! Я не должна была уезжать...

Грания **рухнула** на диван, и Ханс обнял ее.

— **Моя дорогая**, пожалуйста, не нужно винить себя.

— **Нет, я явно** недооценила эффект, который произвела на Аврору **смерть Александра**.

— Да уж, я ничего не понимаю, — вздохнул Ханс. — Девочка казалась такой спокойной.

— Ханс, **проблема** в том, что Аврору очень сложно понять. Она **сдержанная** и порой говорит как взрослая. Но возможно, **она просто** скрывает свою боль. Вдруг она решила, что я **оставила ее**, и ей взбрело в голову воссоединиться с умершими **родителями**? Я говорила, что никогда не брошу ее, обещала, **что**... — Грания плакала на плече у адвоката.

— Грания, пожалуйста, тебе нужно постараться сохранять спокойствие. **Я никогда** не видел ребенка, менее склонного к суициду, **чем Аврора**. Кроме того, она сама советовала тебе поехать в **Лондон, разве** не так?

— Да, — **согласилась** Грания. — Так и было.

— У **меня есть** ощущение, что это исчезновение никак не связано **с неуравновешенностью** Авроры, — добавил он.

— Да, **но в таком** случае, что еще могло с ней произойти? — Грания **внезапно** прикрыла рот рукой. — О Боже, Ханс! Вдруг ее **похитили**?

— Увы, **эта мысль** тоже приходила мне в голову. Как ты знаешь, **Аврора** — весьма состоятельная юная леди. Если в течение **часа от нее** не будет никаких вестей, я свяжусь с моим знакомым **из Интерпола**, попрошу на всякий случай проверить и **этот вариант**.

— Думаю, **мне** нужно немедленно возвращаться домой.

— **Конечно**.

— Ханс, **если с ней** что-то случилось, — в отчаянии произнесла **Грания**, — я никогда не смогу простить себя.

Зазвонил телефон, и она тут же ответила:

— Мама, есть новости?

— Да. Слава Богу! С Авророй все в порядке.

— Мама, какое счастье! Хвала небесам! И где ее нашли?

— О, это самое интересное! Она в Нью-Йорке.

— В Нью-Йорке? Но как... почему... где?

— Она с Мэттом.

Грании потребовалось несколько секунд, чтобы осознать услышанное.

— Она с Мэттом? С моим Мэттом? — повторила Грания.

— Да, Грания, с твоим Мэттом. Он связался со мной примерно десять минут назад и сказал, что ему позвонили из авиакомпании и спросили, почему он не приехал встретить девочку по имени Аврора Девоншир, как было условлено.

— Что? — изумилась Грания. — Но как, черт возьми, ей удалось...

— Грания, не спрашивай меня больше ни о чем. Я не знаю. Мэтт перезвонит мне через какое-то время. Просто я хотела сразу же сообщить тебе, что с Авророй все в порядке. А уж потом мы узнаем, что взбрело в голову этой девчонке.

— Хорошо, мама, ты права. — Грания глубоко вздохнула, испытывая одновременно облечение и растерянность. — По крайней мере она в безопасности.

42

В тот день в десять часов Мэтту действительно позвонила сотрудница авиакомпании «Эйр лингус» и поинтересовалась, почему он не встретил в аэропорту Кеннеди девочку по имени Аврора Девоншир, которая прилетела одна, без сопровождения, из Дублина.

Сначала Мэтт растерялся, решив, что кто-то разыгрывает его. У авиакомпании имелись личные данные — его имя, номер телефона и адрес, — но он понятия не имел, что это за ребенок. Мэтт продолжал настаивать, что не имеет к девочке никакого отношения, и слышал, что женщина начинает нервничать.

— Сэр, вы говорите, что не знаете ее?

— Я... — Имя показалось знакомым, но он никак не мог вспомнить, где его слышал.

— Извините, сэр. — Он услышал приглушенный голос на другом конце линии, а потом звонившая произнесла: — Мисс Девоншир говорит, что мисс Грания Райан обо всем договорилась с вами.

— В самом деле? — Мэтт по-прежнему был в замешательстве.

— Так заявляет девочка. Если вы не сможете ее забрать, у нас возникнут проблемы.

— Нет... все в порядке. Я скоро буду.

По пути в аэропорт Мэтт по-прежнему не мог понять, что все это может значить. Поскольку упомянули имя Грании, значит, надо полагать, какое-то отношение все это к нему имело. И нужно было во всем разобраться.

Приехав в аэропорт, Мэтт отправился к условленному месту встречи, где увидел симпатичную девочку с огненно-рыжими локонами, которая ела мороженое «Бен энд Джерри» в стаканчике. Рядом с ней стояли сотрудница авиакомпании и охранник аэропорта.

— Добрый день, я Мэтт Коннелли, — неуверенно поздоровался он.

Девочка тут же бросилась к нему на руки.

— Дядя Мэтт! Как ты мог забыть, что я прилетаю? Грания обещала мне, что ты будешь здесь. В самом деле! — Повернувшись к стоящим за ней взрослым, она вздохнула: — Дядя Мэтт такой рассеянный. Он ведь профессор психологии.

Сотрудница авиакомпании и охранник аэропорта снисходительно улыбнулись, покоренные обаянием девочки. Она же снова повернулась к Мэтту и многозначительно посмотрела на него.

— Давай поедем в твой лофт, дядя Мэтт. Мне просто не терпится увидеть скульптуры Грании. К тому же, — зевнула Аврора, — я очень устала.

В ее глазах снова появилось выражение, говорящее: «Давай же, подыграй немного и забери меня отсюда».

— Хорошо... Аврора, — согласился Мэтт. — Извините за беспокойство. Как она уже сказала, я немного рассеян. Где твой багаж, дорогая? — обратился он к девочке.

— У меня с собой только вот это. — Она показала маленький рюкзак. — Ты же знаешь, дядя Мэтт, я не беру с собой много вещей. Мне нравится, когда мы с тобой ходим за покупками! — Аврора вложила маленькую руку в его ладонь и мило улыбнулась: — Пойдем?

— Конечно. До свидания и еще раз извините за опоздание. Спасибо, что присмотрели за ней.

— Пока, Аврора, — помахал девочке охранник, когда они уходили. — Будь осторожна.

— Непременно.

Как только они скрылись из поля зрения и их уже не могли услышать, Аврора сказала:

— Мэтт, извини меня. Я все объясню, как только мы доберемся до дома.

Когда они подошли к машине, Мэтт повернулся к девочке:

— Прости, дорогая, но мы не сдвинемся с места, пока ты не расскажешь мне, кто ты такая и что здесь делаешь. Я должен быть уверен, что это не чей-то тщательно продуманный план и меня потом не станут обвинять в похищении ребенка. Так что давай рассказывай все побыстрее.

— Хорошо, Мэтт, я понимаю, но это долгая история.

— Меня устроят сухие факты. — Мэтт сложил на груди руки и пристально посмотрел на девочку. — Начинай.

— Понимаешь, — сказала она, — дело вот в чем... Я познакомилась с Гранией на скалах недалеко от моего дома в Дануорли, а потом, когда моему отцу пришлось уехать, он попросил ее присмотреть за мной. Затем он узнал, что умирает, и предложил Грании выйти за него замуж, чтобы она стала моей мачехой и могла без проблем удочерить меня. И они поженились, а потом он умер, и теперь Грания моя новая мамочка...

— Остановись, Аврора! — Мэтт пришел в замешательство от рассказа девочки. — Давай проясним вот что: Грания Райан удочерила тебя, так?

— Да, если нужно, я покажу тебе кое-что. — Аврора сняла рюкзак, порылась в нем и достала фотографию, на которой была изображена вместе с Гранией. — Вот! — Она протянула снимок Мэтту, и он внимательно изучил его.

— Благодарю. Теперь второй вопрос: что ты делаешь в Нью-Йорке?

— Мэтт, помнишь, ты как-то позвонил на ферму бабушке и дедушке, чтобы поговорить с Гранией, а я взяла трубку?

Так вот почему ее имя показалось Мэтту знакомым!

— Да, помню, — ответил он.

— И я сказала, что Грания проводит медовый месяц с моим папой. Конечно, в тот момент я не знала, что он серьезно болен и что Грания вышла за него замуж только для того, чтобы удочерить меня и я могла жить в ее семье.

Мэтт кивнул, потрясенный тем, что Аврора выражает мысли как взрослая.

— Так, пока я все понимаю.

— Ну вот... Грания была очень расстроена после смерти папы и до сих пор не пришла в себя. Мне не нравится, что она все время одна. И я спросила, любила ли она кого-нибудь. Она назвала тебя. И тогда я вспомнила, что рассказала тебе о ее замужестве и медовом месяце. А ты, вероятно, решил, что она больше к тебе ничего не чувствует. Но это, конечно же, не так, — добавила Аврора. — Вот я и решила, что мне лучше приехать и лично рассказать тебе, что она больше не замужем и любит тебя до сих пор.

— Ясно. — Мэтт вздохнул. — И третий вопрос: Грания знает, где ты?

— Гм... Нет, не знает. Я уверена, она не позволила бы мне поехать, поэтому я тайно все спланировала.

— Аврора, хоть кто-нибудь в курсе, где ты сейчас находишься?

— Нет, — покачала головой девочка.

— Боже! Они там, наверное, с ума сходят. — Мэтт достал мобильный телефон из кармана пиджака. — Я сейчас же позвоню Грании. И ты сама поговоришь с ней — я хочу быть уверен, что ты не обманываешь меня.

— Грания в Лондоне, — сказала Аврора, вдруг тоже разволновавшись. — Может, ты позвонишь Кэтлин? Она всегда дома.

— Хорошо. — Мэтт позвонил на ферму и уловил колоссальное облегчение в голосе Кэтлин. Потом он передал трубку Авроре.

— Привет, бабушка. Да, у меня все в порядке. Что? О, попасть сюда было легче легкого! Папа постоянно отправлял меня на самолетах без сопровождения. Бабушка, раз уж я здесь, можно мне недолго погостить у Мэтта, прежде чем я вернусь домой? Понимаешь, я очень устала.

Они договорились, что Мэтт заберет Аврору к себе, а ее возвращение в Ирландию они обсудят позже, когда девочка немного поспит. По пути в Нью-Йорк Аврора смотрела в окно на небоскребы.

— Я никогда здесь не была, но Грания рассказывала мне о Нью-Йорке.

— А теперь, дорогая, — попросил Мэтт, сжимая руль, — пожалуйста, давай вернемся к самому началу, ко времени, когда ты познакомилась с Гранией на скалах.

Аврора снова рассказала всю историю, и Мэтт задавал вопросы, если ему что-то было непонятно.

— Грания такая добрая и милая, а я чувствовала себя ужасно. Вдруг это я помешала вам снова быть вместе? — объясняла Аврора, когда они ждали лифт, чтобы подняться на этаж. — Она так добра ко мне, и мне совсем не хочется, чтобы она провела всю жизнь в одиночестве. Или стала бы старой девой из-за того, что я тогда сказала. Ты понимаешь меня, Мэтт?

— Угу. — Вставляя ключ в дверь, Мэтт с удивлением посмотрел на этого необычного ребенка. — Думаю, дорогая, что я постепенно начинаю все понимать.

— О, Мэтт! — Аврора обвела взглядом просторную гостиную. — Здесь просто замечательно. Именно так я себе все и представляла.

— Спасибо. Мне здесь тоже нравится. Хочешь что-нибудь? Молока, может быть?

— Да, пожалуйста!

Аврора села на стул, и Мэтт, налив молоко, протянул ей стакан. Она выпила, а потом, уперев локти в крошечные колени, наклонилась и принялась рассматривать его.

— Мэтт, а теперь я должна спросить тебя о чем-то очень важном. Ты все еще любишь Гранию? Потому что, если нет, — внезапно начала нервничать она, — я не знаю, что мне делать дальше.

— Аврора, я всегда любил Гранию, с того самого момента, как впервые увидел. Но ты не должна забывать, что это она улетела в Ирландию и оставила меня, а не наоборот. — Мэтт вздохнул. — Иногда дела взрослых кажутся очень запутанными.

— Но если вы любите друг друга, тогда я не понимаю, в чем может быть проблема, — сделала логичный вывод Аврора.

— Вот... здесь все непросто, — произнес Мэтт. Он уже перестал относиться к Авроре как к ребенку и разговаривал с ней по-взрослому. — Если бы ты могла попросить свою новую маму объяснить мне, в чем я тогда провинился перед ней и почему она сбежала в Ирландию, думаю, у нас могло бы что-нибудь получиться.

— Хорошо, — сказала **Аврора** и зевнула. — Мэтт, я очень устала. Перелет из Ирландии в Нью-Йорк был таким долгим.

— Конечно, дорогая. **Тебе** нужно прилечь и поспать.

— Хорошо. — Аврора встала.

— И все же я не **представляю**, как тебе удалось одной проделать этот путь.

— Расскажу тебе, когда **проснусь**, — пообещала девочка, и Мэтт проводил ее в спальню.

— Договорились. — **Он** задернул шторы. — А теперь отдыхай. Поговорим позже.

— Ладно, — сонным **голосом** произнесла Аврора. — Мэтт!

— Да?

— Я знаю, почему **мама** любит тебя. Ты хороший.

— Судя по всему, **Аврора** узнала данные твоей кредитной карты и смогла забронировать и оплатить рейсы в Дублин и в Нью-Йорк по Интернету. — Ханс повторил то, что только что услышал от Кэтлин по телефону. — Она села на автобус до Клонакилти, потом взяла такси до аэропорта в Корке. Сказала, что путешествует **без** сопровождения, как уже бывало не раз при жизни Александра. Потом в Дублине она сделала пересадку. А в Нью-Йорке ей удалось убедить Мэтта забрать ее.

— Ясно.

Ханс уговорил Гранию **ненадолго** прилечь, чтобы она пришла в себя после утреннего потрясения. Она долго лежала без сна, стараясь **осознать**, где и, самое главное, с кем сейчас находится ее дочь.

— Нужно отдать девочке **должное**, — продолжал Ханс. — Она очень находчивая. **Вопрос** в том, почему она решилась на это путешествие? — **Он пристально** смотрел на Гранию, ожидая объяснений.

Но смутить ее ему не удалось.

— Кто знает... — произнесла она.

— Видимо, Аврора считала, что у нее есть очень серьезная причина. Я так понимаю, что Мэтт — это тот мужчина, с которым ты жила в Нью-Йорке?

— Да, это он. — В этот момент Грания подумала, что готова задушить Аврору собственными руками.

— А почему вы расстались? — попытался выяснить Ханс.

— Извини, но я предпочитаю не отвечать на вопросы великой инквизиции, — ощетинилась Грания. — Я пытаюсь придумать наилучший способ вернуть Аврору домой. Стоит ли мне сейчас же полететь в Нью-Йорк, чтобы забрать ее?

— Думаю, у девочки могут быть свои мысли на этот счет. Судя по всему, сейчас она в надежных руках. Твоя мама сказала, что Мэтту можно доверять. А уж если она так говорит, то я обязан верить, — улыбнулся Ханс, стараясь разрядить атмосферу.

— Да, так и есть, — неохотно согласилась Грания.

— И я не сомневаюсь, что Аврора не откажется поговорить с тобой. Может, ты просто позвонишь ей? Сама убедишься, что все в порядке.

— Тогда мне придется говорить с Мэттом. Я лучше подожду, пока она сама позвонит мне. А сейчас она, наверное, спит.

— Хорошо, Грания. Я оставлю тебя. — Если Ханс терпел поражение, он сразу же чувствовал это. — Но мне по-прежнему многое не ясно. Хочу еще немного поработать. Позвони мне, если захочешь поужинать вечером вместе.

— Хорошо.

Ханс похлопал Гранию по плечу и ушел. Как только дверь за ним закрылась, она встала и принялась расхаживать по номеру. Теперь, когда первое потрясение прошло, она злилась... даже, скорее, была в ярости от того, что Аврора посчитала возможным вмешаться в ее личную жизнь. Ведь это была не сказка и не детская игра, в которой героиня находит своего принца и они живут долго и счастливо. Это реальная жизнь. И не все можно исправить, как бы Авроре этого ни хотелось. Грания желала одного: чтобы как можно скорее девочка оказалась дома и подальше от Мэтта. Мысль о том, что они вдвоем обсуждают ее, была невыносима. Именно сейчас, когда она так старалась идти вперед, как советовал ей Ханс — а это действительно было очень непросто, — ее тянут обратно в прошлое. Не сегодня, так завтра она вынуждена будет поговорить с Мэттом, который, вероятно, до сих пор живет вместе с...

От отчаяния Грания застонала. Она понимала, что необходимо поговорить с Авророй, убедиться, что с ней действительно все в порядке, и успокоиться. Она подняла трубку и набрала номер, но дала отбой еще до того, как раздались гудки. Нет, она не могла этого сделать. И она позвонила матери.

— Честно говоря, мы все здесь испытываем огромное облегчение! — Голос Кэтлин звучал радостно. — Только представь, что наша малышка сама проделала путь до Нью-Йорка!

— Да, очень умный поступок, — спокойно произнесла Грания. — Мама, ты не могла бы позвонить Мэтту и договориться, чтобы он отправил Аврору домой как можно скорее? Ты сделаешь это для меня?

— Да, Грания, если ты так хочешь. Когда я говорила с Авророй, она сказала, что хотела бы провести там несколько дней. Раз уж она попала в Нью-Йорк, наверное, стоит посмотреть город. Судя по словам Мэтта, наша девочка ему очень понравилась.

— Что ж, вот мое мнение: я хочу, чтобы она вернулась как можно скорее. Мама, она ведь пропускает занятия в школе!

— Ну и что? — удивилась Кэтлин. — Думаю, ни один урок не даст ей того опыта, который она приобретет в этой поездке. Кроме того, там есть человек, способный ей все показать.

— Что ж, тогда организуй все сама, — коротко ответила Грания. — Я отправлю тебе письмо по электронной почте с данными моей кредитной карты, чтобы оплатить Авроре обратный билет.

— Хорошо, — согласилась Кэтлин. — Я попрошу Шейна забронировать билет. Я сама не очень-то разбираюсь в компьютерах. Грания!

— Да?

— С тобой все в порядке?

— Да, мама, конечно, — резко ответила она. — Созвонимся.

Бросив трубку на рычаг, Грания вернулась в спальню. Она легла на кровать и накрыла голову подушкой, пытаясь побороть отчаяние и боль.

Следующие сорок восемь часов Аврора с Мэттом провели, осматривая достопримечательности Нью-Йорка. Мэтт чувствовал, что девочка очаровала его. В ней соединялись наивность и ум, невинность и зрелость... Он мог понять, почему Грания полюбила ее.

В последний вечер в Нью-Йорке Мэтт повел Аврору поужинать гамбургером, как она и просила. На следующее утро он должен был посадить ее в самолет. До этого момента они оба старательно избегали разговоров о Грании.

— Мэтт, ты еще не придумал, как вернуть Гранию? — спросила Аврора, приступая к еде.

— Нет. — Он пожал плечами. — Мне кажется, она ясно дала понять, что не хочет разговаривать со мной. По всем вопросам, касающимся тебя, со мной связывалась Кэтлин.

— Грания очень упрямая, — заметила Аврора. — Так бабушка говорит.

— Я знаю это, дорогая. — Мэтт улыбнулся при мысли, что его успокаивает девятилетняя девочка.

— И гордая, — добавила она.

— Да, и в этом ты права.

— Но мы оба знаем, что она до сих пор любит тебя.

— Серьезно? — Мэтт приподнял бровь. — А я, Аврора, в этом больше не уверен.

— Зато я уверена! — Аврора с таинственным видом потянулась к нему через стол. — И у меня есть план.

Грания провела два дня, сидя в сьюте в «Кларидже». Она знала, что с Авророй все в порядке, и решила пока не возвращаться домой. Она чувствовала, что не в состоянии столкнуться с давлением Кэтлин, которая станет требовать, чтобы она сама связалась с Авророй и услышала, как та замечательно проводит время с Мэттом. И возможно, с Чарли...

Грания решила вернуться домой после того, как Аврора завтра сядет в самолет.

Прошлым вечером они с Хансом поужинали в спокойной обстановке. На следующий день он собирался улететь в Швейцарию.

— Надеюсь, в следующий раз, когда ты будешь в Лондоне, я все-таки покажу тебе дом Авроры, — сказал он. — Он очень красивый.

— Да, в следующий раз, — не задумываясь подтвердила она.

— Грания! — Ханс внимательно посмотрел на нее. — Почему ты такая сердитая?

— Сердитая? Вовсе нет. Ну может, я немного злюсь на Аврору за то, что она так нас напугала. И за то, что она вмешивается в мою личную жизнь, — честно призналась она.

— Я понимаю тебя, — попытался успокоить ее Ханс, — но мы уже как-то говорили о том, как тяжело тебе принимать подарки. Ты разве не понимаешь, что Аврора таким образом пыталась сделать тебе подарок? Помочь тебе?

— Да, но она не понимает...

— Грания, я не имею права вмешиваться, — прервал ее Ханс, — особенно когда дело касается твоих чувств. Но твой гнев лишь подтверждает, что этот мужчина тебе небезразличен. Проще говоря, ты или любишь его, или ненавидишь. И только ты одна знаешь, что испытываешь к нему в действительности.

Грания вздохнула.

— Я люблю его, — с грустью признала она. — Но наши отношения испортились много месяцев назад. И у него сейчас другая.

— Ты это точно знаешь?

— Да. — Грания кивнула.

— Но возможно, он ее не любит?

— Ханс, ты очень добр ко мне, но я действительно не хочу больше говорить об этом. И мне очень неприятно, что из-за моей личной жизни возникло столько проблем.

— Ну возможно, Аврора просто пыталась вернуть тебе немного любви и заботы, которые ты даешь ей. Не нужно ругать ее или наказывать, когда она вернется. Хорошо?

— Конечно. Ханс, поверь мне, больше всего я хочу поскорее забыть о случившемся, — с чувством произнесла Грания.

43

Грания приехала в Дануорли на следующий день около двенадцати и сразу отправилась в студию, зная, что Аврора вернется только через несколько часов, и не желая отвечать на вопросы матери. Устроившись на рабочей скамье, она принялась делать зарисовки для новой скульптуры. Когда подошло время пить чай, Грания с неохотой поехала на ферму.

— Мамочка! — Как маленький ураган Аврора выскочила из дома и бросилась к ней в объятия. — Я скучала по тебе.

— Я тоже, — улыбнулась Грания, крепко обнимая девочку.

— В Нью-Йорке было так здорово! Я купила тебе кучу подарков! Но как же я рада вернуться домой и увидеть тебя! — Аврора тянула Гранию за собой к дому. — И ты никогда не догадаешься, кто решил приехать со мной и навестить тебя.

— Привет, Грания.

Увидев сидевшего за столом человека, она замерла на пороге кухни, и ее сердце заколотилось изо всех сил. Наконец она услышала свой голос:

— Что ты здесь делаешь?

— Приехал повидать тебя, дорогая.

Грания перевела взгляд на Кэтлин, которая замерла, словно ее поставили на «паузу», подняв чайник над чашкой Мэтта. Она смотрела на дочь, ожидая ее реакции.

— Он хотел увидеть тебя. — Аврора пожала плечами. Ее голос звенел в тишине. — Ты ведь не против, мама?

Грания была слишком потрясена, чтобы ответить. Она молча смотрела, как Аврора, подойдя к Мэтту, обнимает его.

— Мэтт, не волнуйся, я ведь говорила, что она удивится. Но я не сомневаюсь: в глубине души она счастлива. Правда, мамочка?

Аврора, Кэтлин и Мэтт смотрели на нее, ожидая ответа. Грания чувствовала себя так, словно ее загнали в угол, и, как обычно в подобной ситуации, готова была броситься бежать.

— Что ж... — Кэтлин решила нарушить напряженное молчание. — Я думаю, Грания не ожидала увидеть своего... старого друга за нашим кухонным столом, — сказала она Авроре.

— Мамочка, пожалуйста, не сердись, — умоляюще произнесла девочка. — Мне действительно нужно было поехать к Мэтту в Нью-Йорк! Он звонил на ферму, когда у вас с папой был медовый месяц. И я сказала ему, что ты вышла замуж. Но ты ведь уже не замужем, правильно? Пойми, мне не хотелось, чтобы Мэтт представлял себе что-то, чего нет. Я сказала ему, что в глубине души ты и в самом деле хочешь увидеть его, и поэтому я...

— Аврора, прошу тебя! — Грания больше не могла этого выносить.

— Грания устала, дорогая, как и все мы, — мягко вмешался Мэтт. — И мне кажется, нам с ней нужно поговорить, так ведь?

— Ну же, мисс, пойдем наверх и примем ванну. Отмоемся от грязи после перелета. Тебе сегодня следует лечь пораньше. — Кэтлин взяла Аврору за руку и вывела из кухни, плотно закрыв за собой дверь.

Грания глубоко вздохнула и шагнула в кухню.

— Так что ты здесь делаешь? — холодно поинтересовалась она у Мэтта.

— Вообще-то это была идея Авроры, — признался он, — но она права. Я должен был приехать и увидеться с тобой. Нам необходимо поговорить. Я хочу понять, почему ты ушла от меня.

Грания медленно достала из буфета чашку и налила себе немного чая.

Мэтт пристально смотрел на нее:

— Ну что?

— Ты о чем? — ответила она, глотнув остывшего чая.

— Мы можем поговорить?

— Мэтт, мне нечего сказать тебе.

— Ясно. — Мэтт знал, какой упрямой бывает Грания в таких ситуациях. Ему следовало действовать осторожно. — Что ж, раз уж я пролетел полмира, чтобы увидеться с тобой, может, ты дашь мне шанс и выслушаешь, что я хочу тебе сказать?

— Говори. — Грания пожала плечами, поставила чашку на стол и, словно защищаясь, скрестила на груди руки. — Я вся внимание.

— Давай выйдем на улицу и немного пройдемся. Мне кажется, в этом доме не только у тебя есть уши.

Грания коротко кивнула и, развернувшись, вышла из кухни. Мэтт направился следом и догнал ее на улице.

— Если ты ожидаешь услышать какие-нибудь откровения, то имей в виду: их не будет, — начал он. — Я до сих пор не знаю, по какой причине ты решила уйти от меня. И я так и останусь в неведении, если ты не объяснишь. — Мэтт взглянул на Гранию, но увидел лишь вздернутый вверх подбородок. — Хорошо, — вздохнул он, — тогда я вынужден изложить тебе свою точку зрения на то, что произошло. Тебя это устроит?

Снова молчание, и Мэтт продолжил:

— После твоего неожиданного отъезда я сначала был в шоке и считал, что, возможно, это как-то связано с потерей ребенка — например, с выбросом гормонов. И тогда, видимо, причина твоего отъезда крылась не в моем поведении. Это я мог понять. Но потом я начал звонить тебе и ты так холодно отвечала, что я стал испытывать чувство вины. Я много раз спрашивал тебя, в чем провинился, но ты отказывалась говорить. А потом вообще перестала подходить к телефону. — Мэтт вздохнул. — Господи, я не знал, что и думать! Проходили недели, но от тебя не было никаких вестей, и ты не возвращалась. Я буквально измучил себя размышлениями о том, что я мог сделать не так. И при этом я осознавал, как сильно люблю тебя. И скучаю. Грания, черт возьми, после твоего отъезда моя жизнь пошла прахом! Дорогая, это была такая катастрофа, что ты представить себе не можешь!

— То же самое я могу сказать о себе, — тихо отозвалась Грания.

— Поэтому, когда Аврора предложила мне приехать сюда, я решил, что она права, — продолжал Мэтт. — Потому что, как говорится, если гора не идет к Магомету, то я должен поднять задницу, сесть в самолет и прилететь к тебе. Пусть даже только для того, чтобы получить объяснение, перестать мучить себя и спокойно спать по ночам.

Мэтт замолчал, поднимаясь за Гранией вверх по тропинке в скалах. Ему нечего было добавить. Наконец они оказались наверху, Грания села на свой любимый камень. Она оперлась локтями на колени и принялась рассматривать море.

— Послушай меня, дорогая! Я должен знать. — Мэтт присел рядом на корточки и заставил ее посмотреть на него. — Пожалуйста, — тихо попросил он, — я должен узнать правду.

Но взгляд Грании был холоден.

— То есть ты по-прежнему, глядя мне в глаза, будешь утверждать, что не знаешь?

— Дорогая, ты всегда говорила, что я плохой актер. Я не смог бы изобразить это, даже если бы захотел.

— Хорошо. — Грания глубоко вздохнула. — Почему ты не сказал, что встречался с Чарли до меня? Что она была твоей девушкой, когда мы познакомились? Сколько длились ваши отношения после того, как мы начали встречаться? И что у тебя с ней сейчас?

— Грания, детка, я... — Мэтт потрясенно смотрел на нее. — Так вот в чем причина? В том, что я встречался с Чарли, когда мы познакомились, и не сказал тебе об этом?

— Мэтт, не надо все упрощать. Я ненавижу лжецов больше всего на свете.

— Но я не лгал тебе, Грания! Я просто... — Мэтт пожал плечами.

— ...забыл об этом упомянуть, — перебила его она. — Опустил этот факт своей биографии, хотя и встречался с ней в тот момент.

— Но разве ты не понимаешь? — Мэтт был поражен тем, что именно это стало причиной исчезновения Грании из его жизни. — Мне казалось, это совершенно не важно. Между нами не было чувства, ничего подобного, просто обычные отношения, которые...

— ...продолжались полтора года, как сказали мне твои родители.

Мэтт непонимающе посмотрел на нее:

— Тебе так сказали мои родители? Когда? Где?

— Когда пришли навестить меня в больнице. Я была в ванной, когда они вошли. И они не догадывались, что я все слышу. Твоя мама очень сожалела, что я потеряла ребенка, а твой отец заявил, что все было бы намного проще, если бы ты не связывался со мной, а остался с Чарли! — Глаза Грании блестели от слез. — Думаю, они имели в виду мое происхождение. Конечно, девушка из болот Ирландии не пара аристократу из северных штатов.

— Ты ушла от меня из-за слов моего отца, которые случайно услышала? — Мэтт сел на траву и обхватил голову руками. — Черт возьми, Грания, конечно, очень жаль, что так произошло, но, думаю, ты отреагировала слишком бурно. Ты ведь знаешь, каков мой отец. Холодильник и тот более теплый и чувствительный, чем он.

— Знаю, — резко ответила Грания. — А что касается моей реакции... Возможно, я повела бы себя по-другому, если бы ты хоть раз намекнул мне, что вы с Чарли когда-то были вместе. Но я об этом не знала. Как бы там ни было, — пожала плечами Грания, — ты можешь продолжать отношения со своей принцессой, и я не буду вам мешать, — с горечью произнесла она.

— Грания, черт возьми! Не знаю, что ты вообразила, но клянусь: Чарли меня не интересует. И, честно говоря, никогда не интересовала.

— Тогда почему именно она подняла трубку в лофте, когда я позвонила через несколько недель после отъезда? — резко парировала она.

— О Боже, дорогая... — Он тяжело вздохнул. — Это долгая история. — Теперь пришел черед Мэтта молчать и вглядываться в море. Наконец он произнес: — Я могу тебе обещать одно: Чарли исчезла из моей жизни навсегда.

— Значит, ты признаешь, что в последнее время у вас были отношения?

— Грания! — Мэтт в отчаянии покачал головой. — Когда я услышал, что ты вышла замуж, в моей жизни столько всего произошло... Я могу рассказать тебе, но это такая странная история, что не уверен, поверишь ли ты мне.

— Думаю, в этом мы с тобой схожи, — тихо произнесла Грания. — Сомневаюсь, что может быть что-то более запутанное, чем последний год моей жизни здесь.

— Да, конечно. — Мэтт поднял на нее глаза. — А как насчет отца Авроры? Вы... ты...

— О, Мэтт, — Грания вздохнула, — столько воды утекло с тех пор, как я уехала из Нью-Йорка.

— Да, и все же, если бы ты верила в мою любовь и подумала о том, что если бы я хотел быть вместе с «принцессой», как ты ее назвала, то я не жил бы с тобой.

— Что сделано, то сделано, Мэтт, — сказала Грания. — Да, согласна, что, услышав слова твоего отца, я поддалась эмоциям и поступила необдуманно. Потеря ребенка подстегнула мою неуверенность в себе. Мне было так больно, что я убежала. Ханс говорит, моя гордость заставляет меня делать глупости. — Она закусила губу. — И возможно, он прав.

— Гм... Я не знаю, кто такой этот Ханс, но с удовольствием встретился бы с ним, — заметил Мэтт с кривой усмешкой.

— Но разве ты не понимаешь? Когда я наконец успокоилась и поняла, что погорячилась, я позвонила тебе домой, чтобы попытаться наладить отношения. Но трубку взяла Чарли. Это только подтвердило мои догадки.

— Да, представляю, как ты себя чувствовала. — Мэтт протянул руку и осторожно прикоснулся к Грании. — Что ж, детка, у меня тоже есть что рассказать тебе. Но еще немного, и я окончательно замерзну. Есть какое-нибудь место, где мы могли бы поговорить и, может быть, что-то съесть? Я умираю с голоду.

Они отправились в паб в Ринге, где подавали прекрасные блюда из морепродуктов. Грания села напротив Мэтта, чувствуя себя очень неуютно. От близости, которая приходит после долгих лет любви, и неосознанных прикосновений ничего не осталось. Мэтт казался ей знакомым и в то же время совершенно чужим.

— Итак, кто первым расскажет свою историю? — спросил он.

— Что ж, раз я начала, то продолжу. — Грания посмотрела на него. — И я хочу, чтобы мы оба говорили честно. В конце концов, терять нам нечего, и, возможно, это наш долг друг перед другом.

— Договорились, — согласился Мэтт. — Тебе многое не понравится, но, клянусь, ты можешь верить всему, что я скажу.

— И ты тоже, — тихо сказала Грания. — Хорошо, значит, Аврора рассказала тебе, как мы встретились. Теперь ты хочешь узнать о моих отношениях с Александром?

— Да. — Мэтт, собравшись с духом, приготовился слушать.

По мере того как Грания описывала ему драматические события прошедших месяцев, он начал замечать, насколько сильно она изменилась: стала более зрелой и терпимой. И, даже узнав о ее отношениях с Александром, Мэтт почувствовал, что любит ее еще сильнее. За ее доброту, душевную щедрость и силу, которую она продемонстрировала при этих, судя по ее рассказу, ужасных обстоятельствах.

— Ну вот и все, пожалуй... — Она пожала плечами.

— Да уж, вот так история, — вздохнул Мэтт. — Спасибо, дорогая, что честно все рассказала. — Послушай, — с неохотой произнес он, осознавая, что должен прояснить для себя один момент, чтобы не переживать из-за него в дальнейшем, — и пойми меня правильно, пожалуйста. Я всего лишь обычный мужчина, и мне хочется верить, что вы не были близки. Но если это не так, то просто скажи мне.

— Мэтт, мы целовались, и больше ничего. Клянусь тебе. Он был серьезно болен! — Грания покраснела. — Но, честно говоря, я не могу обещать, что этого не случилось бы, будь он здоров. Александр казался мне очень привлекательным.

— Понятно. — Мэтт содрогнулся от этой мысли, но понимал, что должен справиться с собой. — Итак... Теперь тебя зовут Грания Девоншир, ты вдова с девятилетним ребенком. Причем очень богатая вдова. Боже мой, вот это результат всего за несколько месяцев! — пошутил он.

— Да, я понимаю твою иронию, но это правда. Аврора и мои родители могут подтвердить тебе едва ли не каждое мое слово. А теперь, Мэтт, мне кажется, нам обоим нужно еще выпить. А потом ты расскажешь мне о Чарли.

Мэтт отправился к бару и, делая заказ, с тяжелым сердцем осознал, что каждое его слово только усилит сомнения Грании.

Она же наблюдала за Мэттом, который стоял у бара и в присущей ему легкой манере болтал с барменом. Он выглядел старше. Возможно, переживания придали мужественности его прежде мальчишеским чертам. «Что бы с ним ни случилось, — со вздохом подумала она, — теперь он еще более привлекательный».

Мэтт вернулся и поставил бокалы на стол.

— Я решил попробовать местное пиво, — улыбнулся он, делая глоток «Мерфис». — Итак, я предупреждал тебя, что тебе многое будет неприятно услышать. Случилось вот что...

Мэтт, рассказывая все без прикрас, говорил правду, насколько было возможно. Он не щадил себя, понимая, что если он и Грания — женщина, которую он любит — собираются быть вместе в будущем, то лгать нельзя. Время от времени он смотрел на нее, пытаясь угадать, что она думает или чувствует, но ее лицо ничего не выражало.

— Вот и все, — выдохнул Мэтт, закончив рассказ и испытывая колоссальное облегчение. — Прости, дорогая. Я предупреждал, что это не самая приятная история.

— Да уж. — Грания медленно покачала головой. — Так и есть. А где сейчас Чарли?

— Мама говорит, она живет в нашем доме в Гринвиче. И встречается с моим старым другом Элом, который факти-

чески уже переехал к ней. Она всегда была ему небезразлична. — Мэтт мрачно усмехнулся. — Ребенок должен родиться
через несколько недель. В загородном клубе мое имя сме-
шали с грязью, но мне все равно.

— А что твои родители? Не сомневаюсь, им непросто в
этой ситуации.

— Как сказать. — Мэтт с трудом улыбнулся. — То, что
произошло со мной, помогло и маме определиться в жизни.
Со следующей недели у меня появится новая соседка.

— Что ты имеешь в виду? — нахмурилась Грания.

— Как оказалось, мама долгие годы несчастлива с отцом.
Ты же понимаешь — ему совсем не понравилось, что мы с
Чарли расстались. Он заявил, что я должен быть с ней «ради
приличия». Эти слова стали той самой пресловутой последней каплей для мамы. И она решила уйти от него. — Мэтт
покачал головой. — Это звучит нелепо, но она говорит, что
устала постоянно соблюдать условности. Она хочет, пока у
нее еще есть возможность, немного пожить нормально. Знаешь, Грания, что бы ты о ней ни думала, она считает, что ты
замечательная. Даже сказала мне, что ты вдохновляла ее.

— В самом деле? — Грания искренне удивилась. — Ты,
должно быть, расстроен? Они так давно женаты...

— Честно говоря, у меня есть предчувствие, что мама в
итоге вернется, но отцу не повредит побыть некоторое время одному. Может быть, он наконец начнет ценить ее и
немного смягчится. Тогда ему удастся наладить с ней отношения. И со своим сыном тоже, — сказал Мэтт, приподняв
брови. — Как бы там ни было, мы здесь не для того, чтобы
обсуждать моих родителей. Дело в нас с тобой. Что ты думаешь, дорогая? — тихо поинтересовался он.

— Честно говоря, не знаю, Мэтт. — Грания сидела, уст-
ремив взгляд прямо перед собой. — Сегодня было сказано
многое, что предстоит осмыслить.

— Правда, хорошо, что у нас появилась возможность
поговорить? Грания, мы должны были сделать это давным-
давно, — с чувством произнес Мэтт.

— Знаю, — ответила она мягко.

— А твоя малышка постаралась, чтобы у нас появился этот шанс, — добавил Мэтт. — Она повела себя как фея-крестная из сказки.

— Ты прав, — согласилась Грания, — но...

— Что «но»?

— Наши ошибки все равно не исправить, а прошлое изменить невозможно.

— Какие именно ошибки? — Мэтт пристально посмотрел на нее. — В отличие от тебя я никогда не замечал ошибок в наших отношениях.

— Я устала, Мэтт, — вздохнула Грания. — Пожалуйста, давай пойдем домой.

— Конечно.

Они молча ехали в сторону фермы, и Грания через стекло автомобиля вглядывалась в темноту.

Когда они оказались в кухне, Мэтт поинтересовался:

— Где я буду спать?

— Боюсь, что на диване. Я принесу тебе подушку и несколько одеял.

— Грания, дорогая, пожалуйста, хотя бы обними меня. Я люблю тебя. Я... — Он протянул к ней руку, когда она проходила мимо. Но Грания, словно не замечая этого, поднялась наверх и взяла все, что могло понадобиться Мэтту.

— Держи. — Она бросила стопку белья на кухонный стол. — Извини, что размещение не слишком шикарное.

— Меня все устраивает, — неожиданно холодно произнес он. — И не беспокойся, я завтра уберусь отсюда. В среду у меня начинается цикл лекций в разных городах.

— Хорошо. Спокойной ночи.

Мэтт следил за ней взглядом, пока она не вышла из комнаты. Он понимал, что Грания растеряна и история, которую ей довелось выслушать, была непростой, но и ему было тяжело узнать подробности ее жизни за это время. И все же он по-прежнему был готов протянуть ей руку, принять, понять и оставить прошлое за спиной. Просто потому, что необходимость быть рядом с любимой женщиной перевешивала для него все остальное.

Но Грания была холодна как лед и отказывалась идти ему навстречу. Воодушевленный предложением Авроры, он решил рискнуть и прилетел на другой конец света, чтобы еще раз попробовать спасти их отношения. Мэтт опустился на диван и, накрывшись одеялом, тяжело вздохнул. Возможно, сказалась усталость от поездки, но в этот вечер надежда покинула его.

Лежа наверху в комнате, Грания не могла уснуть. Она поверила Мэтту, но никак не могла выбросить из головы неприятные детали. Не важно, был Мэтт пьян или нет, Чарли все-таки оказалась в его постели. И после этого жила в лофте целых пять месяцев! Ее вещи висели в шкафу Грании. Для Мэтта и Чарли купили дом, они объявили о помолвке. Это самое ужасное развитие событий, которое Грания могла представить. Она подумала, как доволен был отец Мэтта, что сын возобновил отношения с более подходящей ему женщиной, и содрогнулась.

Но она также знала, что многие пары были счастливы, несмотря на разницу в происхождении. И большинство женщин радовались, когда их похищал прекрасный принц. Грания вздохнула. Почему она не способна на это? Хотя Мэтта вряд ли можно назвать принцем. И он не виноват в том, что его отец — напыщенный, самодовольный и ограниченный сноб, который всегда заставлял ее, Гранию, чувствовать себя не в своей тарелке, — как и собственную жену, судя по рассказу Мэтта. При мысли о том, что Элейн ушла от мужа, Грания улыбнулась.

А то, что Мэтт прилетел в Ирландию, чтобы увидеть ее, должно означать, что он не сдался и по-прежнему любит ее...

Ночь тянулась бесконечно. Грания села на кровати, притянув колени к подбородку. Она начала осознавать, что Мэтт принял решение быть с ней наперекор мнению отца. И именно Мэтт был движущей силой в их отношениях. Она не принуждала его и не заставляла вести ту жизнь, которую они в итоге предпочли. Мэтт сам стремился к этому и шел на уступки, чтобы приспособиться к Грании. Он не пытался спорить, когда она отказывалась от помощи, даже если они сильно нуждались в деньгах. Он понимал, что ей тяжело общаться с его друзьями, и сам отдалился от них. Он согласился жить с ней вместе, не оформляя отношения официально.

— О Боже...

В этот момент Грания ясно осознала, что проблемы были не у Мэтта, а у нее самой: упрямство и нелепая гордость, разрушающая ее жизнь. И еще комплекс неполноценности, из-за которого она так и не смогла оценить великодушие Мэтта. Поэтому слова, случайно услышанные в больнице, когда она чувствовала себя такой слабой и беззащитной, окончательно выбили ее из колеи. Грания решила, что потерпела полный крах как женщина, партнер Мэтта и даже как личность.

Она вздохнула, вспомнив Ханса и то, как он оценил ее поведение. За прошедшие несколько месяцев она многое узнала о себе и сейчас понимала: то, что она ошибочно принимала за свои сильные стороны, являлось и ее слабостями. Ну и что, что у Мэтта были отношения с Чарли до их встречи? Он не упоминал об этом раньше, поскольку просто не считал важным. Он не был тайно влюблен и не скрывал своих чувств к Чарли.

Сейчас Грания понимала, что в действительности Мэтт не сделал ничего дурного.

Когда за окном начал заниматься рассвет, она наконец задремала. Но очень скоро ее разбудил тихий стух в дверь.

— Войдите, — сонно произнесла она.

В дверь, смущаясь, заглянула Аврора, одетая в школьную форму.

— Это я.

Грания села и улыбнулась:

— Я знаю, что это ты.

Девочка неуверенно подошла и опустилась на краешек кровати.

— Я только хотела извиниться.

— За что?

— Вчера вечером бабушка сказала мне, что неправильно вмешиваться в жизнь других людей. А я думала, что помогаю тебе. Но это не так, да?

— О, дорогая, иди ко мне и давай обнимемся!

Аврора бросилась в объятия Грании и заплакала у нее на плече:

— Ты казалась мне такой грустной и одинокой. А мне хотелось, чтобы ты была счастлива так же, как я. А ведь это благодаря тебе. Мне хотелось сделать для тебя хоть что-нибудь.

— Дорогая, то, что ты сделала, просто замечательно. Это был смелый поступок и немного опасный, — добавила Грания.

— Но ты сердишься на меня, да? — Аврора подняла на нее глаза, полные слез.

— Нет, совсем нет, я просто... — Грания вздохнула. — Иногда даже крестная из сказки не может ничего исправить.

— Ох, а мне казалось, вы любите друг друга.

— Я знаю, дорогая.

— И Мэтт очень милый и красивый, хотя и не такой, как папа, — быстро добавила она. — Вы ведь вчера долго разговаривали?

— Да.

— Ладно... — Аврора высвободилась из объятий Грании и встала. — Мне пора в школу. Обещаю, больше не скажу ни слова на эту тему. Как говорит бабушка, это должно быть твое решение.

— Так и есть, дорогая, но все равно спасибо за то, что пыталась помочь.

Аврора немного помедлила у двери.

— И все же считаю, что вы очень подходите друг другу. Увидимся.

Грания устало откинулась на подушки, желая собраться с мыслями, прежде чем спуститься вниз.

Даже если им с Мэттом и удастся преодолеть все, что было в прошлом, как они смогут теперь связать свои жизни? Он живет по другую сторону Атлантического океана, а она не может оставить Аврору. После их последней встречи она успела стать матерью — вот ведь ирония судьбы, учитывая все обстоятельства. Грания не знала, как к этому относится Мэтт и захочет ли стать отцом Авроре.

Грания приняла душ, оделась и спустилась вниз. Аврора уже ушла в школу с Кэтлин. Мэтт сидел за кухонным столом. Кэтлин приготовила для него великолепный завтрак.

— Можно не сомневаться, твоя мама знает, как избаловать мужчину, — заметил он, закончив есть. — Мне очень не хватает твоей стряпни, дорогая.

— Чарли наверняка постоянно кормила тебя едой навынос из «Дин и Делука», — заметила Грания и тут же одернула себя. Не стоило этого говорить, но она не смогла сдержаться.

В кухне повисло напряженное молчание — ни один из них не знал, что сказать. Грания заварила себе чай, пока Мэтт допивал кофе. Потом он встал и направился к задней двери. Взявшись за ручку, он остановился:

— Дорогая, послушай, несмотря на мои попытки, я вижу, ты не готова оставить все в прошлом. И похоже, не хочешь начать все заново. — Мэтт пожал плечами. — Честно говоря, я устал бороться в одиночестве. А сегодняшним утром стало окончательно понятно, какие у нас сейчас с тобой отношения.

— Мэтт...

— Все нормально, детка, не надо ничего объяснять. Возможно, все твои разговоры о Чарли, разнице в нашем происхождении и нежелании выходить за меня замуж означают нечто большее. А именно то, что ты никогда по-настоящему не любила меня и не хотела, чтобы у нас все сложилось. Знаешь, у всех в жизни бывают проблемы, которые надо решать. И именно это делает отношения крепче. Как и компромиссы. Но ты никогда не готова была уступить — все должно было быть так, как ты хотела. А при первых признаках проблем ты просто оставила меня. Мне все это надоело! — Он взглянул на часы. — Однако мне пора. Увидимся.

Мэтт вышел из кухни, захлопнув за собой дверь. Грания услышала, как он завел арендованную машину и тронулся с места. От потрясения на глазах у нее выступили слезы. Почему он так набросился на нее? Да, она случайно съязвила, но что он имел в виду, когда говорил, что «она не хотела, чтобы все сложилось»?

И вот он уехал. Все закончилось. Мэтт ясно дал понять, что всему есть предел.

Ничего не чувствуя, Грания вышла из дома и поехала в студию. Ее мутило. Сев на скамью, она попыталась работать, но слезы по-прежнему застилали глаза. Она не привыкла к тому, чтобы Мэтт отвечал на ее выпады. Он такой мягкий, сговорчивый и рассудительный. А вот ее поведение всегда было вздорным и непоследовательным. После ночных раздумий у нее были самые лучшие намерения, но стоило одной фразе слететь с языка — и все разрушено.

— Грания, какая же ты упрямая идиотка! Ты ведь любишь его! — простонала она, и слезы закапали на новую скульптуру, смочив глину. — Мэтт снова пытался вернуть тебя, а в результате уехал! Ты сама оттолкнула его.

Она поднялась, вытерев слезы тыльной стороной ладони, и принялась расхаживать по студии.

Что же теперь делать?

Ее раздирали противоречивые чувства. Гордость и упрямство требовали отпустить Мэтта.

Но в то же время Грания понимала, что сейчас нужно забыть о гордости, догнать Мэтта и умолять еще раз все начать вновь.

Если она этого не сделает, то потеряет очень многое. Конечно, остается еще немало проблем, которые предстоит решить: например, где жить, и готов ли Мэтт принять в свою жизнь Аврору и стать ей отцом. Но ведь он сам сказал: если любишь достаточно сильно, обязательно стоит попробовать.

«А мне казалось, вы любите друг друга...» Грания вспомнила грустное лицо Авроры. Сможет ли Грания побороть себя, поступиться гордостью и поехать за мужчиной, которого любит?

«Давай иди... Иди... Иди...»

Это ветер завывает вокруг студии, или, возможно, Лили где-то рядом и убеждает ее поверить в любовь?

Грания схватила ключи от автомобиля и помчалась в аэропорт Корка. По пути она много раз звонила Мэтту, но его телефон был выключен. Она превысила скорость, но все равно, когда оказалась в зале вылета, уже шла посадка рейса на Дублин. Грания подбежала к стойке информации «Эйр лингус» и встала в очередь, сгорая от нетерпения.

— Мой... друг сейчас садится в самолет в Дублин, а я должна сказать ему кое-что. Можно с ним как-нибудь связаться? — в отчаянии поинтересовалась она у девушки за стойкой.

— Вы пробовали звонить на мобильный? — спросила та.

— Конечно! Телефон выключен. Судя по всему, мой друг уже собирается на посадку. Вы не могли бы передать для него сообщение по громкой связи?

— Ну, это зависит от того, насколько это срочно, — медленно произнесла девушка. — У вас важный вопрос?

— Конечно, важный! — раздраженно ответила Грания. — Чрезвычайно! Передайте сообщение для Мэтта Коннелли: Грания Райан... ждет его около стойки службы информации. И просит позвонить ей до того, как он окажется на борту.

«И что она любит его, и он нужен ей, и что ей очень-очень жаль!» — подумала Грания, но не стала произносить это вслух. Казалось, девушка целую вечность ведет переговоры с начальством, и в глазах Грании уже появились слезы отчаяния.

В итоге объявление было сделано: оно громко и четко прозвучало на все здание небольшого аэропорта. Взвинченная от напряжения Грания смотрела на мобильный телефон, который держала в руке. Но он не звонил — и это было еще одним доказательством ужасной ошибки, которую она совершила.

— Мисс, самолет только что взлетел, — сообщила девушка из-за стойки. — Сомневаюсь, что сейчас вы дождетесь от него звонка, — зачем-то добавила она.

Грания повернулась и посмотрела в окно. Выдавив едва слышное «спасибо», она поплелась к машине.

Она медленно ехала по направлению к дому, осознавая, что своими руками сотворила будущее — то, которое заслуживала. Мэтт больше не хотел иметь с ней ничего общего, и ее это не удивляло. Грании казалось, что до сегодняшнего дня она пребывала в прострации, отгородившись от окружающего мира высокой стеной комплексов и гордости. А теперь стена разрушена, и видно, что именно и почему потеряла Грания. И уже ничего не исправить.

Припарковав машину около дома, Грания грустно направилась к двери, ведущей в кухню, намереваясь сразу же отправиться в спальню.

— Грания Райан, где тебя носило? Мы все уже волнуемся! — Кэтлин поднялась из-за стола, где вся семья собралась за чаем. При появлении Грании все с облегчением вздохнули.

— Это правда, мамочка, — подтвердила Аврора, — и теперь я знаю, что ты чувствовала, когда я пропала.

— Заходи, дорогая, и садись. Выпей с нами чая, — позвал ее отец и похлопал по стулу рядом с собой.

Грания подчинилась. Дома ее любили, несмотря на все ее недостатки, и она смягчилась, ощутив поддержку родных.

— Спасибо, папа, — пробормотала она, когда Джон налил чай и поставил перед ней чашку. Она отхлебнула глоток. Все продолжали наблюдать за Гранией, пытаясь догадаться, в каком она настроении.

— Телят теперь продают на десять процентов дороже, — вдруг объявил Джон, обращаясь ко всем и ни к кому конкретно. Он хотел разрядить напряжение. — Сегодня я был на рынке в Корке, и ребята жаловались, что если продолжится рост цен, стада в следующем году будут не такими большими.

За спиной Грании открылась дверь, ведущая на лестницу, но она не оглянулась.

— Освежился немного? — Джон поднял голову. — После посещения скотного рынка неприятный запах может преследовать очень долго.

— Да, конечно. Спасибо, что взял меня с собой, Джон, — прозвучал голос за спиной Грании. — Было очень интересно посмотреть, как проводится аукцион.

Кто-то дотронулся до ее плеча.

— Привет, дорогая. Ты вернулась. Мы волновались за тебя.

Она оглянулась и встретилась взглядом с Мэттом.

— Я... думала, ты уехал.

— Твой отец предложил мне побывать на аукционе скота в Корке, — ответил он и, выдвинув стул, сел рядом с Гранией. — Я решил, что стоит проникнуться ирландским колоритом до отъезда, и мне это удалось, — со смехом сказал Мэтт.

— Но... твой рейс... Я думала, ты уезжаешь сегодня. Ты так сказал вчера вечером.

— Джон предложил мне съездить в Корк сегодня за завтраком, так что я перенес отъезд. — Под столом Мэтт нашел и сжал ее руку. — Более того, мы с твоими родителями подумали, что, учитывая все обстоятельства, остаться здесь подольше — неплохая мысль. Они сказал мне, что тебя лучше оставить одну и дать время подумать, так что я не появлялся целый день. Ты ведь не возражаешь, что я остался здесь, Грания?

Все члены семьи снова уставилась на нее, ожидая ответа. Но от эмоций у нее свело горло, и она не могла говорить. При поддержке всех собравшихся за столом Мэтт только что продемонстрировал: он любит ее настолько сильно, что готов дать ей еще один шанс.

— О, мамочка, скажи, что ты не возражаешь! — Аврора округлила глаза. — Мы все знаем, что ты обожаешь Мэтта, а нам еще нужно запереть на ночь коров.

Грания повернулась к Мэтту. Ее глаза блестели от слез, и она улыбнулась ему:

— Нет, Мэтт. Я не возражаю.

Аврора

Читатель, я сделала это!

Да, понимаю, мое исчезновение породило много проблем и вызвало массу переживаний, особенно это касалось Грании, но вы ведь знаете, как при написании этой книги в какие-то моменты мне отчаянно хотелось изменить сюжет и придумать другой конец. Так что, когда появилась возможность вмешаться и сделать то, что делает фея-крестная в сказке — появиться из облака дыма и все наладить, — я ее использовала.

А еще феи всегда летают, и я тоже летала в Америку на самолете.

И мне не было страшно.

Многие интересуются, почему я такая бесстрашная. Судя по всему, именно страх мешает людям делать то, что нужно для счастья. Честно говоря, я не знаю, как им ответить, но я ведь не боюсь ни привидений, ни смерти — самого страшного, что может произойти с человеком, — что же еще способно меня испугать?

Возможно, только боль…

В детстве я очень много времени провела со взрослыми, и меня всегда удивляло, что они не умеют выражать свои мысли. А как узнать о чувствах человека, даже если его сердце, как я видела, разрывается от любви? И я поняла, что гордость, гнев и комплексы очень легко могут перечеркнуть шанс на возможное счастье.

Да, возможно, все в жизни пошло прахом, но иногда стоит верить в удачу и просто надеяться, что все получится. В худший момент жизни я сделала это и верю, что все способны на подобный шаг. Потому что жизнь коротка. И сейчас я понимаю, что, оглядываясь назад, когда путь почти завершен, лучше иметь как можно меньше поводов для сожаления.

И конечно же, мне помогла Грания. Я уже писала о том, как важно усвоить уроки, которые преподносит нам жизнь. Грании потребовалось не так много времени, чтобы разглядеть и признать собственные недостатки. Это было непросто, и все же теперь не только ее нынешняя жизнь станет легче, но и в следующем воплощении ей повезет больше. Что касается меня, то я хотела бы стать птицей: может быть, чайкой. Я мечтаю ощутить, что значит взмахнуть крыльями, взлететь со скал и кружить высоко в небе над океаном.

Жаль, мне уже не удастся выйти замуж за мужчину, похожего на Мэтта. Я никогда не сомневалась, что он сможет заменить мне отца. В наши дни многие женщины заявляют, что легко проживут без мужчины рядом. Но, читатель, разве мы, люди, рождены не для того, чтобы найти свою половинку? Разве большую часть жизни мы не ищем любовь, надеясь когда-нибудь испытать это волшебное чувство?

В последнее время я посмотрела много фильмов и пришла к выводу, что существуют три основные темы: война, деньги и любовь. И две первые чаще всего тоже не обходятся без любви.

Все эти три темы присутствуют и в моей истории.

Мы постепенно приближаемся к концу во всех смыслах этого слова.

И мне лучше поторапливаться…

44

Лондон. Год спустя

Грания и Аврора стояли напротив красивого дома, выкрашенного в белый цвет, и разглядывали его, подняв головы вверх.

— Он прекрасен, — выдохнула девочка и повернулась к Хансу: — Он в самом деле мой?

— Именно так, Аврора. Ты унаследовала его, а также Дануорли-Хаус, — улыбнулся Ханс. — Давайте зайдем внутрь?

— Да, конечно, — согласилась Аврора.

Грания остановилась на ступеньках и взяла Ханса за руку.

— А какой адрес у этого дома?

Он сверился с бумагами:

— Кэдоган-Хаус, Кэдоган.

— О Боже! — Грания прикрыла рот рукой. — Это ведь тот дом, в котором моя бабушка Мэри работала горничной. И куда Лоуренс Лайл привез Анну Лангдон, бабушку Авроры, когда та была совсем крошкой.

— Очень интересно. Возможно, однажды ты расскажешь Авроре все, что знаешь о ее прошлом. — Они остановились в темном холле, и Ханс поморщился. — Запах сырости, — констатировал он. — Этот дом пустует уже долгие годы.

— Я знаю, что Лили жила здесь с матерью после того, что случилось с ней в Ирландии, — сообщила Грания, стараясь сопоставить известные факты. — Когда умер Лоуренс Лайл, этот дом унаследовал Себастьян Лайл, его брат и отец Лили.

— Да, но Александр, Лили и Аврора не останавливались здесь, когда приезжали в Лондон. У Александра был прекрасный дом чуть ближе к центру, в Кенсингтоне. Хотя, конечно, не такой огромный, должен признать, но гораздо более уютный, — заметил Ханс.

— Какая большая комната! — восхитилась Аврора, когда они вошли в изящно обставленную гостиную, а Ханс открыл ставни.

— Это точно, юная леди, — согласился он, — но мне кажется, что, как и в случае с Дануорли-Хаусом, нужно вложить в этот дом немалые средства, чтобы вернуть ему былое великолепие.

Грания переходила из комнаты в комнату вслед за Хансом и Авророй и думала о том, что этот дом кажется законсервированным, словно редкая реликвия, дошедшая из другой эпохи. Аврора с удовольствием забавлялась, дергая за шнурки для вызова прислуги и прислушиваясь к тихому звону колокольчика на кухне.

— Моя прабабушка Мэри была одной из слуг, которых вызывали этим звоном, — заметила Грания, когда они спускались вниз.

Когда они вернулись в холл, Ханс с недовольной гримасой произнес:

— Аврора, мне кажется, в качестве лондонской резиденции тебе лучше подойдет дом отца. — Как в истинном швейцарце, в нем говорила любовь к порядку и чистоте. — А этот особняк можно продать.

— Нет, дядя Ханс, мне здесь нравится. — Девочка, кружась, вернулась в гостиную и указала на какой-то предмет, стоящий на столе. — Что это такое?

— А это, моя дорогая Аврора, очень старый граммофон. — Ханс и Грания улыбнулись друг другу. — Мы, люди из прошлого, когда-то слушали на нем музыку.

Аврора бросила взгляд на запылившуюся виниловую пластинку, стоящую в граммофоне.

— «Лебединое озеро»! Смотри, Грания, это же «Лебединое озеро»! Может, когда-то моя бабушка Анна слушала ее тут в последний раз. Дядя Ханс, она была знаменитой балериной!

— Возможно, так и было. Что ж, я думаю, мы увидели все, что могли, — произнес адвокат и направился к выходу. — Я уверен, нашлось бы немало желающих купить этот дом. Его можно переоборудовать и превратить в три или четыре квартиры. К тому же он расположен в престижном районе. Мы могли бы выручить за него не один миллион.

— Дядя Ханс, а если мне захочется жить здесь с семьей, когда я поступлю в балетную школу, дорого ли будет немного привести его в порядок?

— Да, моя милая Аврора, очень дорого, — подтвердил он.

Девочка смотрела на крестного, скрестив на груди руки.

— А у меня достаточно денег, чтобы сделать его пригодным для жизни?

— Вполне, — сказал Ханс, — но я бы тебе этого не советовал. Особенно если учесть, что у тебя есть отличный дом в Кенсингтоне всего в нескольких милях отсюда.

— Нет. Я хочу жить здесь. — Они стояли на крыльце, пока Ханс запирал дверь. Аврора повернулась к Грании: — А ты, мамочка? Ведь тебе тоже придется здесь жить.

— Аврора, это красивый старый дом, и я буду с удовольствием жить здесь с тобой. Но, как говорит дядя Ханс, продать его было бы более разумно.

— Нет, — решительно возразила Аврора. — Я хочу оставить его.

Заперев Кэдоган-Хаус, они сели в такси и вернулись в отель. За чаем с пирожными Аврора попросила Ханса сделать необходимые приготовления для ремонта особняка.

— Пока здесь будут идти работы, мы могли бы пожить в папином доме в Кенсингтоне. Так ведь, Грания?

— Если ты уверена в этом, то я согласна. — У Грании зазвонил мобильный телефон. — Извини. — Она вышла из зала ресторана в лобби, чтобы поговорить без свидетелей.

— Привет, детка. Как дела? Ты уже видела дом?

— Да, он очень большой и красивый. Но чтобы там жить, нужно провести ремонт. И все же Аврора решила, что поселится именно тут.

— А как вчера прошел экзамен в школе Королевского балета?

— Аврора сказала, отлично, но результаты мы узнаем примерно через неделю.

— А как ты, дорогая?

— Все хорошо, Мэтт. Я скучаю по тебе. — Грания все еще через силу произносила ласковые слова, но с каждым разом у нее получалось все лучше.

— И я, дорогая. Еще несколько дней, и мы будем вместе.

— Мэтт, ты уверен, что хочешь этого?

— Абсолютно. Честно говоря, мне не терпится уехать из Нью-Йорка и начать новую жизнь с двумя моими девочками. Обними за меня Аврору.

— Хорошо.

— Грания, еще я хотел...

— Да?

— Ты ведь не собираешься в последний момент нарушить все наши договоренности? Вдруг я, бросив здесь все, приеду в Лондон, а через три месяца, когда моя виза закончится, узнаю, что ты передумала выходить за меня замуж. Мне этого совсем не хочется.

— Нет, Мэтт, я не передумаю, — пообещала Грания. — У меня ведь не будет выбора, иначе тебя вышлют из страны.

— Именно так. Мне хочется быть уверенным, что на этот раз ты не найдешь никаких отговорок. Я люблю тебя, детка, и очень скоро мы все будем вместе.

— Я тоже люблю тебя, Мэтт. — Грания с улыбкой убрала телефон в сумочку и вернулась в холл отеля.

Потребовался целый год, который они провели в разъездах между Нью-Йорком и Ирландией, чтобы придумать наилучший способ, как воссоединиться и начать новую жизнь вместе. Решение было принято, когда Аврора объявила о желании поступить в школу Королевского балета, расположенную в Ричмонд-Парке — одном из ближайших пригородов Лондона, утопающем в зелени.

Три месяца назад состоялась выставка Грании. Она прошла с большим успехом, и Грания тоже стала все больше времени проводить в Лондоне. Оставалось только найти место преподавателя психологии для Мэтта — и он получил его три недели назад в Кингс-колледже. У Мэтта и Авроры в их учебных заведениях будут длинные каникулы, и они смогут проводить их в Дануорли, наслаждаясь жизнью в замечательном особняке после реконструкции. У Грании будет возможность поработать в студии, а Аврора сможет провести время с новой семьей и своими обожаемыми животными.

Грания понимала, на какие жертвы идет Мэтт, уезжая из Нью-Йорка. Но он сам сказал, что Лондон, возможно, для них идеальный компромисс: и он, и она родом из других мест и, оказавшись на нейтральной территории, начнут новую жизнь вместе.

— Я только что говорила дяде Хансу, что, мне кажется, нам следует продать папин дом в Кенсингтоне, когда закончится ремонт в Кэдоган-Хаусе. Так мы компенсируем расходы, — сказала Аврора.

— Она настоящая дочь своего отца! — Ханс приподнял брови. — В десять лет уже демонстрирует способности финансиста. Что ж, Аврора, поскольку ты моя клиентка и мой босс, я должен выполнять твои пожелания. И как человек, управляющий твоим имуществом, считаю, что они вполне разумны.

— Пойду-ка я попудрю **носик**, как говорит бабушка, — сказала Аврора.

Когда девочка убежала, Ханс поинтересовался:

— Как Мэтт?

— Хорошо, Ханс, **спасибо**. Пакует вещи в лофте и готовится оставить в прошлом **жизнь** в Большом Яблоке.

— Его ждут большие **перемены**, как, впрочем, и тебя. И все же я считаю, что вы **поступаете** правильно. Новое начало может оказаться очень **успешным**.

— Это так, — согласилась Грания. — Мне кажется, я не успела поблагодарить **тебя за то**, что ты помог мне осознать ошибки, которые я **совершила**.

— Брось, я ничего **такого** не делал, — скромно ответил Ханс. — Главное, не **только знать** о своих недостатках, но и постараться их **исправить. А это** как раз то, что ты сама сделала, Грания.

— Я стараюсь, но мне **никогда** окончательно не побороть гордость, — вздохнула **она**.

— С тобой рядом **есть мужчина**, который понимает тебя, и, возможно, даже **гораздо** лучше, чем понимал раньше. Мэтт — хороший человек, **Грания**, и ты должна беречь его.

— Знаю, Ханс. Обещаю, **что** так и будет.

— Что вы тут вдвоем **обсуждаете**? — поинтересовалась Аврора, вернувшись к **столу**. — Мы можем уже подняться в номер? Я хочу **позвонить бабушке** и рассказать ей о моем новом доме.

— Аврора сказала **мне, что** планирует жить в Кэдоган-Хаусе, — сказала Кэтлин, **когда** девочка наконец завершила длинный рассказ и передала **трубку** Грании.

— Да.

— Ты ведь знаешь, **что это тот** дом, где твоя прабабушка Мэри...

— Да, знаю.

— Интересно... **Помнишь**, Мэри писала, что, когда Лоуренс Лайл привез **малышку, он** попросил отнести чемодан наверх и оставить его там, пока мать девочки не вернется за ней. Как ты считаешь?..

— Есть только один способ проверить, — сказала Грания. — В следующий раз, когда я окажусь в особняке, то сделаю это.

Неделю спустя, когда Мэтт приехал в Лондон, они вместе с Авророй отправились в Кэдоган-Хаус. Девочка устроила Мэтту экскурсию по дому, после которой он спустился в кухню и обнял Гранию.

— Да, дорогая, я очень рад, что у меня нет таких проблем, как у тебя, — присвистнул он. — Мой отец был бы впечатлен только одним видом этого дома. Он просто потрясающий! И я буду жить здесь бесплатно! — Он улыбнулся. — Смогу ли я соответствовать вашему положению?

— Мэтт, но это не мой дом. Он принадлежит Авроре.

— Детка, я просто дразню тебя! — Мэтт снова обнял ее.

— Ты уверен, что хочешь жить здесь? — Грания подняла на него глаза. — Тебе будет здесь комфортно?

— Леди... — Он воздел руки вверх. — Я буду рядом с тобой и продолжу заниматься любимым делом. И если жена и ребенок обеспечат мне нормальные условия жизни, то я не буду иметь ничего против.

— Отлично. А теперь прошу тебя немного помочь мне. Давай поднимемся на чердак. Я захватила с собой фонарь — нужно кое-что поискать.

Аврора уютно устроилась в гостиной, слушая на граммофоне едва различимую мелодию из «Лебединого озера», а Мэтт с Гранией поднялись по лестнице на самый верх.

— Это скорее всего там. — Она указала на квадратный вырез в потолке.

Мэтт поднял голову.

— Мне нужно встать на что-нибудь, чтобы дотянуться.

В одной из спален чердачного этажа нашелся деревянный стул. Мэтт осторожно встал на него и попытался открыть проржавевшую задвижку. После многочисленных попыток она поддалась, открыв доступ на чердак, в облако пыли и паутины.

— Боже, похоже, здесь десятки лет никого не было, — заметил Мэтт. — Дай мне фонарь. — Грания протянула ему фонарь, и он осветил чердак. — Боюсь, дорогая, тебе бы здесь не понравилось. Скажи, что нам нужно, и я попробую найти.

— Судя по тому, что рассказывала мне мама, мы ищем маленький и очень старый чемодан.

— Хорошо. — Мэтт подтянулся на руках и сел на край чердачного отверстия, спустив ноги вниз. Наверху вдруг что-то зашуршало. — Мыши или, хуже того, крысы. — Мэтт побледнел. — Нужно попросить сторожа проверить, когда он пройдет здесь.

— Может, кто-нибудь разберет вещи на чердаке в другое время? — предложила Грания, содрогнувшись.

— Ни в коем случае. Я хочу принести хоть немного пользы. — Мэтт улыбнулся. — Оставайся на месте, а я пойду поищу. — Он подтянул ноги вверх и поднялся. — Мне кажется, дорогая, что некоторые доски здесь сгнили. Боже, сколько старья!

Грания стояла внизу, прислушиваясь к шагам Мэтта наверху.

— Ну вот, я нашел пару сундуков, но они тяжелые.

— Нет, — крикнула ему Грания, — это был маленький чемодан.

— Что в нем такого важного? — поинтересовался он. — Черт, здесь паутина, как в фильме ужасов. Мне даже не по себе.

Грания услышала тяжелые удары — Мэтт что-то передвигал на чердаке. И наконец...

— Мне кажется, я кое-что нашел... Вернее, то, что от него осталось. Держи.

В чердачном отверстии появились руки Мэтта с небольшим чемоданом неопределенного цвета: он весь был покрыт толстым слоем пыли.

— Все, с меня достаточно. Я спускаюсь! — Мэтт высунул голову. Его волосы стали серыми от паутины. — Боже! Я сделал это только ради любви, — сказал он, оказавшись на стуле.

— Спасибо, дорогой, — ответила Грания и занялась чемоданом. Стерев пыль с потертой кожи, она смогла разглядеть едва различимые инициалы. Мэтт опустился на колени рядом с ней.

— Мне кажется, это буквы «Л» и «К», — сказала Грания.

— Так чей же это чемодан?

— Если мы искали именно его, то он принадлежал прабабушке Авроры. Лоуренс Лайл приехал домой с ребенком, — объяснила Грания, — и сказал прислуге, что, когда за Анной вернется мать, она и чемодан тоже заберет. Но этого так и не произошло, так что Анна ничего не знала о своем прошлом.

— Ясно. С этими ржавыми замками придется повозиться. Давай я попробую.

В итоге они отнесли находку в кухню. Грания взяла нож из ящика стола, и Мэтт быстро справился с замками.

— Хорошо, ты готова посмотреть, что внутри? — поинтересовался он.

— Думаю, это следует сделать Авроре. Ведь формально это ее чемодан.

Грания забрала девочку из гостиной и спустилась с ней в кухню.

— Что это? — Аврора с отвращением посмотрела на старый чемодан.

— Мы считаем, что он принадлежал твоей прабабушке, но она так и не приехала за ним. Его оставили в этом доме почти сто лет назад, — объяснила Грания. — Хочешь открыть?

— Нет, лучше ты. Внутри могут быть пауки. — Аврора сморщила нос.

Грания тоже не спешила притрагиваться к нему.

— Хорошо, дамы. Мне кажется, это должен сделать мужчина. — Мэтт осторожно потянул крышку. Захрустела старая кожа, и чемодан распахнулся.

Все трое заглянули внутрь.

— Фу, какой затхлый запах, — сказала Аврора. — И здесь, похоже, совсем мало вещей.

— Да уж! — Грания была явно разочарована. В чемодане лежало что-то завернутое в шелковую ткань.

Мэтт протянул руку и, вынув сверток, положил его на стол.

— Хотите, чтобы я развернул его?

Грания и Аврора кивнули.

Мэтт осторожно достал из тонкого выцветшего шелка то, что находилось внутри.

Аврора и Грания опустили глаза и посмотрели на стол.

— Это же пуанты... — с благоговением прошептала девочка и взяла один, чтобы рассмотреть получше. И тут на пол упал ветхий конверт.

Грания наклонилась, чтобы поднять его.

— Это письмо, которое адресовано... — Она попыталась разобрать надпись выцветшими чернилами.

— Мне кажется, здесь написано «Анастасии», — произнес Мэтт, заглядывая Грании через плечо.

— Анна... Мою бабушку звали Анна! — воскликнула Аврора.

— Да, именно так. Возможно, Лоуренс Лайл решил укоротить имя, — предположила Грания.

— Это ведь русское имя? — поинтересовалась девочка.

— Да. И Мэри, которая нянчила Анну в раннем детстве, всегда предполагала, что Лоуренс Лайл привез ее из России.

— Можно, я вскрою конверт? — спросила Аврора.

— Да, только будь осторожна. Бумага стала очень тонкой, — предостерег ее Мэтт.

Достав листок, Аврора взглянула на текст и нахмурилась:

— Я не понимаю, что здесь написано.

— Потому что письмо на русском, — сказал Мэтт из-за спины девочки. — Я три года учил этот язык в старших классах, но это было давно, и многое забылось. И все же, думаю, с помощью словаря я мог бы разобрать текст.

— Дорогой, у тебя столько скрытых талантов, — заметила Грания и, обернувшись, поцеловала Мэтта в щеку. — Давайте заглянем в книжный магазин по дороге домой.

Они вернулись в симпатичный таунхаус в Кенсингтоне, прежде принадлежавший Александру, где планировали жить, пока в Кэдоган-Хаусе шел ремонт. У двери лежало еще одно письмо, адресованное Авроре.

— Это из школы Королевского балета! — Девочка подняла конверт и взглянула на Гранию. В ее глазах светились одновременно надежда и испуг. — Держи. — Она протянула ей письмо. — Мамочка, открой его вместо меня. Я слишком волнуюсь.

— Хорошо, конечно. — Грания разорвала конверт, достала лист бумаги и принялась читать.

— Мама, что там написано? — Аврора оперлась подбородком на сжатые от напряжения кулаки.

— Здесь написано, — Грания посмотрела на Аврору и улыбнулась, — что тебе нужно как можно скорее начать паковать вещи. Потому что тебя зачислили и занятия начинаются в сентябре.

— О, мамочка! — Аврора бросилась на шею Грании. — Я так счастлива!

— Ты молодец, дорогая! — похвалил Аврору Мэтт, обнимая их обеих.

Когда все трое немного успокоились, Мэтт поднялся наверх с новым словарем, чтобы попробовать перевести письмо.

Возбужденная Аврора сидела на кухонном столе, по-прежнему сжимая в руках пуанты, и строила планы на будущее, а Грания готовила для всех ужин.

— Скорее бы Мэтт уже перевел это письмо. Мне не терпится узнать, кем была моя прабабушка. Особенно сегодня, когда я знаю, что пойду по ее стопам, — говорила девочка.

— Аврора, ты многого не знаешь о прошлом своей семьи. Когда-нибудь я обязательно расскажу тебе. Самое странное, что на протяжении почти ста лет твоя семья была связана с моей. Моя прабабушка Мэри удочерила Анну, твою бабушку.

— Вот это да! — Глаза Авроры округлились. — Ничего себе совпадение! Ведь то же самое сделала и ты, мама!

— Да, так и есть. — Грания нежно поцеловала дочь в макушку.

Два часа спустя Мэтт спустился вниз и, объявив, что ему удалось расшифровать большую часть письма, протянул Авроре распечатанный текст перевода.

— Держи, дорогая. Конечно, это не идеальный вариант, но я старался.

— Спасибо, Мэтт. Мне читать вслух? — спросила Аврора.

— Если хочешь, — ответила Грания.

— Хорошо. — Аврора откашлялась. — Итак...

Париж, 17 сентября 1918 года
Моя драгоценная Анастасия!
Если ты читаешь эти строки, значит, ты знаешь, что меня больше нет на этом свете. Я попросила моего дорогого друга Лоуренса передать тебе это письмо, если не вернусь за ним сама, когда ты достаточно повзрослеешь, чтобы все понять. Я не знаю, что он рассказал тебе о твоей маме, но ты должна знать самое важное: я люблю тебя больше, чем все матери, вместе взятые. И именно поэтому, пока наша любимая Россия в беде, я хочу быть уверенной, что ты в безопасности. Моя девочка, я могла бы последовать за Лоуренсом в Англию и избежать опасности, как сделали многие мои соотечественники. Но есть причина, почему я должна вернуться из Парижа на

родину. Человеку, который приходится тебе отцом, грозит большая опасность. Честно говоря, я даже не знаю, жив ли он еще, поэтому должна поехать к нему. Я знаю, что рискую: меня могут сразу арестовать и, возможно, убить, но я могу только молиться, чтобы ты, моя дорогая Анастасия, когда подрастешь, тоже имела счастье и боль испытать настоящую любовь к мужчине.

Твой отец происходит из величайшей семьи в России, но мы вынуждены были скрывать нашу любовь. Мне стыдно говорить об этом, но он уже был женат.

А ты стала результатом нашей великой любви.

По пуантам, которые я передала вместе с этим письмом, ты, наверное, догадалась, что я балерина. Я танцевала в Мариинском театре, и мое имя в России хорошо известно. Твой отец пришел посмотреть «Лебединое озеро» – я танцевала ведущую партию – и вскоре начал оказывать мне знаки внимания.

Сейчас я в Париже, потому что понимаю: из-за моей связи с императорским домом мы с тобой можем оказаться в смертельной опасности. Поэтому я подписала контракт с Дягилевым, чтобы получить возможность уехать из России и вывезти в безопасное место тебя.

Мой друг Лоуренс, добрый английский джентльмен (я думаю, что и он тоже немного влюблен в меня!), выступил в роли спасителя и пообещал увезти тебя в Лондон и заботиться о тебе.

Моя драгоценная девочка, я очень надеюсь, что это сумасшествие в России скоро закончится и я смогу свободно приехать в Лондон, забрать тебя в нашу любимую страну и познакомить с отцом. Но пока Россия пребывает в хаосе, я понимаю, что должна пожертвовать чувствами и отправить тебя в чужую страну.

С Богом, моя любимая девочка! Через несколько часов Лоуренс приедет и заберет тебя. Только судьба решит, встретимся ли мы снова, поэтому я говорю тебе «до свидания», моя Анастасия, и пусть удача сопутствует тебе.

И никогда не забывай, что ты – дитя любви.

Любящая тебя мама Леонора.

В кухне воцарилось молчание.

Мэтт закашлялся и невольно смахнул слезу.

— Вот это да! — прошептал он, не зная, что еще можно сказать.

Плачущая Грания обняла Аврору.

— Какая... красивая история, правда? — прошептала девочка.

— Да, — согласилась Грания.

— Леонора погибла, вернувшись в Россию?

— Да, судя по всему. Если она была знаменита, мы наверняка сможем узнать, что с ней случилось и кто был отцом Анастасии, — вслух размышляла Грания.

— Если отец Анастасии был из императорской семьи, то, возможно, тоже был расстрелян вскоре после того, как Леонора написала это письмо, — заметил Мэтт.

— Она могла бы спастись, если бы переехала в Англию с Лоуренсом, — сказала Аврора. — Но она не сделала этого, поскольку очень сильно любила отца Анастасии. — Она покачала головой. — Ей пришлось сделать ужасный выбор и отдать ребенка чужому человеку.

— Да, — согласилась Грания, — но, дорогая, я уверена, тогда Леонора не верила, что может погибнуть. Мы все принимаем решения так, словно собираемся жить вечно. В тот момент не было лучшей возможности, чтобы обеспечить безопасность Анастасии.

— Я не знаю, смогла бы я быть такой храброй, — вздохнула Аврора.

— А все потому, что ты пока не знаешь, чем можно пожертвовать ради любви. — Мэтт крепко обнял Гранию за плечи и поцеловал Аврору в макушку. — Разве не так, Грания?

— Да, это так, — улыбнулась ему Грания.

Аврора

Разве это не идеальный финал истории?

Замечательный момент, после которого автор пишет «они жили долго и счастливо». Именно такой, как я люблю.

Грания и Мэтт снова вместе и начинают новую жизнь, в которой больше никогда не будет финансовых проблем. Я рядом с ними и пытаюсь осуществить мечту — стать известной балериной. Любящая семья, о которой я всегда мечтала, поддерживает меня и дает мне чувство безопасности.

Разве это не идеальная жизнь?

Да, я знаю! Им был нужен ребенок, а мне брат или сестра.

И год спустя у Грании родится малыш.

Однако я сомневаюсь, может быть, имеет смысл поставить точку в повествовании прямо сейчас и не портить его, рассказывая, что случилось, после того как «они жили долго и…»?

Но видите ли, моя история на этом не заканчивается. Признаюсь честно: я могла бы обмануть вас. Я еще очень молода, хотя иногда чувствую себя так, словно мне по меньшей мере сто лет. Но в отличие от Авроры из сказки я засну на сто лет — вернее, навсегда, — и никакой прекрасный принц не придет разбудить меня.

По крайней мере не на этой планете.

Дорогой читатель, мне не хочется огорчать тебя. Но все же шестнадцать лет хорошо прожитой жизни — это лучше, чем ничего.

И если в какой-то момент этой истории тебе показалось, что я оценивала поступки своих героев наивно и романтично, сможешь ли ты простить меня? Мне всего шестнадцать, и я слишком молода, чтобы знать, как меняет людей несчастная любовь.

Так вот: я скоро умру и никогда этого не узнаю. Поэтому я до сих пор верю в магию любви. И еще в то, что в нашей жизни, как в сказке — истории, которую мы, люди, пишем в течение всей жизни, — всегда будут присутствовать герой и героиня, фея-крестная и злая ведьма.

И что любовь, доброта, вера и надежда обязательно возьмут верх.

Еще я думаю, что злая ведьма — тоже героиня своей собственной истории, но это совсем другая тема.

Если поискать, во всем можно найти положительные моменты. Болезнь, например, дала мне возможность записать эту историю. И работа стала мне поддержкой в самые тяжелые моменты, когда боль становилась чересчур сильной. Она также позволила многое узнать о жизни, как будто я закончила экспресс-курс за то короткое время, что у меня осталось.

Гранни и Мэтту — моим родителям в этой истории — гораздо тяжелее смириться с неизбежным. А я спокойна, поскольку считаю себя счастливой. Я знаю, что не останусь в одиночестве, пройдя сквозь призрачную завесу. Там меня ждут две пары любящих рук.

Души... Духи... Ангелы... Читатель, назови их как хочешь — они действительно существуют. Я видела их всю свою жизнь, но научилась молчать об этом.

А всем циникам хочу сказать: не забывайте, что доказательств той или иной точки зрения не существует.

Мой выбор — верить. Мне кажется, что это лучший вариант.

Как уже говорила, я не стремлюсь к тому, чтобы мой рассказ был опубликован.

Родители видели меня с ручкой и тетрадью и интересовались, что именно я пишу, но я уклонялась от ответа. Понимаете, это моя история до самого конца (или начала), который, как мне кажется, уже очень близок.

Итак, дорогой читатель, мой рассказ почти закончен.

Не беспокойся за меня и не грусти. Я просто перехожу на следующий уровень и счастлива, что делаю это. Кто знает, какое волшебство ждет меня по другую сторону?

Пожалуйста, если сможешь, не забывай меня и историю моей семьи. Пусть она хранится в крошечном уголке твоей памяти. Это и твоя история тоже, ведь она о природе человека.

И самое главное — никогда не теряй веру в красоту и доброту человеческой натуры.

Эти качества есть в любом из нас, только иногда нужно приложить чуть больше усилий, чтобы их увидеть.

А теперь пришло время прощаться.

ЭПИЛОГ

Грания стояла на скалах, слушая завывания ветра, так же как восемь лет назад, в тот день, когда она впервые увидела Аврору.

Она вспоминала маленькую девочку, которая внезапно, словно призрак, появилась у нее за спиной и навсегда изменила ее жизнь, и ее плечи вздрагивали от беззвучных рыданий. Восемь лет назад она оплакивала потерю своего малыша. Теперь она снова потеряла ребенка и не находила себе места от горя.

— Я не понимаю! — кричала она волнам, которые бушевали у нее под ногами. — Не понимаю...

Силы оставили Гранию, она упала на колени и обхватила голову руками. Воспоминания об Авроре нахлынули на нее, и она словно вновь видела перед собой девочку, лучившуюся неиссякаемой жизненной энергией. Вот она танцует, кружится, прыгает по скалам... Аврора на пляже. Живость, оптимизм и нескончаемая жажда жизни — вот основные качества, которые определяли ее жизнь. Грания восемь лет провела рядом с Авророй и не могла вспомнить, чтобы та сердилась или грустила. Даже последние несколько месяцев, когда силы покидали ее, она всегда широко улыбалась с больничной койки, а ее лицо светилось надеждой и радостью. Даже в худшие моменты болезни...

Грания подняла голову и вспомнила, как мужественно Аврора восприняла известие о смерти отца. Она смирилась с потерей и, преодолев печаль, нашла в случившемся позитивные моменты.

Грания осознавала, что ей тоже нужно найти внутренние силы, какими обладала Аврора, чтобы пережить потерю. Авроре никогда не нужно было искать ответ на все мучительные «почему», возможно, причина крылась в том, что она всегда в душе верила, что конец земного существования — это еще не конец жизни вообще.

Аврора оставила письмо, но за десять ужасных дней, прошедших после ее смерти, Грания так и не смогла прочесть его.

Она поднялась и, отойдя к поросшему травой камню, на котором часто любила сидеть, достала письмо из кармана жакета и открыла его.

Мамочка,

Держу пари, я знаю, где ты сейчас читаешь эти строки. Ты сидишь на любимом камне на скалах в Дануорли и вглядываешься в море. И скучаешь по мне, недоумевая, почему я ушла. Мамочка, я знаю, что ты будешь грустить. Потеря близкого человека всегда причиняет боль, а потеря ребенка — это, возможно, самое страшное, потому что противоречит законам природы. Но ведь это мы, люди, придумали счет времени. По-моему, это сделали еще римляне. Они составили первый календарь, и все узнали, что такое дни, месяцы и годы. Если честно, мамочка, то мне кажется, я живу уже целую вечность.

Возможно, так и есть. Все равно я никогда не чувствовала, что мое место на земле. Не забывай, моя дорогая: мы все окажемся там, куда ушла я. Мы видим друг друга только потому, что у нас есть тело, кожа, плоть. Но душа бессмертна. Разве можно сказать, что сейчас, когда ты сидишь на камне, меня нет рядом с тобой, что я не танцую и не люблю тебя, как это было всегда, только потому, что ты не видишь меня?

Мама, я не хочу уходить, не будучи уверенной, что в горе ты не забудешь папу и Флориана и будешь по-прежнему любить и заботиться о них. Спасибо, что ты назвала моего младшего брата именем принца из «Спящей красавицы», и я надеюсь, что однажды он найдет свою принцессу и разбудит ее поцелуем. Пожалуйста, обними за меня бабушку, дедушку и Шейна. Скажи ему, что я буду следить, чтобы он хорошо заботился о Лили. Она начинает стареть, и ей требуется больше внимания.

Мама, постарайся поверить, что ничего никогда не заканчивается, особенно любовь.

Вероятно, ты уже говорила с дядей Хансом и знаешь, что я оставила тебе Дануорли-Хаус и Кэдоган-Хаус. Мне кажется правильным, что ты станешь их хозяйкой. Они — часть нашей общей семейной истории, и мне бы хотелось думать, что сильные женщины нашей семьи будут и дальше жить в их стенах.

А остальные мои деньги... Дядя Ханс знает, как я хочу ими распорядиться. Я уверена, что он создаст мой благотворительный фонд так, как делает это всегда, — добросовестно и профессионально.

Между прочим, я оставила тебе еще один подарок. Он лежит в том ящике письменного стола в папином кабинете, который он всегда закрывал на ключ. Ты знаешь, о чем я говорю. Я написала это для нас и наших двух семей, как доказательство связи, которая влекла нас с тобой друг к другу в течение ста с лишним лет.

Мамочка, есть еще кое-что, о чем ты не знаешь. На твоем месте в следующем месяце я бы сделала тест, потому что крошечная душа уже существует, удобно устроившись у тебя внутри. И это будет маленькая девочка.

Мамочка, спасибо тебе за все, что ты дала мне.

До встречи,

твоя Аврора.

Грания медленно подняла голову, слезы застилали ей глаза. Она заметила маленькую белую чайку, которая смотрела на нее, сидя на краю скалы, склонив голову набок.

— Грания!

Она медленно обернулась на звук голоса. Невдалеке стоял Мэтт.

— Дорогая, ты хорошо себя чувствуешь? — спросил он.

Грания не могла вымолвить ни слова и лишь молча кивнула.

— Я беспокоился, здесь такой сильный ветер и... Можно мне подойти и обнять тебя?

Она протянула руки к мужу. Он наклонился и крепко обнял ее, прижав к себе. А потом посмотрел на листок бумаги, который держала Грания.

— Это то письмо, которое она тебе оставила?

— Да.

— Что в нем?

— О, много всего разного. — Грания нашла в кармане старую салфетку и промокнула глаза. — Она была... она потрясающая. Такая мудрая и сильная. Как это возможно в таком юном возрасте?

— Возможно, твоя мать права, когда говорит, что ее душа не так уж молода, — тихо произнес Мэтт.

— Или она ангел... — Грания слабо оперлась на плечо Мэтта. — Она пишет, что оставила что-то для нас в ящике письменного стола.

— Может, пойдем домой и поищем? У тебя руки посинели от холода, дорогая.

— Хорошо.

Мэтт помог жене подняться, и, обнявшись, они начали подниматься вверх по скалам.

— Аврора еще кое о чем упомянула в письме.

— О чем именно? — поинтересовался Мэтт, когда они уже шли к дому.

— Она сказала, что я...

Внезапно налетевший сильный порыв ветра с легкостью вырвал письмо из замерзших рук Грании и унес к обрыву.

— О, дорогая, — обреченно произнес Мэтт, зная, что ему уже не вернуть его. — Мне очень жаль.

Повернувшись, Грания наблюдала, как лист бумаги кружится, вертится и танцует на ветру. Испуганная чайка взметнулась со скалы и полетела за письмом в сторону моря.

И внезапно Грания почувствовала, что успокоилась.

— Теперь я понимаю...

— Что понимаешь, дорогая?

— Она всегда будет со мной, — пробормотала она.

ОТ АВТОРА

Эти слова мне хотелось написать больше всего. Ведь они означают, что книга закончена и готовится к публикации. Это произошло благодаря тому, что все перечисленные ниже люди оказывали мне безграничную поддержку в самых разных вопросах, помогали советами и вдохновляли меня.

Во-первых, спасибо Мэри Эванс — моему замечательному редактору из издательства «Пингвин» — за ее неоценимые «пинки». А также всей команде издательства, которая с таким усердием продвигала эту книгу, и особенно Розанне Бантинк, Анне Деркач и всей группе по продаже авторских прав за рубеж, — вы сделали мои книги доступными читателям всего мира. Я благодарю моего технического редактора Карен Уитлок и машинистку Пэт Питт, а также всех, кто внес большой вклад в работу над этой книгой.

Спасибо Джонатану Ллойду — потрясающему агенту и другу, с которым мне наконец-то удалось расплатиться за его терпение (а также за потраченные на меня огромные суммы). Сюзан Мосс и Жаклин Хеслоп — только им я доверила прочитать рукопись, до того как отправить в издательство, и они поддерживали во мне позитивный настрой все время, пока я ждала вердикта профессионалов. Хелен Рамптон, Кэтлин Маккензи, Трейси Блэкуэлл, Дженнифер Дафтон, Розалинд Хадсон, Адриана Хантер, Сюзан Грикс, Кэтлин Дунан, Сэм Герни, Джо Блэкмор, Софи Хикс и Эми Финнеган — девочки, что бы я делала без вас? Я благодарю Дэнни Шайнманна, чьи беспристрастные советы были просто неоценимы. Спасибо Ричарду Мейдли и Джуди Финниган, чей «Книжный клуб Джуди и Ричарда» стал для меня отличной стартовой площадкой для написания будущих романов. Дэвид Макинсон из «Холт букшоп», Ричард, Энтони и Фелисити Джеммметт, Морено Делайз, Патрик Грин — спасибо вам. И моя особая благодарность — Изабель Латтер, моей подруге и великолепному остеопату, а также Рите Кэлагейт, которая помогала мне поддерживать физическую форму во время бесконечных переписываний этой книги.

Я благодарю всех членов моей семьи, которые каждый день почти без жалоб мирятся с моими безрассудными писательскими привычками. Спасибо моей маме Джанет, которая всегда готова поддержать меня, сестре Джорджии, а также Оливии, чей талант внесения редакторской правки, подкрепленный рюмкой водки, до сих пор остается непревзойденным. А также моим потрясающим детям: Гарри, Изабелле, Леоноре и Киту (он позволил мне позаимствовать первую фразу для этой книги из его собственной очень занимательной истории и заслуживает особой благодарности). Я перечислила детей по возрасту, а не в порядке их важности для меня. Я люблю всех вас — каждый по-своему дарит мне огромное количество любви, радости и жизни. Могу только сказать, что для меня было честью и особой привилегией привести каждого из вас в этот мир.

Спасибо также моему мужу Стивену за те изменения, которые невозможно описать словами. Я могу только поблагодарить тебя. За все. Это — для тебя.

Литературно-художественное издание

16+

Райли Люсинда

Танец судьбы

Роман

Ответственный корректор И.М. Цулая
Компьютерная верстка: Н.Г. Суворова
Технический редактор О.В. Панкрашина

Общероссийский классификатор продукции
ОК-005-93, том 2; 953000 — книги, брошюры

Наши электронные адреса: WWW.AST.RU
E-mail: astpub@aha.ru

ООО «Издательство АСТ»
127006, г. Москва, ул. Садовая-Триумфальная, д. 16, стр. 3

Издано при участии ООО «Харвест». ЛИ № 02330/0494377 от 16.03.2009.
Ул. Кульман, д. 1, корп. 3, эт. 4, к. 42, 220013, г. Минск, Республика Беларусь.
E-mail редакции: harvest@anitex.by

Республиканское унитарное предприятие
«Издательство «Белорусский Дом печати».
ЛП № 02330/0494179 от 03.04.2009.
Пр. Независимости, 79, 220013, г. Минск, Республика Беларусь.